An tÚdar Tá an Dr Art Hughes, MA, MésL, Ph[...]
ar an Ghaeilge in Ollscoil Uladh Bhéal Feirste[...]
iarScoláire Fulbright seo i léachtóireacht na G[...]
in Éirinn. sa Fhrainc agus i Stáit Aontaithe Mh[...]
atá foilsithe aige, baineann sé cinn acu le hai[...]
na Gaeilge sa Bhéarla, sa Fhraincis agus sa Bh[...]
foilsithe fosta aige d'fhoghlaimeoirí na Gaeilge agus tá said seo foilsithe
ag Clólann Bheann Mhadagáin – tabhair cuairt ar an tsuíomh idirlín
www.benmadiganpress.com.

The Author: Dr A.J. Hughes, MA, MésL, PhD is course Director for Irish
language programmes in the University of Ulster at Belfast. This former
Fulbright Scholar is an expert in Irish language and literature and has over
25 years of lecturing and researching on the subject in Ireland, France and
USA. Of his 15 books to date, six have been translations of Irish literature
into English, French and Breton. He has also published five books for
learners and these have been published by Ben Madigan Press – see the
website www.benmadiganpress.com.

William Collins' dream of knowledge for all began with the publication of his first book in 1819. A self-educated mill worker, he not only enriched millions of lives, but also founded a flourishing publishing house. Today, staying true to this spirit, Collins books are packed with inspiration, innovation, and practical expertise. They place you at the centre of a world of possibility and give you exactly what you need to explore it.

Language is the key to this exploration, and at the heart of Collins Dictionaries is language as it is really used. New words, phrases, and meanings spring up every day, and all of them are captured and analysed by the Collins Word Web. Constantly updated, and with over 2.5 billion entries, this living language resource is unique to our dictionaries.

Words are tools for life. And a Collins Dictionary makes them work for you.

Collins. Do more.

Clár   Contents

Abbreviations   Noda

C	Connaught	**Cúige Chonnacht**
M	Munster	**Cúige Mumhan**
U	Ulster	**Cúige Uladh**
aut.	autonomous	**saorbhriathar**
dep.	dependent form	**foirm spleách**
dial.	dialect	**canúint**
indep.	independent form	**foirm neamhspleách**
pl	plural	**uimhir iolra**
rel.	relative form in the independent	**foirm choibhneasta neamhspleách**
sg	singular	**uimhir uatha**
var	variant	**leagan malartach**

Canúintí na Gaeilge
Irish Dialects

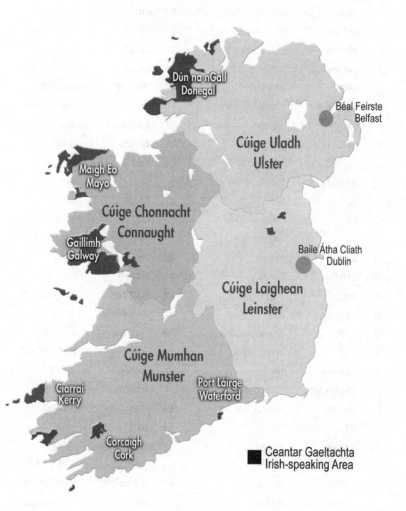

Dún na nGall
Donegal

Béal Feirste
Belfast

Cúige Uladh
Ulster

Maigh Eo
Mayo

Cúige Chonnacht
Connaught

Gaillimh
Galway

Baile Átha Cliath
Dublin

Cúige Laighean
Leinster

Cúige Mumhan
Munster

Port Láirge
Waterford

Ciarraí
Kerry

Corcaigh
Cork

Ceantar Gaeltachta
Irish-speaking Area

1	**abair**	say	31	**díol**	sell
2	**aithin**	recognise	32	**dírigh**	straighten
3	**aithris**	imitate	33	**dóigh**	burn
4	**amharc**	look	34	**druid**	close, shut
5	**at**	swell	35	**dúisigh**	wake up
6	**athraigh**	change	36	**dún**	close, shut
7	**báigh**	drown	37	**eagraigh**	organise
8	**bailigh**	gather	38	**éirigh**	get up
9	**bain**	cut, win	39	**éist**	listen
10	**beannaigh**	bless	40	**fág**	leave
11	**beir**	bear	41	**faigh**	get
12	**bí**	be	42	**fan**	wait
13	**is**	the copula	43	**fás**	grow
14	**bog**	move	44	**feic**	see
15	**bris**	break	45	**feoigh**	rot, decay
16	**brúigh**	press, push	46	**fiafraigh**	ask, enquire
17	**caill**	lose	47	**fill = pill** U	return
18	**caith**	spend, wear	48	**fliuch**	wet, soak
19	**cas**	twist, turn	49	**foghlaim**	learn, teach
20	**ceangail**	tie	50	**foilsigh**	publish
21	**ceannaigh**	buy	51	**freagair**	answer
22	**cloígh**	defeat	52	**freastail**	attend
23	**clois = cluin** U	hear	53	**géill**	yield
24	**codail**	sleep	54	**glan**	clean
25	**coinnigh**	keep	55	**goirtigh**	salt, pickle
26	**cruaigh**	harden	56	**gortaigh**	hurt, injure
27	**cruinnigh**	collect	57	**iarr**	ask, request
28	**cuir**	put	58	**imigh**	leave, go off
29	**dathaigh**	colour	59	**imir**	play (game)
30	**déan**	do, make	60	**inis**	tell

61	**iompair**	carry		91	**sín**	stretch
62	**ionsaigh**	attack		92	**sínigh**	sign
63	**ith**	eat		93	**siúil**	walk
64	**labhair**	speak		94	**smaoinigh**	think
65	**las**	light		95	**socraigh**	arrange
66	**léigh**	read		96	**stampáil**	stamp
67	**lig**	let, permit		97	**suigh**	sit
68	**maraigh**	kill marbh		98	**tabhair**	give
69	**meath**	wither, rot		99	**tagair**	refer
70	**mill**	destroy, ruin		100	**taispeáin**	show
71	**mínigh**	explain		101	**taistil**	travel
72	**mionnaigh**	swear		102	**taitin**	shine
73	**mol**	praise		103	**tar**	come
74	**múscail**	wake up		104	**tarraing**	pull, draw
75	**neartaigh**	strengthen		105	**teann**	tighten
76	**nigh**	wash		106	**téigh**	go
77	**oil**	train, rear		107	**tiomáin**	drive
78	**ól**	drink		108	**tit**	fall
79	**ordaigh**	order		109	**tóg**	lift
80	**oscail=foscail** U	open		110	**tosaigh**	begin
81	**pacáil**	pack		111	**trácht**	mention
82	**pós**	marry		112	**triomaigh**	dry
83	**rith**	run		113	**tuig**	understand
84	**roinn = rann**	divide		114	**tuirsigh**	tire, exhaust
85	**sábháil**	save		115	**ullmhaigh**	prepare
86	**scanraigh**	frighten				
87	**scaoil**	shoot, loosen				
88	**scríobh**	write				
89	**seachain**	avoid				
90	**seas**	stand				

Réamhrá

Más foghalimeoir thú nó más ag iarraidh an mheirg a bhaint de do chuid Gaeilge nó ag ullmhú do scrúduithe atá tú, tá an dá imleabhar *Easy Learning Irish Verbs* agus a chomhleabhar sraithe *Easy Learning Irish Grammar*, anseo le cuidiú leat.

Is féidir leis an téarmaíocht theicniúil bac a chur ar fhoghlaimeoirí atá ag iarraidh eolas a chur ar ghramadach theanga nua, ach mínítear na téarmaí seo ina niomláine san *Easy Learning Irish Grammar*. Is uirlis ghasta thagartha é an leabhar *Easy Learning Irish Verbs* a chuireann táblaí briat: atha ar fáil don bhunfhoghlaimeoir agus fiú don chainteoir líofa a úsáideann an teanga ar bhonn laethúil ar bhealach simplí soiléir.

Tá *Easy Learning Irish Verbs* struchtúrtha i ranna a éascóidh úsáid agus tuiscint na mbriathra duit.

Sa chéad roinn tugtar táblaí do 115 eochairbhriathar (idir rialta agus mhírialta) ina dtugtar na seacht n-aimsir agus modh éagsúla – mar aon leis an ghas/fhréamh, leis an ainm briathartha, agus leis an aidiacht bhriathartha. Is iad an gas agus an t-ainm briathartha an dá chuid is tábhachtaí de bhriathar ar bith – agus cé go n-úsáidtear an aidiacht bhriathartha mar 'aidiacht', feicfear níos minice é mar 'rangabháil chaite' leis na na haimsirí éagsúla foirfe a dhéanamh. In *Aguisín A*, i ndiaidh na dtáblaí, tugtar leaganacha Béarla do na leaganacha difriúla den bhriathar a réimnítear i nGaeilge sna táblaí – agus úsáidtear an briathar *glan* 'clean' mar shampla.

Is sa Chaighdeán Oifigiúil a thugtar príomhtháblaí na mbriathra – bíodh go liostáiltear príomhleaganacha canúnacha mar fhonótaí sna táblaí céanna do na trí mhórchanúint: Cúige Uladh, Cúige Chonnacht agus Cuige Mumhan. Cuideoidh seo leis an úsáideoir eolas a chur ar an Chaighdeán Oifigiúil agus ar Gaeilge bheo na Gaeltachta a chluintear go minic fosta sna meáin chumarsáide agus a léitear i litríocht reigiúnach na Nua-Ghaeilge.

Tá *Treoir don Léitheoir* mar an dara roinn sa leabhar, roinn a thugann eolas ar struchtúr an bhriathair sa Ghaeilge mar aon le heolas ar an bhaint atá idir na Táblaí agus Innéacs na mBriathra ar chúl an leabhair. Tá achoimre úsáideach ar an bhriathar le fáil anseo – agus is mór is fiú an roinn seo a léamh!

Is é Innéacs na mBriathra an tríú roinn agus tá amach is isteach ar 3000 briathar san Innéacs. Tugtar na príomhfhoirmeacha a leanas san Innéacs: an gas, an chiall (i mBéarla), an t-ainm briathartha agus an aidiacht bhriathartha (colúin 1-4); agus ansin tugtar crostagairt i gcolún 5 do cheann de na 115 eochairbhriathar, ní a léireoidh na bunphatrúin a bheas ag an bhriathar áirithe sin. Cuireann Achoimre Gramadaí críoch leis an imleabhar seo de *Easy Learning Irish Verbs*.

Tugann *Easy Learning Irish Grammar* céim níos faide thú leis an fhoghlaim. Is forlíonadh é ar an méid eolais atá ar fáil in *Easy Learning Irish Verbs* ag tabhairt tuilleadh léirithe agus treoracha ar úsáid na mbriathra, gan trácht ar ghnéithe eile de ghramadach na Gaeilge. Is cinnte go gcuideoidh an dá leabhar *Easy Learning Irish Verbs* agus *Easy Learning Irish Grammar* leatsa, mar fhoghlaimeoir, agus tú ag tabhairt faoin Ghaeilge.

Introduction

Whether you are starting to learn Irish for the very first time, brushing up your language skills or revising for your exams, the *Easy Learning Irish Verbs* and its companion volume, the *Easy Learning Irish Grammar*, are here to help.

Newcomers can sometimes struggle with the technical terms they come across when they start to explore the grammar of a new language but these are explained fully in the *Easy Learning Irish Grammar*. The *Easy Learning Irish Verbs* is a handy reference source which presents verb tables for the learner and everyday language user in a simple, uncluttered manner.

Easy Learning Irish Verbs is divided into sections to help you become confident in using and understanding Irish verbs. The first section consists of the verb tables for 115 key Irish verbs (regular and irregular) which are given in full for the various seven tenses and moods – complete with the stem, the verbal noun plus the verbal adjective. The stem and the verbal noun (or infinitive) are the two most important parts of any verb. While the verbal adjective may be used as an 'adjective', it will appear more commonly as a 'past participle' in forming the various perfect tenses. *Appendix A* follows the verb tables and gives clear-cut information on the different parts of the Irish verbs conjugated by providing full parallel English translations of all the verbal forms for the sample verb *glan* 'clean'.

The main verb tables are presented in the Standard language – however some key variants are provided as footnotes to the tables for the three main dialects of Ulster, Connaught and Munster. This will enable the user to become acquainted with Standard Irish and with the key spoken variants in the *Gaeltacht* (or 'Irish-speaking') areas, often heard on the media, and found in the regional literature of Modern Irish.

The second section is a Reader's Guide which gives information on the general structure of the verb in Irish and indications as to how the Tables and the Verb Index relate to each other. This section provides a useful overview of the verb in Irish and is well worth a read!

The third section is the Verb Index itself which lists around 3300 verbs. The Index lists the main forms of each of these verbs (stem, English meaning, verbal noun and verbal adjective, columns 1-4) followed by a cross-reference in the 5th column to one of the 115 key verb tables, which will show you the patterns that any given verb follows. A short Grammar Appendix rounds off the volume *Easy Learning Irish Verbs*.

The *Easy Learning Irish Grammar* takes you a step further in your language learning. It supplements the information given in the *Easy Learning Irish Verbs* by offering even more guidance on the usage and meaning of verbs, as well as looking at the most important aspects of Irish grammar. Together, or individually, the Easy Learning titles offer you all the help you need when learning Irish.

1 abair say rá ráite

an aimsir chaite

dúirt mé
dúirt tú
dúirt sé/sí
dúramar
dúirt sibh
dúirt siad
dúradh/húradh

the past tense

ní dúirt
an ndúirt?
go ndúirt
nach ndúirt
ní dúradh/níor húradh
an ndúradh?
go/nach ndúradh

1sg dúrt/dúras, *2sg* dúrais, *2pl* dúrabhair **M** *1pl* dúirt muid **CU** *3pl* dúradar **MC** d'úirt, níor úirt, ar/gur/nár úirt *etc.*, *aut.* húradh: níor, ar gur, nár húradh; **CU**

an aimsir láithreach

deirim
deir tú
deir sé/sí
deirimid
deir sibh
deir siad
deirtear

the present tense

ní deir
an ndeir?
go ndeir
nach ndeir

1pl deir muid **CU** *3pl* deirid (siad) **M** *rel.* a deir; deireann sé *dial.* *var. dep.* ní abrann, an abrann? *etc* **U**

an aimsir fháistineach

déarfaidh mé
déarfaidh tú
déarfaidh sé/sí
déarfaimid
déarfaidh sibh
déarfaidh siad
déarfar

the future tense

ní déarfaidh
an ndéarfaidh?
go ndéarfaidh
nach ndéarfaidh

1sg déarfad, *2sg* déarfair **M** déarfaidh muid **CU** *rel.* a déarfas. *Dep.* ní abróchaidh, go n-abróchaidh (*var.* abóraidh) **U**

1 abair say   rá   ráite

an modh coinníollach	**the conditional mood**
déarfainn	ní déarfadh
déarfá	an ndéarfadh?
déarfadh sé/sí	go ndéarfadh
déarfaimis	nach ndéarfadh
déarfadh sibh	
déarfaidís	
déarfaí	

1pl déarfadh muid **C** *3pl* déarfadh siad **U** *dep.* ní abróchainn (ní abórainn), ní abróchadh, go n-abróchadh (*var.* abóradh) **U**

an aimsir ghnáthchaite	**the imperfect tense**
deirinn	ní deireadh
deirteá	an ndeireadh?
deireadh sé/sí	go ndeireadh
deirimis	nach ndeireadh
deireadh sibh	
deiridís	
deirtí	

1pl deireadh muid **C** *3pl* deireadh siad **U** Ba ghnách liom a rá *etc.* **U** *dep.* ní abrainn, ní abradh sé, go n-abradh *etc.* **U**

an modh ordaitheach **the imperative mood**	**an foshuiteach láithreach** **the present subjunctive**
abraim	go ndeire mé
abair	go ndeire tú
abradh sé/sí	go ndeire sé/sí
abraimis	go ndeirimid
abraigí go ndeire sibh	
abraidís	go ndeire siad
abairtear	go ndeirtear
ná habair	nár deire

3pl abradh siad **U**   *1pl* go ndeire muid, go n-abra *etc* **CU**

2 aithin recognise   aithint   aitheanta

an aimsir chaite	the past tense
d'aithin mé	níor aithin
d'aithin tú	ar aithin?
d'aithin sé/sí	gur aithin
d'aithníomar	nár aithin
d'aithin sibh	níor aithníodh/níor haithníodh
d'aithin siad	ar aithníodh?
aithníodh/haithníodh	gur/nár aithníodh

1sg d(h)'aithníos, 2sg d(h)'aithnís, 2pl d(h)'aithníobhair **M**
1pl d'aithin muid **UC** 3pl d'aithníodar **MC** aut. haithníodh **MCU**

an aimsir láithreach	the present tense
aithním	ní aithníonn
aithníonn tú	an aithníonn?
aithníonn sé/sí	go n-aithníonn
aithnímid	nach n-aithníonn
aithníonn sibh	
aithníonn siad	
aithnítear	

1pl aithníonn muid **C** 3pl aithníd (siad) **M**
aithnim, aithneann sé, muid etc. **U** rel. a aithníos/a aithneas

an aimsir fháistineach	the future tense
aithneoidh mé	ní aithneoidh
aithneoidh tú	an aithneoidh?
aithneoidh sé/sí	go n-aithneoidh
aithneoimid	nach n-aithneoidh
aithneoidh sibh	
aithneoidh siad	aithneochaidh **U**
aithneofarr	

1sg aithneod, 2sg aithneoir **M** 1pl aithneoidh muid **C**
aithneochaidh mé, muid etc. **U** rel. a aithneos/a aithneochas

2 **aithin** recognise   **aithint**   **aitheanta**

an modh coinníollach

d'aithneoinn
d'aithneofá
d'aithneodh sé/sí
d'aithneoimis
d'aithneodh sibh
d'aithneoidís
d'aithneofaí

the conditional mood

ní aithneodh
an aithneodh?
go n-aithneodh
nach n-aithneodh

d'aithneochadh **U**

1sg d'aithneochainn, *3sg* d'aithneochadh sé, siad *etc.* **U**
1pl d'aithneodh muid **C**

an aimsir ghnáthchaite

d'aithnínn
d'aithníteá
d'aithníodh sé/sí
d'aithnímis
d'aithníodh sibh
d'aithnídís
d'aithnítí

the imperfect tense

ní aithníodh
an aithníodh?
go n-aithníodh
nach n-aithníodh

1pl d'aithníodh muid **C** *3pl* d'aithníodh siad **U**
Ba ghnách liom aithint *etc.* **U**

an modh ordaitheach
the imperative mood

aithním
aithin
aithníodh sé/sí
aithnímis
aithnígí
aithnídís
aithnítear
  ná haithin

an foshuiteach láithreach
the present subjunctive

go n-aithní mé
go n-aithní tú
go n-aithní sé/sí
go n-aithnímid
go n-aithní sibh
go n-aithní siad
go n-aithnítear
nár aithní

3pl aithníodh siad **U**

1pl go n-aithní muid **CU**

3 aithris imitate   aithris   aithriste

an aimsir chaite	the past tense
d'aithris mé	níor aithris
d'aithris tú	ar aithris?
d'aithris sé/sí	gur aithris
d'aithrisíomar	nár aithris
d'aithris sibh	níor aithrisíodh/níor haithrisíodh
d'aithris siad	ar aithrisíodh?
aithrisíodh, haithrisíodh MCU	gur/nár aithrisíodh

1sg d(h)'aithrisíos, 2sg d(h)'aithrisís, 2pl d(h)'aithrisíobhair M
1pl d'aithris muid UC 3pl d'aithrisíodar MC aut. haithrisíodh

an aimsir láithreach	the present tense
aithrisím	ní aithrisíonn
aithrisíonn tú	an aithrisíonn?
aithrisíonn sé/sí	go n-aithrisíonn
aithrisímid	nach n-aithrisíonn
aithrisíonn sibh	
aithrisíonn siad	
aithrisítear	

1pl aithrisíonn muid C 3pl aithrisíd (siad) M
aithrisim, aithriseann sé, muid etc. U rel. a aithrisíos/a aithriseas

an aimsir fháistineach	the future tense
aithriseoidh mé	ní aithriseoidh
aithriseoidh tú	an aithriseoidh?
aithriseoidh sé/sí	go n-aithriseoidh
aithriseoimid	nach n-aithriseoidh
aithriseoidh sibh	
aithriseoidh siad	aithriseochaidh U
aithriseofar	

1sg aithriseod, 2sg aithriseoir M aithriseochaidh mé, muid etc. U
1pl aithriseoidh muid C rel. a aithriseos/a aithriseochas

3 aithris imitate aithris aithriste

an modh coinníollach

d'aithriseoinn
d'aithriseofá
d'aithriseodh sé/sí
d'aithriseoimis
d'aithriseodh sibh
d'aithriseoidís
d'aithriseofaí

the conditional mood

ní aithriseodh
an aithriseodh?
go n-aithriseodh
nach n-aithriseodh

d'aithriseochadh **U**

1sg d'aithriseochainn, *3sg* d'aithriseochadh sé, siad *etc.* **U**
1pl d'aithriseodh muid **C**

an aimsir ghnáthchaite

d'aithrisínn
d'aithrisíteá
d'aithrisíodh sé/sí
d'aithrisímis
d'aithrisíodh sibh
d'aithrisídís
d'aithrisítí

the imperfect tense

ní aithrisíodh
an aithrisíodh?
go n-aithrisíodh
nach n-aithrisíodh

1pl d'aithrisíodh muid **C** *3pl* d'aithrisíodh siad **U**
Ba ghnách liom aithris *etc.* **U**

an modh ordaitheach
the imperative mood

aithrisím
aithris
aithrisíodh sé/sí
aithrisímis
aithrisígí
aithrisídís
aithrisítear
 ná haithris

3pl aithrisíodh siad **U**

an foshuiteach láithreach
the present subjunctive

go n-aithrisí mé
go n-aithrisí tú
go n-aithrisí sé/sí
go n-aithrisímid
go n-aithrisí sibh
go n-aithrisí siad
go n-aithrisítear
 nár aithrisí

1pl go n-aithrisí muid **CU**

4 amharc look   amharc   amharctha

an aimsir chaite	the past tense
d'amharc mé	níor amharc
d'amharc tú	ar amharc?
d'amharc sé/sí	gur amharc
d'amharcamar	nár amharc .
d'amharc sibh	níor amharcadh/níor hamharcadh
d'amharc siad	ar amharcadh?
amharcadh/hamharcadh	gur/nár amharcadh

1sg d(h)'amharcas, 2sg d(h)'amharcais, 2pl d(h)'amharcabhair **M** 1pl d'amharc muid **CU** 3pl d'amharcadar **MC** aut. hamharcadh **MCU** var. amhanc **U**

an aimsir láithreach	the present tense
amharcaim	ní amharcann
amharcann tú	an amharcann?
amharcann sé/sí	go n-amharcann
amharcaimid	nach n-amharcann
amharcann sibh	
amharcann siad	
amharctar	

1pl amharcann muid **CU** 3pl amharcaid (siad) **M** rel. a amharcas

an aimsir fháistineach	the future tense
amharcfaidh mé	ní amharcfaidh
amharcfaidh tú	an amharcfaidh?
amharcfaidh sé/sí	go n-amharcfaidh
amharcfaimid	nach n-amharcfaidh
amharcfaidh sibh	
amharcfaidh siad	amharcóchaidh **U**
amharcfar	

1sg amharcfad, 2sg amharcfair **M** amharcfaidh muid **C** amhracóchaidh mé/muid **U**. rel. a amharcfas/a amharcóchas

4 amharc look   amharc   amharctha

an modh coinníollach
d'amharcfainn
d'amharcfá
d'amharcfadh sé/sí
d'amharcfaimis
d'amharcfadh sibh
d'amharcfaidís
d'amharcfaí

the conditional mood
ní amharcfadh
an amharcfadh?
go n-amharcfadh
nach n-amharcfadh

d'amharcóchadh **U**

1pl d'amharcfadh muid **C** *3pl*
d'amharcóchainn, d'amharcóchadh sé, siad **U**

an aimsir ghnáthchaite
d'amharcainn
d'amharctá
d'amharcadh sé/sí
d'amharcaimis
d'amharcadh sibh
d'amharcaidís
d'amharctaí

the imperfect tense
ní amharcadh
an amharcadh?
go n-amharcadh
nach n-amharcadh

1pl d'amharcadh muid **C** *3pl* d'amharcadh siad **U**
Ba ghnách liom amharc *etc.* **U**

an modh ordaitheach
the imperative mood
amharcaim
amharc
amharcadh sé/sí
amharcaimis
amharcaigí
amharcaidís
amharctar
 ná hamharc

3pl amharcadh siad **U**

an foshuiteach láithreach
the present subjunctive
go n-amharca mé
go n-amharca tú
go n-amharca sé/sí
go n-amharcaimid
go n-amharca sibh
go n-amharca siad
go n-amharctar
 nár amharca

1pl go n-amharca muid **CU**

5 **at** swell **at** ata

an aimsir chaite	**the past tense**
d'at mé	níor at
d'at tú	ar at?
d'at sé/sí	gur at
d'atamar	nár at
d'at sibh	níor atadh/níor hatadh
d'at siad	ar atadh?
atadh/hatadh	gur/nár atadh

1sg d(h)'atas, *2sg* d(h)'atais, *2pl* d(h)'atabhair **M**
1pl d'at muid **CU** *3pl* d'atadar **MC** *aut.* hatadh **MCU**

an aimsir láithreach	**the present tense**
ataim	ní atann
atann tú	an atann?
atann sé/sí	go n-atann
ataimid	nach n-atann
atann sibh	
atann siad	
atar	

1pl atann muid **CU** *3pl* ataid (siad) **M** *rel.* a atas

an aimsir fháistineach	**the future tense**
atfaidh mé	ní atfaidh
atfaidh tú	an atfaidh?
atfaidh sé/sí	go n-atfaidh
atfaimid	nach n-atfaidh
atfaidh sibh	
atfaidh siad	
atfar	

1sg atfad, *2sg* atfair **M** atfaidh muid **C** atóchaidh mé/muid *etc.* **U** *rel.* a atfas/
a atóchas

5 **at** swell   **at   ata**

an modh coinníollach
d'atfainn
d'atfá
d'atfadh sé/sí
d'atfaimis
d'atfadh sibh
d'atfaidís
d'atfaí

the conditional mood
ní atfadh
an atfadh?
go n-atfadh
nach n-atfadh

1pl d'atfadh muid **C** d'atóchainn, d'atóchadh sé/siad *etc.* **U**

an aimsir ghnáthchaite
d'atainn
d'atá
d'atadh sé/sí
d'ataimis
d'atadh sibh
d'ataidís
d'ataí

the imperfect tense
ní atadh
an atadh?
go n-atadh
nach n-atadh

1pl d'atadh muid **C** *3pl* d'atadh siad, Ba ghnách liom at *etc.* **U**

an modh ordaitheach
the imperative mood
ataim
at
atadh sé/sí
ataimis
ataigí
ataidís
atar
 ná hat

an foshuiteach láithreach
the present subjunctive
go n-ata mé
go n-ata tú
go n-ata sé/sí
go n-ataimid
go n-ata sibh
go n-ata siad
go n-atar
 nár ata

3pl atadh siad **U**

1pl go n-ata muid **CU**

6 athraigh change athrú athraithe

an aimsir chaite
d'athraigh mé
d'athraigh tú
d'athraigh sé/sí
d'athraíomar
d'athraigh sibh
d'athraigh siad
athraíodh/hathraíodh

the past tense
níor athraigh
ar athraigh?
gur athraigh
nár athraigh
níor athraíodh/níor hathraíodh
ar athraíodh?
gur/nár athraíodh

1sg d(h)'athraíos, *2sg* d(h)'athraís, *2pl* d(h)'athraíobhair **M** *1pl* d'athraigh muid **UC** *3pl* d'athraíodar **MC** *aut.* hathraíodh **MCU**

an aimsir láithreach
athraím
athraíonn tú
athraíonn sé/sí
athraímid
athraíonn sibh
athraíonn siad
athraítear

the present tense
ní athraíonn
an athraíonn?
go n-athraíonn
nach n-athraíonn

1pl athraíonn muid **C** *3pl* athraíd (siad) **M** athraim, athrann sé/muid *etc.* **U** *rel.* a athraíos

an aimsir fháistineach
athróidh mé
athróidh tú
athróidh sé/sí
athróimid
athróidh sibh
athróidh siad
athrófar

the future tense
ní athróidh
an athróidh?
go n-athróidh
nach n-athróidh

athróchaidh **U**

1sg athród, *2sg* athróir **M** *1pl* athróidh muid **C** athróchaidh mé/muid *etc.* **U** *rel.* a athrós/a athróchas

6 athraigh change athrú athraithe

an modh coinníollach
d'athróinn
d'athrófá
d'athródh sé/sí
d'athróimis
d'athródh sibh
d'athróidís
d'athrófaí

the conditional mood
ní athródh
an athródh?
go n-athródh
nach n-athródh

d'athróchadh **U**

1sg d'athróchainn, 3sg d'athróchadh sé/siad *etc*. **U**
1pl d'athródh muid **C**

an aimsir ghnáthchaite
d'athraínn
d'athraíteá
d'athraíodh sé/sí
d'athraímis
d'athraíodh sibh
d'athraídís
d'athraítí

the imperfect tense
ní athraíodh
an athraíodh?
go n-athraíodh
nach n-athraíodh

1pl d'athraíodh muid **C** 3pl d'athraíodh siad **U**
Ba ghnách liom athrú *etc*. **U**

an modh ordaitheach
the imperative mood
athraím
athraigh
athraíodh sé/sí
athraímis
athraígí
athraídís
athraítear
  ná hathraigh

3pl athraíodh siad **U**

an foshuiteach láithreach
the present subjunctive
go n-athraí mé
go n-athraí tú
go n-athraí sé/sí
go n-athraímid
go n-athraí sibh
go n-athraí siad
go n-athraítear
  nár athraí

1pl go n-athraí muid **CU**

7 báigh drown   bá   báite

an aimsir chaite	the past tense
bháigh mé	níor bháigh
bháigh tú	ar bháigh?
bháigh sé/sí	gur bháigh
bhámar	nár bháigh
bháigh sibh	níor bádh
bháigh siad	ar bádh?
bádh	gur/nár bádh

1sg (do) bhás, 2sg (do) bháis, 2pl (do) bhábhair **M**
1pl bháigh muid **CU** 3pl (do) bhádar **MC** bháith = bháigh **U**

an aimsir láithreach	the present tense
báim	ní bhánn
bánn tú	an mbánn?
bánn sé/sí	go mbánn
báimid	nach mbánn
bánn sibh	
bánn siad	
báitear	

1pl bánn muid **CU** 3pl báid (siad) **M**
báithim, báitheann etc. **U** rel. a bhás/a bháitheas

an aimsir fháistineach	the future tense
báfaidh mé	ní bháfaidh
báfaidh tú	an mbáfaidh?
báfaidh sé/sí	go mbáfaidh
báfaimid	nach mbáfaidh
báfaidh sibh	
báfaidh siad	
báfar	

1sg báfad, 2sg báfair **M** báfaidh muid **CU** báithfidh
U rel. a bháfas

7 **báigh** drown   **bá**   **báite**

an modh coinníollach

bháfainn
bháfá
bháfadh sé/sí
bháfaimis
bháfadh sibh
bháfaidís
bháfaí

the conditional mood

ní bháfadh
an mbáfadh?
go mbáfadh
nach mbáfadh

1pl bháfadh muid **C** *3pl* bháfadh siad *var.* bháithfeadh siad *etc.* **U**

an aimsir ghnáthchaite

bháinn
bháiteá
bhádh sé/sí
bháimis
bhádh sibh
bháidís
bháití

the imperfect tense

ní bhádh
an mbádh?
go mbádh
nach mbádh

1pl bhádh muid **C**, *3pl* bhádh siad **U**
Ba ghnách liom bá *etc.* **U**

an modh ordaitheach
the imperative mood

báim
báigh
bádh sé/sí
báimis
báigí
báidís
báitear
 ná báigh

3pl bádh siad **U**

an foshuiteach láithreach
the present subjunctive

go mbá mé
go mbá tú
go mbá sé/sí
go mbáimid
go mbá sibh
go mbá siad
go mbáitear
 nár bhá

1pl go mbá muid **CU**

8 bailigh gather bailiú bailithe

an aimsir chaite	the past tense
bhailigh mé	níor bhailigh
bhailigh tú	ar bhailigh?
bhailigh sé/sí	gur bhailigh
bhailíomar	nár bhailigh
bhailigh sibh	níor bailíodh
bhailigh siad	ar bailíodh?
bailíodh	gur/nár bailíodh

1sg (do) bhailíos, *2sg* (do) bhailís, *2pl* (do) bhailíobhair **M**
1pl bhailigh muid **UC** *3pl* bhailíodar **MC**

an aimsir láithreach	the present tense
bailím	ní bhailíonn
bailíonn tú	an mbailíonn?
bailíonn sé/sí	go mbailíonn
bailímid	nach mbailíonn
bailíonn sibh	
bailíonn siad	
bailítear	

1pl bailíonn muid **C** *3pl* bailíd (siad) **M**
bailim, baileann sé/muid **U** *rel*. a bhailíos

an aimsir fháistineach	the future tense
baileoidh mé	ní bhaileoidh
baileoidh tú	an mbaileoidh?
baileoidh sé/sí	go mbaileoidh
baileoimid	nach mbaileoidh
baileoidh sibh	
baileoidh siad	
baileofar	

1sg baileod, *2sg* baileoir **M** *1pl* baileoidh muid **C**
baileochaidh mé/muid *etc*. **U** *rel*. a bhaileos/a bhaileochas

8 bailigh gather   bailiú   bailithe

an modh coinníollach
bhaileoinn
bhaileofá
bhaileodh sé/sí
bhaileoimis
bhaileodh sibh
bhaileoidís
bhaileofaí

the conditional mood
ní bhaileodh
an mbaileodh?
go mbaileodh
nach mbaileodh

1sg bhaileochainn, *3sg* bhaileochadh sé, siad *etc.* **U**
1pl bhaileodh muid **C**

an aimsir ghnáthchaite
bhailínn
bhailíteá
bhailíodh sé/sí
bhailímis
bhailíodh sibh
bhailídís
bhailítí

the imperfect tense
ní bhailíodh
an mbailíodh?
go mbailíodh
nach mbailíodh

1pl bhailíodh muid **C**, *3pl* bhailíodh siad **U**
Ba ghnách liom bailiú *etc.* **U**

an modh ordaitheach
the imperative mood
bailím
bailigh
bailíodh sé/sí
bailímis
bailígí
bailídís
bailítear
 ná bailigh

3pl bailíodh siad **U**

an foshuiteach láithreach
the present subjunctive
go mbailí mé
go mbailí tú
go mbailí sé/sí
go mbailímid
go mbailí sibh
go mbailí siad
go mbailítear
 nár bhailí

1pl go mbailí muid **CU**

23

9 bain cut, win baint bainte

an aimsir chaite
the past tense

an aimsir chaite	the past tense
bhain mé	níor bhain
bhain tú	ar bhain?
bhain sé/sí	gur bhain
bhaineamar	nár bhain
bhain sibh	níor baineadh
bhain siad	ar baineadh?
baineadh	gur/nár baineadh

1sg (do) bhaineas, *2sg* (do) bhainis, *2pl* (do) bhaineabhair **M**
1pl bhain muid **CU** *3pl* (do) bhaineadar **MC**

an aimsir láithreach
the present tense

an aimsir láithreach	the present tense
bainim	ní bhaineann
baineann tú	an mbaineann?
baineann sé/sí	go mbaineann
bainimid	nach mbaineann
baineann sibh	
baineann siad	
baintear	

1pl baineann muid **CU** *3pl* bainid (siad) **M** *rel.* a bhaineas

an aimsir fháistineach
the future tense

an aimsir fháistineach	the future tense
bainfidh mé	ní bhainfidh
bainfidh tú	an mbainfidh?
bainfidh sé/sí	go mbainfidh
bainfimid	nach mbainfidh
bainfidh sibh	
bainfidh siad	
bainfear	

1sg bainfead, *2sg* bainfir **M** bainfidh muid **CU** *rel.* a bhainfeas

9 **bain** cut, win **baint bainte**

an modh coinníollach
bhainfinn
bhainfeá
bhainfeadh sé/sí
bhainfimis
bhainfeadh sibh
bhainfidís
_____
bhainfí

the conditional mood
ní bhainfeadh
an mbainfeadh?
go mbainfeadh
nach mbainfeadh

1pl bhainfeadh muid **C** *3pl* bhainfeadh siad **U**

an aimsir ghnáthchaite
bhaininn
bhainteá
bhaineadh sé/sí
bhainimis
bhaineadh sibh
bhainidís
_____
bhaintí

the imperfect tense
ní bhaineadh
an mbaineadh?
go mbaineadh
nach mbaineadh

1pl bhaineadh muid **C**, *3pl* bhaineadh siad **U**
Ba ghnách liom baint *etc.* **U**

an modh ordaitheach
the imperative mood
bainim
bain
baineadh sé/sí
bainimis
bainigí
bainidís
_____
baintear
 ná bain

3pl baineadh siad **U**

an foshuiteach láithreach
the present subjunctive
go mbaine mé
go mbaine tú
go mbaine sé/sí
go mbainimid
go mbaine sibh
go mbaine siad
_____
go mbaintear
 nár bhaine

1pl go mbaine muid **CU**

10 beannaigh bless beannú beannaithe

an aimsir chaite	the past tense
bheannaigh mé	níor bheannaigh
bheannaigh tú	ar bheannaigh?
bheannaigh sé/sí	gur bheannaigh
bheannaíomar	nár bheannaigh
bheannaigh sibh	níor beannaíodh
bheannaigh siad	ar beannaíodh?
beannaíodh	gur/nár beannaíodh

1sg (do) bheannaíos, *2sg* (do) bheannaís, *2pl* (do) bheannaíobhair **M**
1pl bheannaigh muid **UC** *3pl* bheannaíodar **MC**

an aimsir láithreach	the present tense
beannaím	ní bheannaíonn
beannaíonn tú	an mbeannaíonn?
beannaíonn sé/sí	go mbeannaíonn
beannaímid	nach mbeannaíonn
beannaíonn sibh	
beannaíonn siad	
beannaítear	

1pl beannaíonn muid **C** *3pl* beannaíd (siad) **M**
beannaim, beannann sé/muid **U** *rel.* a bheannaíos

an aimsir fháistineach	the future tense
beannóidh mé	ní bheannóidh
beannóidh tú	an mbeannóidh?
beannóidh sé/sí	go mbeannóidh
beannóimid	nach mbeannóidh
beannóidh sibh	
beannóidh siad	beannóchaidh **U**
beannófar	

1sg beannód, *2sg* beannóir **M** *1pl* beannóidh muid **C**
beannóchaidh mé/muid *etc.* **U** *rel.* a bheannós/a bheannóchas

10 beannaigh bless   beannú   beannaithe

an modh coinníollach	the conditional mood
bheannóinn	ní bheannódh
bheannófá	an mbeannódh?
bheannódh sé/sí	go mbeannódh
bheannóimis	nach mbeannódh
bheannódh sibh	
bheannóidís	bheannóchadh **U**
bheannófaí	

1sg bheannóchainn, *3sg* bheannóchadh sé/siad *etc.* **U**
1pl bheannódh muid **C**

an aimsir ghnáthchaite	the imperfect tense
bheannaínn	ní bheannaíodh
bheannaíteá	an mbeannaíodh?
bheannaíodh sé/sí	go mbeannaíodh
bheannaímis	nach mbeannaíodh
bheannaíodh sibh	
bheannaídís	
bheannaítí	

1pl bheannaíodh muid **C** *3pl* bheannaíodh siad **U**
Ba ghnách liom beannú *etc.* **U**

an modh ordaitheach the imperative mood	an foshuiteach láithreach the present subjunctive
beannaím	go mbeannaí mé
beannaigh	go mbeannaí tú
beannaíodh sé/sí	go mbeannaí sé/sí
beannaímis	go mbeannaímid
beannaígí	go mbeannaí sibh
beannaídís	go mbeannaí siad
beannaítear	go mbeannaítear
ná beannaigh	nár bheannaí

3pl beannaíodh siad **U**   *1pl* go mbeannaí muid **CU**

11 beir bear   breith   beirthe

an aimsir chaite	the past tense
rug mé	níor rug
rug tú	ar rug?
rug sé/sí	gur rug
rugamar	nár rug
rug sibh	níor rugadh
rug siad	ar rugadh?
rugadh	gur/nár rugadh

1sg (do) rugas, *2sg* (do) rugais, *2pl* (do) rugabhair **M**
1pl rug muid **CU** *3pl* (do) rugadar **MC** bheir = rug *dial.*, riug **M**

an aimsir láithreach	the present tense
beirim	ní bheireann
beireann tú	an mbeireann?
beireann sé/sí	go mbeireann
beirimid	nach mbeireann
beireann sibh	
beireann siad	
beirtear	

1pl beireann muid **CU** *3pl* beirid (siad) **M** *rel.* a bheireas

an aimsir fháistineach	the future tense
béarfaidh mé	ní bhéarfaidh
béarfaidh tú	an mbéarfaidh?
béarfaidh sé/sí	go mbéarfaidh
béarfaimid	nach mbéarfaidh
béarfaidh sibh	
béarfaidh siad	
béarfar	

1sg béarfad, *2sg* béarfair **M** béarfaidh muid **CU** *rel.* a bhéarfas

11 beir bear   breith   beirthe

an modh coinníollach
bhéarfainn
bhéarfá
bhéarfadh sé/sí
bhéarfaimis
bhéarfadh sibh
bhéarfaidís
bhéarfaí

the conditional mood
ní bhéarfadh
an mbéarfadh?
go mbéarfadh
nach mbéarfadh

1pl bhéarfadh muid **C** *3pl* bhéarfadh siad **U**

an aimsir ghnáthchaite
bheirinn
bheirteá
bheireadh sé/sí
bheirimis
bheireadh sibh
bheiridís
bheirtí

the imperfect tense
ní bheireadh
an mbeireadh?
go mbeireadh
nach mbeireadh

1pl bheireadh muid **C** bheireadh siad, Ba ghnách liom breith **U**

an modh ordaitheach   an foshuiteach láithreach
the imperative mood   the present subjunctive

beirim	go mbeire mé
beir	go mbeire tú
beireadh sé/sí	go mbeire sé/sí
beirimis	go mbeirimid
beirigí	go mbeire sibh
beiridís	go mbeire siad
beirtear	go mbeirtear
ná beir	nár bheire

3pl beireadh siad **U**   *1pl* go mbeire muid **CU**

12 bí be   bheith

an aimsir chaite	the past tense
bhí mé	ní raibh
bhí tú	an raibh?
bhí sé/sí	go raibh
bhíomar	nach raibh
bhí sibh	ní rabhthas
bhí siad	an rabhthas?
bhíothas	go/nach rabhthas

1sg (do) bhíos, *2sg* (do) bhís, *2pl* (do) bhíobhair **M**
1pl bhí muid **CU** *3pl* (do) bhíodar **MC** *aut.* bhíthear/rabhthar **U**

an aimsir láithreach	the present tense
tá mé/táim	atá mé/atáim
tá tú	atá tú
tá sé/sí	atá sé/sí
táimid	atáimid
tá sibh	atá sibh
tá siad	atá siad
táthar	atáthar

1pl (a)tá muid **CU** *3pl* (a)táid (siad) **M**
rel. athá, *also indep.* thá **M** *2sg* (a)taoi *var.* tánn tú, tánn sé *etc.* **M**

níl mé/nílim	go bhfuil mé/ go bhfuilim	nach bhfuil mé/ nach bhfuilim
níl tú	go bhfuil tú	nach bhfuil tú
níl sé/sí	go bhfuil sé/sí	nach bhfuil sé/sí
nílimid	go bhfuilimid	nach bhfuilimid
níl sibh	go bhfuil sibh	nach bhfuil sibh
níl siad	go bhfuil siad	nach bhfuil siad
níltear	go bhfuiltear	nach bhfuiltear

1pl níl muid, go/nach bhfuil muid **UC** *aut.* nílthear, bhfuilthear **U**

12 **bí** be **bheith**

an aimsir ghnáthláithreach	the habitual present tense
bím	ní bhíonn
bíonn tú	an mbíonn?
bíonn sé/sí	go mbíonn
bímid	nach mbíonn
bíonn sibh	
bíonn siad	
bítear	

1pl bíonn muid **CU** *3pl* bíd (siad) **M** *rel.* a bhíos – a bíos **U**, a bhíonns **C**

an aimsir fháistineach	the future tense
beidh mé	ní bheidh
beidh tú	an mbeidh?
beidh sé/sí	go mbeidh
beimid	nach mbeidh
beidh sibh	
beidh siad	
beifear	

1sg bead, *2sg* beir, beifir **M** beidh muid **CU** *rel.* a bheas

an modh coinníollach	the conditional mood
bheinn	ní bheadh
bheifeá	an mbeadh?
bheadh sé/sí	go mbeadh
bheimis	nach mbeadh
bheadh sibh	
bheidís	
bheifí	

1pl bheadh muid **C** *3pl* bheadh siad **U**

12 bí be   bheith

an aimsir ghnáthchaite	the imperfect tense
bhínn	ní bhíodh
bhíteá	an mbíodh?
bhíodh sé/sí	go mbíodh
bhímis	nach mbíodh
bhíodh sibh	
bhídís	
bhítí	

1pl bhíodh muid **C** *3pl* bhíodh siad, Ba ghnách liom (a) bheith **U**

an modh ordaitheach the imperative mood	an foshuiteach láithreach the present subjunctive	
bím	go raibh mé	go mbí mé
bí	go raibh tú	go mbí tú
bíodh sé/sí	go raibh sé/sí	go mbí sé/sí
bímis	go rabhaimid	go mbímid
bígí	go raibh sibh	go mbí sibh
bídís	go raibh siad	go mbí siad
bítear	go rabhthar	go mbítear
ná bí	ná raibh	nár bhítear

3pl bíodh siad **U**   *1pl* go raibh muid go mbí muid **CU**

13 is *an* chopail *the copula*

An struchtúr: Is bádóir é. 'He is a boatman.'

an aimsir láithreach
Is bádóir mé.
Is bádóir thú.
Is bádóir é.
Is bádóir í.
Is bádóirí sinn.
Is bádóirí sibh.
Is bádóirí iad.

the present tense
Ní bádóir é.
(Chan bádóir é. **U**)
An bádóir é?   Is ea.
                    Ní hea.
Deir sé gur bádóir é.
Deir sé nach bádóir é.

Ní hé, ní hí, ní hea, ní hiad. Ní hailtire é *or* Ní ailtire é.
Deir sé gurb é/í/ea/iad. *1pl* Is bádóirí muid **UC**

an aimsir chaite = an modh coinníollach
the past tense = the conditional mood

an aimsir chaite
Ba bhádóir mé.
Ba bhádóir thú.
Ba bhádóir é.
Ba bhádóir í.
Ba bhádóirí sinn.
Ba bhádóirí sibh.
Ba bhádóirí iad.

the past tense
Níor bhádóir é.
(Char bhádóir é. **U**)
Ar bhádóir é?   B'ea.
                    Níorbh ea.
Deir sé gur bhádóir é.
Deir sé nár bhádóir é.

1pl Ba bhádóirí muid **UC** Ba dhochtúir, shagart, thógálaí é. **CO** = Ba dochtúir/sagart/
tógálaí é. **CU** Aspirate *bcfgmp* but not *dts*

an aimsir chaite
B'ailtire mé.
B'ailtire thú.
B'ailtire é.
B'ailtire í.
B'ailtirí sinn. ... muid.
B'ailtirí sibh.
B'ailtirí iad.

the past tense
Níorbh ailtire é.
(Charbh ailtire é. **U**)
Arbh ailtire é?   B'ea.
                    Níorbh ea.
Deir sé gurbh ailtire é.
Deir sé nárbh ailtire é.
B'fhealsamh é. *etc.*

13 is *an chopail* *the copula*

Bádóir atá ann. 'He is a boatman.'

an aimsir láithreach	the present tense
Bádóir atá ionam.	Ní bádóir atá ann.
Bádóir atá ionat.	(Chan bádóir atá ann. **U**)
Bádóir atá ann.	An bádóir atá ann?
Bádóir atá inti.	Is ea./Ní hea.
Bádóirí atá ionainn.	Deir sé gur bádóir atá ann
Bádóirí atá ionaibh.	Deir sé nach b. atá ann.
Bádóirí atá iontu.	

Bádóir is ea é. 'He is a boatman.'

an aimsir láithreach	the present tense
Bádóir is ea mé.	Ní bádóir is ea é.
Bádóir is ea thú.	An bádóir is ea é?
Bádóir is ea é.	Is ea./Ní hea.
Bádóir is ea í.	Deir sé gur bádóir is ea é.
Bádóirí is ea sinn.	Deir sé nach bádóir is ea é.
Bádóirí is ea sibh.	
Bádóirí is ea iad.	

Tá sé ina bhádóir. 'He is a boatman.'

an aimsir láithreach	the present tense
Tá mé i mo bhádóir.	Níl sé ina bhádóir.
Tá tú i do bhádóir.	Chan fhuil sé ina bhádóir. **U**
Tá sé ina bhádóir.	An bhfuil sé ina bhádóir?
Tá sí ina bádóir.	Tá./Níl.
Táimid inár mbádóirí.	Deir sé go bhfuil sé ina bhádóir
Tá sibh in bhur mbádóirí.	Deir sé nach bhfuil sé ina bhádóir
Tá siad ina mbádóirí.	

13 is *an chopail* *the copula*

Bádóir a bhí ann. 'He was a boatman.'

an aimsir chaite	the past tense
Bádóir a bhí ionam.	Ní bádóir a bhí ann.
Bádóir a bhí ionat.	(Chan bádóir a bhí ann. U)
Bádóir a bhí ann.	An bádóir a bhí ann?
Bádóir a bhí inti.	Is ea./Ní hea.
Bádóirí a bhí ionainn.	Deir sé gur bádóir a bhí ann.
Bádóirí a bhí ionaibh.	Deir sé nach b. a bhí ann.
Bádóirí a bhí iontu.	Alt. Níor bhádóir a bhí ann. etc.

Bádóir ab ea é. 'He was a boatman.'

an aimsir láithreach	the present tense
Bádóir ab ea mé.	Ní bádóir ab ea é.
Bádóir ab ea thú.	An bádóir ab ea é?
Bádóir ab ea é.	Is ea./Ní hea.
Bádóir ab ea í.	Deir sé gur bádóir ab ea é.
Bádóirí ab ea sinn.	Deir sé nach bádóir ab ea é.
Bádóirí ab ea sibh.	
Bádóirí ab ea iad.	*Alt.* Níor bhádóir ab ea é. *etc.*

Bhí sé ina bhádóir. 'He was a boatman.'

an aimsir láithreach	the present tense
Bhí mé i mo bhádóir.	Ní raibh sé ina bhádóir.
Bhí tú i do bhádóir.	(Cha raibh sé ina bh. U)
Bhí sé ina bhádóir.	An raibh sé ina bhádóir?
Bhí sí ina bádóir.	Bhí./Ní raibh.
Bhíomar/Bhí muid inár mbádóirí.	Deir sé go raibh sé ina bhádóir
Bhí sibh in bhur mbádóirí.	Deir sé nach raibh sé ina bhádóir
Bhí siad ina mbádóirí.	

14 bog move bogadh bogtha

an aimsir chaite	the past tense
bhog mé	níor bhog
bhog tú	ar bhog?
bhog sé/sí	gur bhog
bhogamar	nár bhog
bhog sibh	níor bogadh
bhog siad	ar bogadh?
bogadh	gur/nár bogadh

1sg (do) bhogas, *2sg* (do) bhogais, *2pl* (do) bhogabhair **M**
1pl bhog muid **CU** *3pl* (do) bhogadar **MC**

an aimsir láithreach	the present tense
bogaim	ní bhogann
bogann tú	an mbogann?
bogann sé/sí	go mbogann
bogaimid	nach mbogann
bogann sibh	
bogann siad	
bogtar	

1pl bogann muid **CU** *3pl* bogaid (siad) **M** *rel.* a bhogas

an aimsir fháistineach	the future tense
bogfaidh mé	ní bhogfaidh
bogfaidh tú	an mbogfaidh?
bogfaidh sé/sí	go mbogfaidh
bogfaimid	nach mbogfaidh
bogfaidh sibh	
bogfaidh siad	
bogfar	

1sg bogfad, *2sg* bogfair **M** bogfaidh muid **CU** *rel.* a bhogfas

14 bog move   bogadh   bogtha

an modh coinníollach	the conditional mood
bhogfainn	ní bhogfadh
bhogfá	an mbogfadh?
bhogfadh sé/sí	go mbogfadh
bhogfaimis	nach mbogfadh
bhogfadh sibh	
bhogfaidís	
bhogfaí	

1pl bhogfadh muid **C** *3pl* bhogfadh siad **U**

an aimsir ghnáthchaite	the imperfect tense
bhogainn	ní bhogadh
bhogtá	an mbogadh?
bhogadh sé/sí	go mbogadh
bhogaimis	nach mbogadh
bhogadh sibh	
bhogaidís	
bhogtaí	

1pl bhogadh muid **C** *3pl* bhogadh siad **U**
Ba ghnách liom bogadh *etc.* **U**

an modh ordaitheach the imperative mood	an foshuiteach láithreach the present subjunctive
bogaim	go mboga mé
bog	go mboga tú
bogadh sé/sí	go mboga sé/sí
bogaimis	go mbogaimid
bogaigí	go mboga sibh
bogaidís	go mboga siad
bogtar	go mbogtar
ná bog	nár bhoga

3pl bogadh siad **U**   *1pl* go mboga muid **CU**

15 bris break briseadh briste

an aimsir chaite — the past tense

an aimsir chaite	the past tense
bhris mé	níor bhris
bhris tú	ar bhris?
bhris sé/sí	gur bhris
bhriseamar	nár bhris
bhris sibh	níor briseadh
bhris siad	ar briseadh?
briseadh	gur/nár briseadh

1sg (do) bhriseas, *2sg* (do) bhrisis, *2pl* (do) bhriseabhair **M**
1pl bhris muid **CU** *3pl* (do) bhriseadar **MC**

an aimsir láithreach — the present tense

an aimsir láithreach	the present tense
brisim	ní bhriseann
briseann tú	an mbriseann?
briseann sé/sí	go mbriseann
brisimid	nach mbriseann
briseann sibh	
briseann siad	
bristear	

1pl briseann muid **CU** *3pl* brisid (siad) **M** *rel.* a bhriseas

an aimsir fháistineach — the future tense

an aimsir fháistineach	the future tense
brisfidh mé	ní bhrisfidh
brisfidh tú	an mbrisfidh?
brisfidh sé/sí	go mbrisfidh
brisfimid	nach mbrisfidh
brisfidh sibh	
brisfidh siad	
brisfear	

1sg brisfead, *2sg* brisfir **M** brisfidh muid **CU** *rel.* a bhrisfeas

15 bris break   briseadh   briste

an modh coinníollach
bhrisfinn
bhrisfeá
bhrisfeadh sé
bhrisfimis
bhrisfeadh sibh
bhrisfidís
bhrisfí

the conditional mood
ní bhrisfeadh
an mbrisfeadh?
go mbrisfeadh
nach mbrisfeadh

1pl bhrisfeadh muid **C** *3pl* bhrisfeadh siad **U**

an aimsir ghnáthchaite
bhrisinn
bhristeá
bhriseadh sé/sí
bhrisimis
bhriseadh sibh
bhrisidís
bhristí

the imperfect tense
ní bhriseadh
an mbriseadh?
go mbriseadh
nach mbriseadh

1pl bhriseadh muid **C** *3pl* bhriseadh siad **U**
Ba ghnách liom briseadh **U**

an modh ordaitheach
the imperative mood
brisim
bris
briseadh sé/sí
brisimis
brisigí
brisidís
bristear
 ná bris

an foshuiteach láithreach
the present subjunctive
go mbrise mé
go mbrise tú
go mbrise sé/sí
go mbrisimid
go mbrise sibh
go mbrise siad
go mbristear
 nár bhrise

3pl briseadh siad **U**

1pl go mbrise muid **CU**

16 brúigh press, push brú brúite

an aimsir chaite / the past tense

an aimsir chaite	the past tense
bhrúigh mé	níor bhrúigh
bhrúigh tú	ar bhrúigh?
bhrúigh sé/sí	gur bhrúigh
bhrúmar	nár bhrúigh
bhrúigh sibh	níor brúdh
bhrúigh siad	ar brúdh?
brúdh	gur/nár brúdh

1sg (do) bhrús, *2sg* (do) bhrúis, *2pl* (do) bhrúbhair **M**
1pl bhrúigh muid **CU** *3pl* (do) bhrúdar **MC**

an aimsir láithreach / the present tense

an aimsir láithreach	the present tense
brúim	ní bhrúnn
brúnn tú	an mbrúnn?
brúnn sé/sí	go mbrúnn
brúimid	nach mbrúnn
brúnn sibh	
brúnn siad	
brúitear	

1pl brúnn muid **CU** *3pl* brúid (siad) **M** *rel.* a bhrús

an aimsir fháistineach / the future tense

an aimsir fháistineach	the future tense
brúfaidh mé	ní bhrúfaidh
brúfaidh tú	an mbrúfaidh?
brúfaidh sé/sí	go mbrúfaidh
brúfaimid	nach mbrúfaidh
brúfaidh sibh	
brúfaidh siad	
brúfar	

1sg brúfad, *2sg* brúfair **M** brúfaidh muid **CU** *rel.* a bhrúfas

16 brúigh press, push   brú   brúite

an modh coinníollach
bhrúfainn
bhrúfá
bhrúfadh sé/sí
bhrúfaimis
bhrúfadh sibh
bhrúfaidís
bhrúfaí

the conditional mood
ní bhrúfadh
an mbrúfadh?
go mbrúfadh
nach mbrúfadh

1pl bhrúfadh muid **C** *3pl* bhrúfadh siad **U**

an aimsir ghnáthchaite
bhrúinn
bhrúiteá
bhrúdh sé/sí
bhrúimis
bhrúdh sibh
bhrúidís
bhrúití

the imperfect tense
ní bhrúdh
an mbrúdh?
go mbrúdh
nach mbrúdh

1pl bhrúdh muid **C**, *3pl* bhrúdh siad **U**
Ba ghnách liom brú *etc*. **U**

an modh ordaitheach
the imperative mood
brúim
brúigh
brúdh sé/sí
brúimis
brúigí
brúidís
brúitear
 ná brúigh

an foshuiteach láithreach
the present subjunctive
go mbrú mé
go mbrú tú
go mbrú sé/sí
go mbrúimid
go mbrú sibh
go mbrú siad
go mbrúitear
nár bhrú

3pl brúdh siad **U**

1pl go mbrú muid **CU**

17 caill lose   cailleadh   caillte

an aimsir chaite
chaill mé
chaill tú
chaill sé/sí
chailleamar
chaill sibh
chaill siad
cailleadh

the past tense
níor chaill
ar chaill?
gur chaill
nár chaill
níor cailleadh
ar cailleadh?
gur/nár cailleadh

1sg (do) chailleas, *2sg* (do) chaillis, *2pl* (do) chailleabhair **M**
1pl chaill muid **CU** *3pl* (do) chailleadar **MC**

an aimsir láithreach
caillim
cailleann tú
cailleann sé/sí
caillimid
cailleann sibh
cailleann siad
cailltear

the present tense
ní chailleann
an gcailleann?
go gcailleann
nach gcailleann

1pl cailleann muid **CU** *3pl* caillid (siad) **M** *rel.* a chailleas

an aimsir fháistineach
caillfidh mé
caillfidh tú
caillfidh sé/sí
caillfimid
caillfidh sibh
caillfidh siad
caillfear

the future tense
ní chaillfidh
an gcaillfidh?
go gcaillfidh
nach gcaillfidh

1sg caillfead, *2sg* caillfir **M** caillfidh muid **CU** *rel.* a chaillfeas

17 caill lose cailleadh caillte

an modh coinníollach
chaillfinn
chaillfeá
chaillfeadh sé/sí
chaillfimis
chaillfeadh sibh
chaillfidís
chaillfí

the conditional mood
ní chaillfeadh
an gcaillfeadh?
go gcaillfeadh
nach gcaillfeadh

1pl chaillfeadh muid **C** *3pl* chaillfeadh siad **U**

an aimsir ghnáthchaite
chaillinn
chaillteá
chailleadh sé/sí
chaillimis
chailleadh sibh
chaillidís
chailltí

the imperfect tense
ní chailleadh
an gcailleadh?
go gcailleadh
nach gcailleadh

1pl chailleadh muid **C** *3pl* chailleadh siad **U**
Ba ghnách liom cailleadh/cailliúint. **U**

an modh ordaitheach
the imperative mood
caillim
caill
cailleadh sé/sí
caillimis
cailligí
caillidís
cailltear
 ná caill

an foshuiteach láithreach
the present subjunctive
go gcaille mé
go gcaille tú
go gcaille sé/sí
go gcaillimid
go gcaille sibh
go gcaille siad
go gcailltear
 nár chaille

3pl cailleadh siad **U**

1pl go gcaille muid **CU**

18 caith spend, wear   caitheamh   caite

an aimsir chaite	the past tense
chaith mé	níor chaith
chaith tú	ar chaith?
chaith sé/sí	gur chaith
chaitheamar	nár chaith
chaith sibh	níor caitheadh
chaith siad	ar caitheadh?
caitheadh	gur/nár caitheadh

1sg (do) chaitheas, *2sg* (do) chaithis, *2pl* (do) chaitheabhair **M**
1pl chaith muid **CU** *3pl* (do) chaitheadar **MC**

an aimsir láithreach	the present tense
caithim	ní chaitheann
caitheann tú	an gcaitheann?
caitheann sé/sí	go gcaitheann
caithimid	nach gcaitheann
caitheann sibh	
caitheann siad	
caitear	

1pl caitheann muid **CU** *3pl* caithid (siad) **M** *rel.* a chaitheas

an aimsir fháistineach	the future tense
caithfidh mé	ní chaithfidh
caithfidh tú	an gcaithfidh?
caithfidh sé/sí	go gcaithfidh
caithfimid	nach gcaithfidh
caithfidh sibh	
caithfidh siad	
caithfear	

1sg caithfead, *2sg* caithfir **M** caithfidh muid **CU** *rel.* a chaithfeas

18 caith spend, wear caitheamh caite

an modh coinníollach
chaithfinn
chaithfeá
chaithfeadh sé/sí
chaithfimis
chaithfeadh sibh
chaithfidís
chaithfí

the conditional mood
ní chaithfeadh
an gcaithfeadh?
go gcaithfeadh
nach gcaithfeadh

1pl chaithfeadh muid **C** *3pl* chaithfeadh siad **U**

an aimsir ghnáthchaite
chaithinn
chaiteá
chaitheadh sé/sí
chaithimis
chaitheadh sibh
chaithidís
chaití

the imperfect tense
ní chaitheadh
an gcaitheadh?
go gcaitheadh
nach gcaitheadh

1pl chaitheadh muid **C** *3pl* chaitheadh siad **U**
Ba ghnách liom caitheamh **U**

an modh ordaitheach
the imperative mood
caithim
caith
caitheadh sé/sí
caithimis
caithigí
caithidís
caitear
 ná caith

an foshuiteach láithreach
the present subjunctive
go gcaithe mé
go gcaithe tú
go gcaithe sé/sí
go gcaithimid
go gcaithe sibh
go gcaithe siad
go gcaitear
 nár chaithe

3pl caitheadh siad **U**

1pl go gcaithe muid **CU**

19 cas twist, turn casadh casta

an aimsir chaite / the past tense

an aimsir chaite	the past tense
chas mé	níor chas
chas tú	ar chas?
chas sé/sí	gur chas
chasamar	nár chas
chas sibh	níor casadh
chas siad	ar casadh?
casadh	gur/nár casadh

1sg (do) chasas, 2sg (do) chasais, 2pl (do) chasabhair **M**
1pl chas muid **CU** 3pl (do) chasadar **MC**

an aimsir láithreach / the present tense

an aimsir láithreach	the present tense
casaim	ní chasann
casann tú	an gcasann?
casann sé/sí	go gcasann
casaimid	nach gcasann
casann sibh	
casann siad	
castar	

1pl casann muid **CU** 3pl casaid (siad) **M** rel. a chasas

an aimsir fháistineach / the future tense

an aimsir fháistineach	the future tense
casfaidh mé	ní chasfaidh
casfaidh tú	an gcasfaidh?
casfaidh sé/sí	go gcasfaidh
casfaimid	nach gcasfaidh
casfaidh sibh	
casfaidh siad	
casfar	

1sg casfad, 2sg casfair **M** casfaidh muid **CU** rel. a chasfas

19 cas twist, turn casadh casta

an modh coinníollach
the conditional mood

chasfainn	ní chasfadh
chasfá	an gcasfadh?
chasfadh sé/sí	go gcasfadh
chasfaimis	nach gcasfadh
chasfadh sibh	
chasfaidís	
chasfaí	

1pl chasfadh muid **C** 3pl chasfadh siad **U**

an aimsir ghnáthchaite
the imperfect tense

chasainn	ní chasadh
chastá	an gcasadh?
chasadh sé/sí	go gcasadh
chasaimis	nach gcasadh
chasadh sibh	
chasaidís	
chastaí	

1pl chasadh muid **C** 3pl chasadh siad **U**
Ba ghnách liom casadh *etc.* **U**

an modh ordaitheach
the imperative mood
an foshuiteach láithreach
the present subjunctive

casaim	go gcasa mé
cas	go gcasa tú
casadh sé/sí	go gcasa sé/sí
casaimis	go gcasaimid
casaigí	go gcasa sibh
casaidís	go gcasa siad
castar	go gcastar
ná cas	nár chasa

3pl casadh siad **U**

1pl go gcasa muid **CU**

20 ceangail tie   ceangal   ceangailte

an aimsir chaite	the past tense
cheangail mé	níor cheangail
cheangail tú	ar cheangail?
cheangail sé/sí	gur cheangail
cheanglaíomar	nár cheangail
cheangail sibh	níor ceanglaíodh
cheangail siad	ar ceanglaíodh?
ceanglaíodh	gur/nár ceanglaíodh

1sg (do) cheanglaíos, 2sg (do) cheanglaís, 2pl (do) cheanglaíobhair **M**
1pl cheangail muid **UC** 3pl cheanglaíodar **MC**

an aimsir láithreach	the present tense
ceanglaím	ní cheanglaíonn
ceanglaíonn tú	an gceanglaíonn?
ceanglaíonn sé/sí	go gceanglaíonn
ceanglaímid	nach gceanglaíonn
ceanglaíonn sibh	
ceanglaíonn siad	
ceanglaítear	

1pl ceanglaíonn muid **C** 3pl ceanglaíd (siad) **M** ceanglaim, ceanglann sé, muid etc. **U** rel.
a cheanglaíos/a cheanglas

an aimsir fháistineach	the future tense
ceanglóidh mé	ní cheanglóidh
ceanglóidh tú	an gceanglóidh?
ceanglóidh sé/sí	go gceanglóidh
ceanglóimid	nach gceanglóidh
ceanglóidh sibh	
ceanglóidh siad	ceanglóchaidh **U**
ceanglófar	

1sg ceanglód, 2sg ceanglóir **M** ceanglóchaidh mé/muid etc. **U**
1pl ceanglóidh muid **C** rel. a cheanglós/a cheanglóchas

20 ceangail tie ceangal ceangailte

an modh coinníollach
the conditional mood

cheanglóinn	ní cheanglódh
cheanglófá	an gceanglódh?
cheanglódh sé/sí	go gceanglódh
cheanglóimis	nach gceanglódh
cheanglódh sibh	
cheanglóidís	cheanglóchadh **U**
cheanglófaí	

1sg cheanglóchainn, *3sg* cheanglóchadh sé, siad *etc.* **U**
1pl cheanglódh muid **C**

an aimsir ghnáthchaite
the imperfect tense

cheanglaínn	ní cheanglaíodh
cheanglaíteá	an gceanglaíodh?
cheanglaíodh sé/sí	go gceanglaíodh
cheanglaímis	nach gceanglaíodh
cheanglaíodh sibh	
cheanglaídís	
cheanglaítí	

1pl cheanglaíodh muid **C** *3pl* cheanglaíodh siad **U**
Ba ghnách liom ceangal *etc.* **U**

an modh ordaitheach
the imperative mood

an foshuiteach láithreach
the present subjunctive

ceanglaím	go gceanglaí mé
ceangail	go gceanglaí tú
ceanglaíodh sé/sí	go gceanglaí sé/sí
ceanglaímis	go gceanglaímid
ceanglaígí	go gceanglaí sibh
ceanglaídís	go gceanglaí siad
ceanglaítear	go gceanglaítear
ná ceangail	nár cheanglaí

3pl ceanglaíodh siad **U**   *1pl* go gceanglaí muid **CU**

21 ceannaigh buy   ceannach   ceannaithe

an aimsir chaite	the past tense
cheannaigh mé	níor cheannaigh
cheannaigh tú	ar cheannaigh?
cheannaigh sé/sí	gur cheannaigh
cheannaíomar	nár cheannaigh
cheannaigh sibh	níor ceannaíodh
cheannaigh siad	ar ceannaíodh?
ceannaíodh	gur/nár ceannaíodh

1sg (do) cheannaíos, 2sg (do) cheannaís, 2pl (do) cheannaíobhair **M**
1pl cheannaigh muid **UC** 3pl cheannaíodar **MC**

an aimsir láithreach	the present tense
ceannaím	ní cheannaíonn
ceannaíonn tú	an gceannaíonn?
ceannaíonn sé/sí	go gceannaíonn
ceannaímid	nach gceannaíonn
ceannaíonn sibh	
ceannaíonn siad	
ceannaítear	

1pl ceannaíonn muid **C** 3pl ceannaíd (siad) **M**
ceannaim, ceannann sé/muid **U** rel. a cheannaíos

an aimsir fháistineach	the future tense
ceannóidh mé	ní cheannóidh
ceannóidh tú	an gceannóidh?
ceannóidh sé/sí	go gceannóidh
ceannóimid	nach gceannóidh
ceannóidh sibh	
ceannóidh siad	ceannóchaidh **U**
ceannófar	

1sg ceannód, 2sg ceannóir **M** 1pl ceannóidh muid **C**
ceannóchaidh mé/muid etc. **U** rel. a cheannós/a cheannóchas

21 ceannaigh buy ceannach ceannaithe

an modh coinníollach	the conditional mood
cheannóinn	ní cheannódh
cheannófá	an gceannódh?
cheannódh sé/sí	go gceannódh
cheannóimis	nach gceannódh
cheannódh sibh	
cheannóidís	cheannóchadh **U**
cheannófaí	

1sg cheannóchainn, *3sg* cheannóchadh sé/siad *etc*. **U**
1pl cheannódh muid **C**

an aimsir ghnáthchaite	the imperfect tense
cheannaínn	ní cheannaíodh
cheannaíteá	an gceannaíodh?
cheannaíodh sé/sí	go gceannaíodh
cheannaímis	nach gceannaíodh
cheannaíodh sibh	
cheannaídís	
cheannaítí	

1pl cheannaíodh muid **C** *3pl* cheannaíodh siad **U**
Ba ghnách liom ceannacht *etc*. **U**

an modh ordaitheach the imperative mood	an foshuiteach láithreach the present subjunctive
ceannaím	go gceannaí mé
ceannaigh	go gceannaí tú
ceannaíodh sé/sí	go gceannaí sé/sí
ceannaímis	go gceannaímid
ceannaígí	go gceannaí sibh
ceannaídís	go gceannaí siad
ceannaítear	go gceannaítear
ná ceannaigh	nár cheannaí

3pl ceannaíodh siad **U**   *1pl* go gceannaí muid **CU**

22 cloígh defeat   cloí   cloíte

an aimsir chaite
chloígh mé
chloígh tú
chloígh sé/sí
chloíomar
chloígh sibh
chloígh siad
cloíodh

the past tense
níor chloígh
ar chloígh?
gur chloígh
nár chloígh
níor cloíodh
ar cloíodh?
gur/nár cloíodh

1sg (do) chloíos, *2sg* (do) chloís, *2pl* (do) chloíobhair **M**
1pl chloígh muid **CU** *3pl* (do) chloíodar **MC**

an aimsir láithreach
cloím
cloíonn tú
cloíonn sé/sí
cloímid
cloíonn sibh
cloíonn siad
cloítear

the present tense
ní chloíonn
an gcloíonn?
go gcloíonn
nach gcloíonn

1pl cloíonn muid **CU** *3pl* cloíd (siad) **M** *rel.* a chloíos

an aimsir fháistineach
cloífidh mé
cloífidh tú
cloífidh sé/sí
cloífimid
cloífidh sibh
cloífidh siad
cloífear

the future tense
ní chloífidh
an gcloífidh?
go gcloífidh
nach gcloífidh

1sg cloífead, *2sg* cloífir **M** cloífidh muid **CU** *rel.* a chloífeas

22 cloígh defeat   cloí   cloíte

an modh coinníollach
chloífinn
chloífeá
chloífeadh sé/sí
chloífimis
chloífeadh sibh
chloífidís
chloífí

the conditional mood
ní chloífeadh
an gcloífeadh?
go gcloífeadh
nach gcloífeadh

1pl chloífeadh muid **C** *3pl* chloífeadh siad **U**

an aimsir ghnáthchaite
chloínn
chloíteá
chloíodh sé/sí
chloímis
chloíodh sibh
chloídís
chloítí

the imperfect tense
ní chloíodh
an gcloíodh?
go gcloíodh
nach gcloíodh

1pl chloíodh muid **C** *3pl* chloíodh siad **U**
Ba ghnách liom cloí *etc.* **U**

an modh ordaitheach
the imperative mood
cloím
cloígh
cloíodh sé/sí
cloímis
cloígí
cloídís
cloítear
  ná cloígh

3pl cloíodh siad **U**

an foshuiteach láithreach
the present subjunctive
go gcloí mé
go gcloí tú
go gcloí sé/sí
go gcloímid
go gcloí sibh
go gcloí siad
go gcloítear
  nár chloí

1pl go gcloí muid **CU**

23 clois hear *CM*   cloisteáil   cloiste

an aimsir chaite	the past tense
chuala mé	níor chuala
chuala tú	ar chuala?
chuala sé/sí	gur chuala
chualamar	nár chuala
chuala sibh	níor chualathas
chuala siad	ar chualathas?
chualathas	gur/nár chualathas

1sg (do) chuala(s), *2sg* (do) chualais, *2pl* (do) chualabhair **M**
1pl chuala muid **CU** *3pl* (do) chualadar **MC**
ní chuala an/go/nach gcuala **U** d'airigh & mhothaigh 'heard' *dial*

an aimsir láithreach	the present tense
cluinim = cloisim	ní chluineann
cluineann tú	an gcluineann?
cluineann sé/sí	go gcluineann
cluinimid	nach gcluineann
cluineann sibh	
cluineann siad	cloiseann **MC**
cluintear	= cluineann **U**

1pl cloiseann/cluineann muid **CU**; *3pl* cloisid (siad) **M**
rel. a chluineas/a chloiseas

an aimsir fháistineach	the future tense
cluinfidh mé	ní chluinfidh
cluinfidh tú	an gcluinfidh?
cluinfidh sé	go gcluinfidh
cluinfimid	nach gcluinfidh
cluinfidh sibh	
cluinfidh siad	cloisfidh **MC**
cluinfear	= cluinfidh **U**

1sg cloisfead, *2sg* cloisfir **M**
cloisfidh/cluinfidh muid **CU** *rel.* a chloisfeas/a chluinfeas

23 cluin hear U cluinstin cluinte

an modh coinníollach
the conditional mood

chluinfinn
chluinfeá
chluinfeadh sé/sí
chluinfimis
chluinfeadh sibh
chluinfidís
chluinfí

ní chluinfeadh
an gcluinfeadh?
go gcluinfeadh
nach gcluinfeadh

chloisfeadh **MC**
= chluinfeadh **U**

1pl chloisfeadh muid **C**, *3pl* chluinfeadh siad **U**

an aimsir ghnáthchaite
the imperfect tense

chluininn
chluinteá
chluineadh sé/sí
chluinimis
chluineadh sibh
chluinidís
chluintí

ní chluineadh
an gcluineadh?
go gcluineadh
nach gcluineadh

chloiseadh **MC**
= chluineadh **U**

1pl chloiseadh muid **C**
3pl chluineadh siad, Ba ghnách liom cluinstean. **U**

an modh ordaitheach
the imperative mood

an foshuiteach láithreach
the present subjunctive

cluinim = cloisim
cluin = clois
cluineadh sé/sí = cloiseadh
cluinimis = cloisimis
cluinigí = cloisigí
cluineadh siad = cloisidís
cluintear = cloistear
 ná cluin = ná clois

go gcluine mé = gcloise
go gcluine tú
go gcluine sé/sí
go gcluinimid
go gcluine sibh
go gcluine siad
go gcluintear = gcloistear
 nár chluine = nár chloise

3pl cluineadh siad **U**

1pl go gcloise/gcluine muid **CU**

24 codail sleep codladh codalta

an aimsir chaite · the past tense

chodail mé	níor chodail
chodail tú	ar chodail?
chodail sé/sí	gur chodail
chodlaíomar	nár chodail
chodail sibh	níor codlaíodh
chodail siad	ar codlaíodh?
codlaíodh	gur/nár codlaíodh

1sg (do) chodlaíos, *2sg* (do) chodlaís, *2pl* (do) chodlaíobhair **M**
1pl chodail muid **UC** *3pl* chodlaíodar **MC** *var*. chodlaigh **U**

an aimsir láithreach · the present tense

codlaím	ní chodlaíonn
codlaíonn tú	an gcodlaíonn?
codlaíonn sé/sí	go gcodlaíonn
codlaímid	nach gcodlaíonn
codlaíonn sibh	
codlaíonn siad	
codlaítear	

1pl codlaíonn muid **C** *3pl* codlaíd (siad) **M**
codlaim, codlann sé, muid *etc*. **U** *rel*. a chodlaíos/a chodlas

an aimsir fháistineach · the future tense

codlóidh mé	ní chodlóidh
codlóidh tú	an gcodlóidh?
codlóidh sé/sí	go gcodlóidh
codlóimid	nach gcodlóidh
codlóidh sibh	
codlóidh siad	codlóchaidh **U**
codlófar	

1sg codlód, *2sg* codlóir **M** codlóchaidh mé/muid *etc*. **U**
1pl codlóidh muid **C** *rel*. a chodlós/a chodlóchas

24 codail sleep codladh codalta

an modh coinníollach
chodlóinn
chodlófá
chodlódh sé/sí
chodlóimis
chodlódh sibh
chodlóidís
chodlófaí

the conditional mood
ní chodlódh
an gcodlódh?
go gcodlódh
nach gcodlódh

chodlóchadh **U**

1sg chodlóchainn, 3sg chodlóchadh sé, siad etc. **U**
1pl chodlódh muid **C**

an aimsir ghnáthchaite
chodlaínn
chodlaíteá
chodlaíodh sé/sí
chodlaímis
chodlaíodh sibh
chodlaídís
chodlaítí

the imperfect tense
ní chodlaíodh
an gcodlaíodh?
go gcodlaíodh
nach gcodlaíodh

1pl chodlaíodh muid **C** 3pl chodlaíodh siad **U**
Ba ghnách liom codladh etc. **U**

an modh ordaitheach
the imperative mood
codlaím
codail
codlaíodh sé/sí
codlaímis
codlaígí
codlaídís
codlaítear
 ná codail

3pl codlaíodh siad **U**

an foshuiteach láithreach
the present subjunctive
go gcodlaí mé
go gcodlaí tú
go gcodlaí sé/sí
go gcodlaímid
go gcodlaí sibh
go gcodlaí siad
go gcodlaítear
 nár chodlaí

1pl go gcodlaí muid **CU**

25 coinnigh keep   coinneáil   coinnithe

an aimsir chaite

choinnigh mé
choinnigh tú
choinnigh sé/sí
choinníomar
choinnigh sibh
choinnigh siad
coinníodh

the past tense

níor choinnigh
ar choinnigh?
gur choinnigh
nár choinnigh
níor coinníodh
ar coinníodh?
gur/nár coinníodh

1sg (do) choinníos, *2sg* (do) choinnís, *2pl* (do) choinníobhair **M**
1pl choinnigh muid **UC** *3pl* choinníodar **MC**

an aimsir láithreach

coinním
coinníonn tú
coinníonn sé/sí
coinnímid
coinníonn sibh
coinníonn siad
coinnítear

the present tense

ní choinníonn
an gcoinníonn?
go gcoinníonn
nach gcoinníonn

1pl coinníonn muid **C** *3pl* coinníd (siad) **M**
coinnim, coinneann sé/muid **U** *rel.* a choinníos

an aimsir fháistineach

coinneoidh mé
coinneoidh tú
coinneoidh sé/sí
coinneoimid
coinneoidh sibh
coinneoidh siad
coinneofar

the future tense

ní choinneoidh
an gcoinneoidh?
go gcoinneoidh
nach gcoinneoidh

coinneochaidh **U**

1sg coinneod, *2sg* coinneoir **M** *1pl* coinneoidh muid **C**
coinneochaidh mé/muid *etc.* **U** *rel.* a choinneos/a choinneochas

25 coinnigh keep coinneáil coinnithe

an modh coinníollach
choinneoinn
choinneofá
choinneodh sé/sí
choinneoimis
choinneodh sibh
choinneoidís
_____
choinneofaí

the conditional mood
ní choinneodh
an gcoinneodh?
go gcoinneodh
nach gcoinneodh

choinneochadh **U**

_1sg_ choinneochainn, _3sg_ choinneochadh sé, siad _etc._ **U**
_1pl_ choinneodh muid **C**

an aimsir ghnáthchaite
choinnínn
choinníteá
choinníodh sé/sí
choinnímis
choinníodh sibh
choinnídís
_____
choinnítí

the imperfect tense
ní choinníodh
an gcoinníodh?
go gcoinníodh
nach gcoinníodh

_1pl_ choinníodh muid **C**, _3pl_ choinníodh siad **U**
Ba ghnách liom coinneáil(t) _etc._ **U**

an modh ordaitheach
the imperative mood
coinním
coinnigh
coinníodh sé/sí
coinnímis
coinnígí
coinnídís
_____
coinnítear
 ná coinnigh

_3pl_ coinníodh siad **U**

an foshuiteach láithreach
the present subjunctive
go gcoinní mé
go gcoinní tú
go gcoinní sé/sí
go gcoinnímid
go gcoinní sibh
go gcoinní siad
_____
go gcoinnítear
 nár choinní

_1pl_ go gcoinní muid **CU**

26 cruaigh harden   cruachan   cruaite

an aimsir chaite	the past tense
chruaigh mé	níor chruaigh
chruaigh tú	ar chruaigh?
chruaigh sé/sí	gur chruaigh
chruamar	nár chruaigh
chruaigh sibh	níor cruadh
chruaigh siad	ar cruadh?
cruadh	gur/nár cruadh

1sg (do) chruas, *2sg* (do) chruais, *2pl* (do) chruabhair **M**
1pl chruaigh muid **CU** *3pl* (do) chruadar **MC**

an aimsir láithreach	the present tense
cruaim	ní chruann
cruann tú	an gcruann?
cruann sé/sí	go gcruann
cruaimid	nach gcruann
cruann sibh	
cruann siad	
cruaitear	

1pl cruann muid **CU** *3pl* cruaid (siad) **M** *dial.* cruaidheann
rel. a chruas

an aimsir fháistineach	the future tense
cruafaidh mé	ní chruafaidh
cruafaidh tú	an gcruafaidh?
cruafaidh sé/sí	go gcruafaidh
cruafaimid	nach gcruafaidh
cruafaidh sibh	
cruafaidh siad	
cruafar	

1sg cruafad, *2sg* cruafair **M** cruafaidh muid **CU** *dial.* cruaidhfidh
rel. a chruafas

26 cruaigh harden   cruachan   cruaite

an modh coinníollach
chruafainn
chruafá
chruafadh sé/sí
chruafaimis
chruafadh sibh
chruafaidís
chruafaí

the conditional mood
ní chruafadh
an gcruafadh?
go gcruafadh
nach gcruafadh

1pl chruafadh muid **C** *3pl* chruafadh siad **U** *dial.* chruaidhfeadh

an aimsir ghnáthchaite
chruainn
chruaiteá
chruadh sé/sí
chruaimis
chruadh sibh
chruaidís
chruaití

the imperfect tense
ní chruadh
an gcruadh?
go gcruadh
nach gcruadh

1pl chruadh muid **C**, *3pl* chruadh siad **U**
Ba ghnách liom cruaidheadh *etc.* **U**

an modh ordaitheach
the imperative mood
cruaim
cruaigh
cruadh sé/sí
cruaimis
cruaigí
cruaidís
cruaitear
  ná cruaigh

an foshuiteach láithreach
the present subjunctive
go gcrua mé
go gcrua tú
go gcrua sé/sí
go gcruaimid
go gcrua sibh
go gcrua siad
go gcruaitear
  nár chrua

3pl cruadh siad **U**

1pl go gcrua muid **CU**

27 **cruinnigh** gather **cruinniú** **cruinnithe**

an aimsir chaite	**the past tense**
chruinnigh mé	níor chruinnigh
chruinnigh tú	ar chruinnigh?
chruinnigh sé/sí	gur chruinnigh
chruinníomar	nár chruinnigh
chruinnigh sibh	níor cruinníodh
chruinnigh siad	ar cruinníodh?
cruinníodh	gur/nár cruinníodh

1sg (do) chruinníos, *2sg* (do) chruinnís, *2pl* (do) chruinníobhair **M**
1pl chruinnigh muid **UC** *3pl* chruinníodar **MC**

an aimsir láithreach	**the present tense**
cruinním	ní chruinníonn
cruinníonn tú	an gcruinníonn?
cruinníonn sé/sí	go gcruinníonn
cruinnímid	nach gcruinníonn
cruinníonn sibh	
cruinníonn siad	
cruinnítear	

1pl cruinníonn muid **C** *3pl* cruinníd (siad) **M**
cruinnim, cruinneann sé/muid **U** *rel.* a chruinníos

an aimsir fháistineach	**the future tense**
cruinneoidh mé	ní chruinneoidh
cruinneoidh tú	an gcruinneoidh?
cruinneoidh sé/sí	go gcruinneoidh
cruinneoimid	nach gcruinneoidh
cruinneoidh sibh	
cruinneoidh siad	cruinneochaidh **U**
cruinneofar	

1sg cruinneod, *2sg* cruinneoir **M** *1pl* cruinneoidh muid **C**
cruinneochaidh mé/muid *etc.* **U** *rel.* a chruinneos/a chruinneochas

27 **cruinnigh** gather **cruinniú cruinnithe**

an modh coinníollach	**the conditional mood**
chruinneoinn	ní chruinneodh
chruinneofá	an gcruinneodh?
chruinneodh sé/sí	go gcruinneodh
chruinneoimis	nach gcruinneodh
chruinneodh sibh	
chruinneoidís	chruinneochadh **U**
chruinneofaí	

1sg chruinneochainn, *3sg* chruinneochadh sé, siad *etc*. **U**
1pl chruinneodh muid **C**

an aimsir ghnáthchaite	**the imperfect tense**
chruinnínn	ní chruinníodh
chruinníteá	an gcruinníodh?
chruinníodh sé/sí	go gcruinníodh
chruinnímis	nach gcruinníodh
chruinníodh sibh	
chruinnídís	
chruinnítí	

1pl chruinníodh muid **C**, *3pl* chruinníodh siad **U**
Ba ghnách liom cruinniú *etc*. **U**

an modh ordaitheach **the imperative mood**	**an foshuiteach láithreach** **the present subjunctive**
cruinním	go gcruinní mé
cruinnigh	go gcruinní tú
cruinníodh sé/sí	go gcruinní sé/sí
cruinnímis	go gcruinnímid
cruinnígí	go gcruinní sibh
cruinnídís	go gcruinní siad
cruinnítear	go gcruinnítear
ná cruinnigh	nár chruinní

3pl cruinníodh siad **U**   *1pl* go gcruinní muid **CU**

28 cuir put cur curtha

an aimsir chaite	the past tense
chuir mé	níor chuir
chuir tú	ar chuir?
chuir sé/sí	gur chuir
chuireamar	nár chuir
chuir sibh	níor cuireadh
chuir siad	ar cuireadh?
cuireadh	gur/nár cuireadh

1sg (do) chuireas, 2sg (do) chuiris, 2pl (do) chuireabhair **M**
1pl chuir muid **CU** 3pl (do) chuireadar **MC**

an aimsir láithreach	the present tense
cuirim	ní chuireann
cuireann tú	an gcuireann?
cuireann sé/sí	go gcuireann
cuirimid	nach gcuireann
cuireann sibh	
cuireann siad	
cuirtear	

1pl cuireann muid **CU** 3pl cuirid (siad) **M** rel. a chuireas

an aimsir fháistineach	the future tense
cuirfidh mé	ní chuirfidh
cuirfidh tú	an gcuirfidh?
cuirfidh sé/sí	go gcuirfidh
cuirfimid	nach gcuirfidh
cuirfidh sibh	
cuirfidh siad	
cuirfear	

1sg cuirfead, 2sg cuirfir **M** cuirfidh muid **CU** rel. a chuirfeas

28 cuir put   cur   curtha

an modh coinníollach
the conditional mood

chuirfinn	ní chuirfeadh
chuirfeá	an gcuirfeadh?
chuirfeadh sé/sí	go gcuirfeadh
chuirfimis	nach gcuirfeadh
chuirfeadh sibh	
chuirfidís	
chuirfí	

1pl chuirfeadh muid **C** *3pl* chuirfeadh siad **U**

an aimsir ghnáthchaite
the imperfect tense

chuirinn	ní chuireadh
chuirteá	an gcuireadh?
chuireadh sé/sí	go gcuireadh
chuirimis	nach gcuireadh
chuireadh sibh	
chuiridís	
chuirtí	

1pl chuireadh muid **C** *3pl* chuireadh siad **U**
Ba ghnách liom cur *etc.* **U**

an modh ordaitheach
the imperative mood
an foshuiteach láithreach
the present subjunctive

cuirim	go gcuire mé
cuir	go gcuire tú
cuireadh sé/sí	go gcuire sé/sí
cuirimis	go gcuirimid
cuirigí	go gcuire sibh
cuiridís	go gcuire siad
cuirtear	go gcuirtear
ná cuir	nár chuire

3pl cuireadh siad **U**   *1pl* go gcuire muid **CU**

29 dathaigh colour   dathú   daite

an aimsir chaite	the past tense
dhathaigh mé	níor dhathaigh
dhathaigh tú	ar dhathaigh?
dhathaigh sé/sí	gur dhathaigh
dhathaíomar	nár dhathaigh
dhathaigh sibh	níor dathaíodh
dhathaigh siad	ar dathaíodh?
dathaíodh	gur/nár dathaíodh

1sg (do) dhathaíos, *2sg* (do) dhathaís, *2pl* (do) dhathaíobhair **M**
1pl dhathaigh muid **UC** *3pl* dhathaíodar **MC**

an aimsir láithreach	the present tense
dathaím	ní dhathaíonn
dathaíonn tú	an ndathaíonn?
dathaíonn sé/sí	go ndathaíonn
dathaímid	nach ndathaíonn
dathaíonn sibh	
dathaíonn siad	
dathaítear	

1pl dathaíonn muid **C** *3pl* dathaíd (siad) **M**
dathaim, dathann sé/muid **U** *rel.* a dhathaíos

an aimsir fháistineach	the future tense
dathóidh mé	ní dhathóidh
dathóidh tú	an ndathóidh?
dathóidh sé/sí	go ndathóidh
dathóimid	nach ndathóidh
dathóidh sibh	
dathóidh siad	dathóchaidh **U**
dathófar	

1sg dathód, *2sg* dathóir **M** *1pl* dathóidh muid **C**
dathóchaidh mé/muid *etc.* **U** *rel.* a dhathós/a dhathóchas

29 dathaigh colour   dathú   daite

an modh coinníollach	the conditional mood
dhathóinn	ní dhathódh
dhathófá	an ndathódh?
dhathódh sé/sí	go ndathódh
dhathóimis	nach ndathódh
dhathódh sibh	
dhathóidís	dhathóchadh **U**
dhathófaí	

1sg dhathóchainn, *3sg* dhathóchadh sé/siad *etc.* **U**
1pl dhathódh muid **C**

an aimsir ghnáthchaite	the imperfect tense
dhathaínn	ní dhathaíodh
dhathaíteá	an ndathaíodh?
dhathaíodh sé/sí	go ndathaíodh
dhathaímis	nach ndathaíodh
dhathaíodh sibh	
dhathaídís	
dhathaítí	

1pl dhathaíodh muid **C** *3pl* dhathaíodh siad **U**
Ba ghnách liom dathú *etc.* **U**

an modh ordaitheach the imperative mood	an foshuiteach láithreach the present subjunctive
dathaím	go ndathaí mé
dathaigh	go ndathaí tú
dathaíodh sé/sí	go ndathaí sé/sí
dathaímis	go ndathaímid
dathaígí	go ndathaí sibh
dathaídís	go ndathaí siad
dathaítear	go ndathaítear
ná dathaigh	nár dhathaí

3pl dathaíodh siad **U**   *1pl* go ndathaí muid **CU**

30 **déan** do, make **déanamh** **déanta**

an aimsir chaite	the past tense
rinne mé	ní dhearna
rinne tú	an ndearna?
rinne sé	go ndearna
rinneamar	nach ndearna
rinne sibh	ní dhearnadh
rinne siad	an ndearnadh?
rinneadh	go/nach ndearnadh

1sg (do) dheineas, *2sg* (do) dheinis, *2pl* (do) dheineabhair, *3pl* dheineadar, *var.* dhin-**M**
1pl rinne muid **CU** *3pl* rinneadar **C**
rinn, ní thearn, an/go/nach dtearn **U**

an aimsir láithreach	the present tense
déanaim	ní dhéanann
déanann tú	an ndéanann?
déanann sé/sí	go ndéanann
déanaimid	nach ndéanann
déanann sibh	*Indep.* ghní **U**
déanann siad	díonann **C**
déantar	deineann **M**

1pl déanann muid **C** *3pl* déanaid (siad) **M** *rel.* a dhéanas;
indep. ghním, ghní tú/sé *var.* ní sé, *rel.* a ghníos; ní theán sé, go ndeán **U**

an aimsir fháistineach	the future tense
déanfaidh mé	ní dhéanfaidh
déanfaidh tú	an ndéanfaidh?
déanfaidh sé/sí	go ndéanfaidh
déanfaimid	nach ndéanfaidh
déanfaidh sibh	
déanfaidh siad	
déanfar	

1sg déanfad, *2sg* déanfair **M** déanfaidh muid **CU** *rel.* a dhéanfas;
indep. ghéanfaidh/dhéanfaidh, ní theánfaidh, go ndeánfaidh **U**

30 **déan** do, make **déanamh déanta**

an modh coinníollach	the conditional mood
dhéanfainn	ní dhéanfadh
dhéanfá	an ndéanfadh?
dhéanfadh sé/sí	go ndéanfadh
dhéanfaimis	nach ndéanfadh
dhéanfadh sibh	
dhéanfaidís	
dhéanfaí	

1pl dhéanfadh muid **C** *3pl* dhéanfadh siad, *var.* gheánfadh **U**

an aimsir ghnáthchaite	the imperfect tense
dhéanainn	ní dhéanadh
dhéantá	an ndéanadh?
dhéanadh sé/sí	go ndéanadh
dhéanaimis	nach ndéanadh
dhéanadh sibh	
dhéanaidís	
dhéantaí	

1pl dhéanadh muid **C** Ba ghnách liom déanamh *etc.*
Indep. ghnínn, ghnítheá, ghníodh sé, siad *etc.*, *var.* níodh **U**

an modh ordaitheach the imperative mood	an foshuiteach láithreach the present subjunctive
déanaim	go ndéana mé
déan	go ndéana tú
déanadh sé/sí	go ndéana sé/sí
déanaimis	go ndéanaimid
déanaigí	go ndéana sibh
déanaidís	go ndéana siad
déantar	go ndéantar
ná déan	nár dhéana

3pl déanadh siad **U**

1pl go ndéana muid **CU**
go ndéanaidh **U**

31 díol sell   díol   díolta

an aimsir chaite	the past tense
dhíol mé	níor dhíol
dhíol tú	ar dhíol?
dhíol sé/sí	gur dhíol
dhíolamar	nár dhíol
dhíol sibh	níor díoladh
dhíol siad	ar díoladh?
díoladh	gur/nár díoladh

1sg (do) dhíolas, *2sg* (do) dhíolais, *2pl* (do) dhíolabhair **M**
1pl dhíol muid **CU** *3pl* (do) dhíoladar **MC**

an aimsir láithreach	the present tense
díolaim	ní dhíolann
díolann tú	an ndíolann?
díolann sé/sí	go ndíolann
díolaimid	nach ndíolann
díolann sibh	
díolann siad	
díoltar	

1pl díolann muid **CU** *3pl* díolaid (siad) **M** *rel.* a dhíolas

an aimsir fháistineach	the future tense
díolfaidh mé	ní dhíolfaidh
díolfaidh tú	an ndíolfaidh?
díolfaidh sé/sí	go ndíolfaidh
díolfaimid	nach ndíolfaidh
díolfaidh sibh	
díolfaidh siad	
díolfar	

1sg díolfad, *2sg* díolfair **M** díolfaidh muid **CU** *rel.* a dhíolfas

31 díol sell   díol   díolta

an modh coinníollach
dhíolfainn
dhíolfá
dhíolfadh sé/sí
dhíolfaimis
dhíolfadh sibh
dhíolfaidís
dhíolfaí

the conditional mood
ní dhíolfadh
an ndíolfadh?
go ndíolfadh
nach ndíolfadh

1pl dhíolfadh muid **C** 3pl dhíolfadh siad **U**

an aimsir ghnáthchaite
dhíolainn
dhíoltá
dhíoladh sé/sí
dhíolaimis
dhíoladh sibh
dhíolaidís
dhíoltaí

the imperfect tense
ní dhíoladh
an ndíoladh?
go ndíoladh
nach ndíoladh

1pl dhíoladh muid **C** 3pl dhíoladh siad **U**
Ba ghnách liom díol *etc*. **U**

an modh ordaitheach
the imperative mood
díolaim
díol
díoladh sé/sí
díolaimis
díolaigí
díolaidís
díoltar
 ná díol

3pl díoladh siad **U**

an foshuiteach láithreach
the present subjunctive
go ndíola mé
go ndíola tú
go ndíola sé/sí
go ndíolaimid
go ndíola sibh
go ndíola siad
go ndíoltar
 nár dhíola

1pl go ndíola muid **CU**

32 **dirigh** straighten   **díriú   dírithe**

an aimsir chaite	**the past tense**
dhírigh mé	níor dhírigh
dhírigh tú	ar dhírigh?
dhírigh sé/sí	gur dhírigh
dhíríomar	nár dhírigh
dhírigh sibh	níor díríodh
dhírigh siad	ar díríodh?
díríodh	gur/nár díríodh

1sg (do) dhíríos, *2sg* (do) dhírís, *2pl* (do) dhíríobhair **M**
1pl dhírigh muid **UC** *3pl* dhíríodar **MC**

an aimsir láithreach	**the present tense**
dírím	ní dhíríonn
díríonn tú	an ndíríonn?
díríonn sé/sí	go ndíríonn
dírímid	nach ndíríonn
díríonn sibh	
díríonn siad	
dírítear	

1pl díríonn muid **C** *3pl* díríd (siad) **M**
dírim, díreann sé/muid **U** *rel.* a dhíríos

an aimsir fháistineach	**the future tense**
díreoidh mé	ní dhíreoidh
díreoidh tú	an ndíreoidh?
díreoidh sé/sí	go ndíreoidh
díreoimid	nach ndíreoidh
díreoidh sibh	
díreoidh siad	díreochaidh **U**
díreofar	

1sg díreod, *2sg* díreoir **M** *1pl* díreoidh muid **C**
díreochaidh mé/muid *etc.* **U** *rel.* a dhíreos/a dhíreochas

32 dirigh straighten díriú dírithe

an modh coinníollach	the conditional mood
dhíreoinn	ní dhíreodh
dhíreofá	an ndíreodh?
dhíreodh sé/sí	go ndíreodh
dhíreoimis	nach ndíreodh
dhíreodh sibh	
dhíreoidís	dhíreochadh **U**
dhíreofaí	

1sg dhíreochainn, 3sg dhíreochadh sé, siad *etc.* **U**
1pl dhíreodh muid **C**

an aimsir ghnáthchaite	the imperfect tense
dhírínn	ní dhíríodh
dhíríteá	an ndíríodh?
dhíríodh sé/sí	go ndíríodh
dhírímis	nach ndíríodh
dhíríodh sibh	
dhírídís	
dhírítí	

1pl dhíríodh muid **C**, 3pl dhíríodh siad **U**
Ba ghnách liom díriú *etc.* **U**

an modh ordaitheach the imperative mood	an foshuiteach láithreach the present subjunctive
dírím	go ndírí mé
dírigh	go ndírí tú
díríodh sé/sí	go ndírí sé/sí
dírímis	go ndírímid
dírígí	go ndírí sibh
dírídís	go ndírí siad
dírítear	go ndírítear
ná dírigh	nár dhírí

3pl díríodh siad **U**

1pl go ndírí muid **CU**

33 dóigh burn dó dóite

an aimsir chaite	the past tense
dhóigh mé	níor dhóigh
dhóigh tú	ar dhóigh?
dhóigh sé/sí	gur dhóigh
dhómar	nár dhóigh
dhóigh sibh	níor dódh
dhóigh siad	ar dódh?
dódh	gur/nár dódh

1sg (do) dhós, *2sg* (do) dhóis, *2pl* (do) dhóbhair **M**
1pl dhóigh muid **CU** *3pl* (do) dhódar **MC** *vn* dóghadh **U**

an aimsir láithreach	the present tense
dóim	ní dhónn
dónn tú	an ndónn?
dónn sé/sí	go ndónn
dóimid	nach ndónn
dónn sibh	
dónn siad	
dóitear	

1pl dónn muid **CU** *3pl* dóid (siad) **M** *dial.* dóigheann
rel. a dhós

an aimsir fháistineach	the future tense
dófaidh mé	ní dhófaidh
dófaidh tú	an ndófaidh?
dófaidh sé/sí	go ndófaidh
dófaimid	nach ndófaidh
dófaidh sibh	
dófaidh siad	
dófar	

1sg dófad, *2sg* dófair **M** dófaidh muid **CU** *dial.* dóighfidh
rel. a dhófas

33 **dóigh** burn   **dó**   **dóite**

an modh coinníollach	**the conditional mood**
dhófainn	ní dhófadh
dhófá	an ndófadh?
dhófadh sé/sí	go ndófadh
dhófaimis	nach ndófadh
dhófadh sibh	
dhófaidís	
dhófaí	

1pl dhófadh muid **C** *3pl* dhófadh siad **U** *dial.* dhóighfeadh

an aimsir ghnáthchaite	**the imperfect tense**
dhóinn	ní dhódh
dhóiteá	an ndódh?
dhódh sé/sí	go ndódh
dhóimis	nach ndódh
dhódh sibh	
dhóidís	
dhóití	

1pl dhódh muid **C**, *3pl* dhódh siad **U**
Ba ghnách liom dó/dóghadh *etc.* **U**

an modh ordaitheach **the imperative mood**	**an foshuiteach láithreach** **the present subjunctive**
dóim	go ndó mé
dóigh	go ndó tú
dódh sé/sí	go ndó sé/sí
dóimis	go ndóimid
dóigí	go ndó sibh
dóidís	go ndó siad
dóitear	go ndóitear
ná dóigh	nár dhó
3pl dódh siad **U**	*1pl* go ndó muid **CU**

34 **druid** close **druidim** **druidte**

an aimsir chaite

dhruid mé
dhruid tú
dhruid sé/sí
dhruideamar
dhruid sibh
dhruid siad
druideadh

the past tense

níor dhruid
ar dhruid?
gur dhruid
nár dhruid
níor druideadh
ar druideadh?
gur/nár druideadh

1sg (do) dhruideas, *2sg* (do) dhruidis, *2pl* (do) dhruideabhair **M**
1pl dhruid muid **CU** *3pl* (do) dhruideadar **MC**

an aimsir láithreach

druidim
druideann tú
druideann sé/sí
druidimid
druideann sibh
druideann siad
druidtear

the present tense

ní dhruideann
an ndruideann?
go ndruideann
nach ndruideann

1pl druideann muid **CU** *3pl* druidid (siad) **M** *rel.* a dhruideas

an aimsir fháistineach

druidfidh mé
druidfidh tú
druidfidh sé/sí
druidfimid
druidfidh sibh
druidfidh siad
druidfear

the future tense

ní dhruidfidh
an ndruidfidh?
go ndruidfidh
nach ndruidfidh

1sg druidfead, *2sg* druidfir **M** druidfidh muid **CU** *rel.* a dhruidfeas

34 **druid** close **druidim druidte**

an modh coinníollach
dhruidfinn
dhruidfeá
dhruidfeadh sé/sí
dhruidfimis
dhruidfeadh sibh
dhruidfidís
dhruidfí

the conditional mood
ní dhruidfeadh
an ndruidfeadh?
go ndruidfeadh
nach ndruidfeadh

1pl dhruidfeadh muid **C** *3pl* dhruidfeadh siad **U**

an aimsir ghnáthchaite
dhruidinn
dhruidteá
dhruideadh sé/sí
dhruidimis
dhruideadh sibh
dhruididís
dhruidtí

the imperfect tense
ní dhruideadh
an ndruideadh?
go ndruideadh
nach ndruideadh

1pl dhruideadh muid **C** *3pl* dhruideadh siad **U**
Ba ghnách liom druidim *etc.* **U**

an modh ordaitheach
the imperative mood
druidim
druid
druideadh sé/sí
druidimis
druidigí
druididís
druidtear
 ná druid

an foshuiteach láithreach
the present subjunctive
go ndruide mé
go ndruide tú
go ndruide sé
go ndruidimid
go ndruide sibh
go ndruide siad
go ndruidtear
 nár dhruide

3pl druideadh siad **U**

1pl go ndruide muid **CU**

35 dúisigh awaken   dúiseacht   dúisithe

an aimsir chaite	the past tense
dhúisigh mé	níor dhúisigh
dhúisigh tú	ar dhúisigh?
dhúisigh sé/sí	gur dhúisigh
dhúisíomar	nár dhúisigh
dhúisigh sibh	níor dúisíodh
dhúisigh siad	ar dúisíodh?
dúisíodh	gur/nár dúisíodh

1sg (do) dhúisíos, 2sg (do) dhúisís, 2pl (do) dhúisíobhair **M**
1pl dhúisigh muid **UC** 3pl dhúisíodar **MC**

an aimsir láithreach	the present tense
dúisím	ní dhúisíonn
dúisíonn tú	an ndúisíonn?
dúisíonn sé/sí	go ndúisíonn
dúisímid	nach ndúisíonn
dúisíonn sibh	
dúisíonn siad	
dúisítear	

1pl dúisíonn muid **C** 3pl dúisíd (siad) **M**
dúisim, dúiseann sé/muid **U** rel. a dhúisíos

an aimsir fháistineach	the future tense
dúiseoidh mé	ní dhúiseoidh
dúiseoidh tú	an ndúiseoidh?
dúiseoidh sé/sí	go ndúiseoidh
dúiseoimid	nach ndúiseoidh
dúiseoidh sibh	
dúiseoidh siad	
dúiseofar	

1sg dúiseod, 2sg dúiseoir **M** 1pl dúiseoidh muid **C**
dúiseochaidh mé/muid etc. **U** rel. a dhúiseos/a dhúiseochas

35 dúisigh awaken dúiseacht dúisithe

an modh coinníollach
dhúiseoinn
dhúiseofá
dhúiseodh sé/sí
dhúiseoimis
dhúiseodh sibh
dhúiseoidís
dhúiseofaí

the conditional mood
ní dhúiseodh
an ndúiseodh?
go ndúiseodh
nach ndúiseodh

1sg dhúiseochainn, *3sg* dhúiseochadh sé, siad *etc*. **U**
1pl dhúiseodh muid **C**

an aimsir ghnáthchaite
dhúisínn
dhúisíteá
dhúisíodh sé/sí
dhúisímis
dhúisíodh sibh
dhúisídís
dhúisítí

the imperfect tense
ní dhúisíodh
an ndúisíodh?
go ndúisíodh
nach ndúisíodh

1pl dhúisíodh muid **C**, *3pl* dhúisíodh siad **U**
Ba ghnách liom dúiseacht *etc*. **U**

an modh ordaitheach
the imperative mood
dúisím
dúisigh
dúisíodh sé/sí
dúisímis
dúisígí
dúisídís
dúisítear
  ná dúisigh

3pl dúisíodh siad **U**

an foshuiteach láithreach
the present subjunctive
go ndúisí mé
go ndúisí tú
go ndúisí sé/sí
go ndúisímid
go ndúisí sibh
go ndúisí siad
go ndúisítear
  nár dhúisí

1pl go ndúisí muid **CU**

36 dún close   dúnadh   dúnta

an aimsir chaite	the past tense
dhún mé	níor dhún
dhún tú	ar dhún?
dhún sé/sí	gur dhún
dhúnamar	nár dhún
dhún sibh	níor dúnadh
dhún siad	ar dúnadh?
dúnadh	gur/nár dúnadh

1sg (do) dhúnas, *2sg* (do) dhúnais, *2pl* (do) dhúnabhair **M**
1pl dhún muid **CU** *3pl* (do) dhúnadar **MC**

an aimsir láithreach	the present tense
dúnaim	ní dhúnann
dúnann tú	an ndúnann?
dúnann sé/sí	go ndúnann
dúnaimid	nach ndúnann
dúnann sibh	
dúnann siad	
dúntar	

1pl dúnann muid **CU** *3pl* dúnaid (siad) **M** *rel*. a dhúnas

an aimsir fháistineach	the future tense
dúnfaidh mé	ní dhúnfaidh
dúnfaidh tú	an ndúnfaidh?
dúnfaidh sé/sí	go ndúnfaidh
dúnfaimid	nach ndúnfaidh
dúnfaidh sibh	
dúnfaidh siad	
dúnfar	

1sg dúnfad, *2sg* dúnfair **M** dúnfaidh muid **CU** *rel*. a dhúnfas

36 dún close dúnadh dúnta

an modh coinníollach
dhúnfainn
dhúnfá
dhúnfadh sé/sí
dhúnfaimis
dhúnfadh sibh
dhúnfaidís
dhúnfaí

the conditional mood
ní dhúnfadh
an ndúnfadh?
go ndúnfadh
nach ndúnfadh

1pl dhúnfadh muid **C** *3pl* dhúnfadh siad **U**

an aimsir ghnáthchaite
dhúnainn
dhúntá
dhúnadh sé/sí
dhúnaimis
dhúnadh sibh
dhúnaidís
dhúntaí

the imperfect tense
ní dhúnadh
an ndúnadh?
go ndúnadh
nach ndúnadh

1pl dhúnadh muid **C** *3pl* dhúnadh siad **U**
Ba ghnách liom dúnadh *etc.* **U**

an modh ordaitheach
the imperative mood
dúnaim
dún
dúnadh sé/sí
dúnaimis
dúnaigí
dúnaidís
dúntar
 ná dún

an foshuiteach láithreach
the present subjunctive
go ndúna mé
go ndúna tú
go ndúna sé/sí
go ndúnaimid
go ndúna sibh
go ndúna siad
go ndúntar
 nár dhúna

3pl dúnadh siad **U**

1pl go ndúna muid **CU**

37 eagraigh organise eagrú eagraithe

an aimsir chaite	the past tense
d'eagraigh mé	níor eagraigh
d'eagraigh tú	ar eagraigh?
d'eagraigh sé/sí	gur eagraigh
d'eagraíomar	nár eagraigh
d'eagraigh sibh	níor eagraíodh/níor he.
d'eagraigh siad	ar eagraíodh?
eagraíodh/heagraíodh	gur/nár eagraíodh

> *1sg* d(h)'eagraíos, *2sg* d(h)'eagraís, *2pl* d(h)'eagraíobhair **M**
> *1pl* d'eagraigh muid **UC** *3pl* d'eagraíodar **MC** *aut.* heagraíodh **MCU**

an aimsir láithreach	the present tense
eagraím	ní eagraíonn
eagraíonn tú	an eagraíonn?
eagraíonn sé/sí	go n-eagraíonn
eagraímid	nach n-eagraíonn
eagraíonn sibh	
eagraíonn siad	
eagraítear	

> *1pl* eagraíonn muid **C** *3pl* eagraíd (siad) **M**
> eagraim, eagrann sé/muid *etc.* **U** *rel.* a eagraíos

an aimsir fháistineach	the future tense
eagróidh mé	ní eagróidh
eagróidh tú	an eagróidh?
eagróidh sé/sí	go n-eagróidh
eagróimid	nach n-eagróidh
eagróidh sibh	
eagróidh siad	eagróchaidh **U**
eagrófar	

> *1sg* eagród, *2sg* eagróir **M** *1pl* eagróidh muid **C**
> eagróchaidh mé/muid *etc.* **U** *rel.* a eagrós/a eagróchas

37 eagraigh organise eagrú eagraithe

an modh coinníollach	the conditional mood
d'eagróinn	ní eagródh
d'eagrófá	an eagródh?
d'eagródh sé/sí	go n-eagródh
d'eagróimis	nach n-eagródh
d'eagródh sibh	
d'eagróidís	d'eagróchadh **U**
d'eagrófaí	

1sg d'eagróchainn, 3sg d'eagróchadh sé/siad *etc*. **U**
1pl d'eagródh muid **C**

an aimsir ghnáthchaite	the imperfect tense
d'eagraínn	ní eagraíodh
d'eagraíteá	an eagraíodh?
d'eagraíodh sé/sí	go n-eagraíodh
d'eagraímis	nach n-eagraíodh
d'eagraíodh sibh	
d'eagraídís	
d'eagraítí	

1pl d'eagraíodh muid **C** 3pl d'eagraíodh siad **U**
Ba ghnách liom eagrú *etc*. **U**

an modh ordaitheach the imperative mood	an foshuiteach láithreach the present subjunctive
eagraím	go n-eagraí mé
eagraigh	go n-eagraí tú
eagraíodh sé/sí	go n-eagraí sé/sí
eagraímis	go n-eagraímid
eagraígí	go n-eagraí sibh
eagraídís	go n-eagraí siad
eagraítear	go n-eagraítear
ná heagraigh	nár eagraí

3pl eagraíodh siad **U**   1pl go n-eagraí muid **CU**

38 éirigh get up   éirí   éirithe

an aimsir chaite	the past tense
d'éirigh mé	níor éirigh
d'éirigh tú	ar éirigh?
d'éirigh sé/sí	gur éirigh
d'éiríomar	nár éirigh
d'éirigh sibh	níor éiríodh/níor héiríodh
d'éirigh siad	ar éiríodh?
éiríodh/héiríodh	gur/nár éiríodh

1sg d(h)'éiríos, *2sg* d(h)'éirís, *2pl* d(h)'éiríobhair **M**
1pl d'éirigh muid **UC** *3pl* d'éiríodar **MC** *aut.* héiríodh **MCU**

an aimsir láithreach	the present tense
éirím	ní éiríonn
éiríonn tú	an éiríonn?
éiríonn sé/sí	go n-éiríonn
éirímid	nach n-éiríonn
éiríonn sibh	
éiríonn siad	
éirítear	

1pl éiríonn muid **C** *3pl* éiríd (siad) **M**
éirim, éireann sé, muid *etc.* **U** *rel.* a éiríos

an aimsir fháistineach	the future tense
éireoidh mé	ní éireoidh
éireoidh tú	an éireoidh?
éireoidh sé/sí	go n-éireoidh
éireoimid	nach n-éireoidh
éireoidh sibh	
éireoidh siad	éireochaidh **U**
éireofar	

1sg éireod, *2sg* éireoir **M** éireochaidh mé, muid *etc.* **U**
1pl éireoidh muid **C** *rel.* a éireos/a éireochas

38 éirigh get up éirí éirithe

an modh coinníollach
d'éireoinn
d'éireofá
d'éireodh sé/sí
d'éireoimis
d'éireodh sibh
d'éireoidís
d'éireofaí

the conditional mood
ní éireodh
an éireodh?
go n-éireodh
nach n-éireodh

d'éireochadh **U**

1sg d'éireochainn, 3sg d'éireochadh sé, siad etc. **U**
1pl d'éireodh muid **C**

an aimsir ghnáthchaite
d'éirínn
d'éiríteá
d'éiríodh sé/sí
d'éirímis
d'éiríodh sibh
d'éirídís
d'éirítí

the imperfect tense
ní éiríodh
an éiríodh?
go n-éiríodh
nach n-éiríodh

1pl d'éiríodh muid **C** 3pl d'éiríodh siad **U**
Ba ghnách liom éirí etc. **U**

an modh ordaitheach
the imperative mood
éirím
éirigh
éiríodh sé/sí
éirímis
éirígí
éirídís
éirítear
  ná héirigh

3pl éiríodh siad **U**

an foshuiteach láithreach
the present subjunctive
go n-éirí mé
go n-éirí tú
go n-éirí sé/sí
go n-éirímid
go n-éirí sibh
go n-éirí siad
go n-éirítear
  nár éirí

1pl go n-éirí muid **CU**

39 éist listen   éisteacht   éiste

an aimsir chaite	the past tense
d'éist mé	níor éist
d'éist tú	ar éist?
d'éist sé/sí	gur éist
d'éisteamar	nár éist
d'éist sibh	níor éisteadh/níor hé.
d'éist siad	ar éisteadh?
éisteadh/héisteadh	gur/nár éisteadh

1sg d(h)'éisteas, *2sg* d(h)'éistis, *2pl* d(h)'éisteabhair **M**
1pl d'éist muid **CU** *3pl* d'éisteadar **MC** *aut.* héisteadh **MCU**

an aimsir láithreach	the present tense
éistim	ní éisteann
éisteann tú	an éisteann?
éisteann sé/sí	go n-éisteann
éistimid	nach n-éisteann
éisteann sibh	
éisteann siad	
éistear	

1pl éisteann muid **CU** *3pl* éistid (siad) **M** *rel.* a éisteas

an aimsir fháistineach	the future tense
éistfidh mé	ní éistfidh
éistfidh tú	an éistfidh?
éistfidh sé/sí	go n-éistfidh
éistfimid	nach n-éistfidh
éistfidh sibh	
éistfidh siad	
éistfear	

1sg éistfead, *2sg* éistfir **M** éistfidh muid **CU** *rel.* a éistfeas
var. éisteochaidh **U**

39 éist listen éisteacht éiste

an modh coinníollach — the conditional mood
d'éistfinn — ní éistfeadh
d'éistfeá — an éistfeadh?
d'éistfeadh sé/sí — go n-éistfeadh
d'éistfimis — nach n-éistfeadh
d'éistfeadh sibh
d'éistfidís
d'éistfí

1pl d'éistfeadh muid **C** *3pl* d'éistfeadh siad **U**
var. d'éisteochainn, d'éisteochadh sé/siad **U**

an aimsir ghnáthchaite — the imperfect tense
d'éistinn — ní éisteadh
d'éisteá — an éisteadh?
d'éisteadh sé/sí — go n-éisteadh
d'éistimis — nach n-éisteadh
d'éisteadh sibh
d'éistidís
d'éistí

1pl d'éisteadh muid **C** *3pl* d'éisteadh siad **U**
Ba ghnách liom éisteacht *etc.* **U**

an modh ordaitheach / the imperative mood — an foshuiteach láithreach / the present subjunctive
éistim — go n-éiste mé
éist — go n-éiste tú
éisteadh sé/sí — go n-éiste sé
éistimis — go n-éistimid
éistigí — go n-éiste sibh
éistidís — go n-éiste siad
éistear — go n-éistear
 ná héist — nár éiste

3pl éisteadh siad **U** — *1pl* go n-éiste muid **CU**

40 fág leave   fágáil   fágtha

an aimsir chaite	the past tense
d'fhág mé	níor fhág
d'fhág tú	ar fhág?
d'fhág sé/sí	gur fhág
d'fhágamar	nár fhág
d'fhág sibh	níor fágadh
d'fhág siad	ar fágadh?
fágadh	gur/nár fágadh

1sg d(h)'fhágas, 2sg d(h)'fhágais, 2pl d(h)'fhágabhair **M**
1pl d'fhág muid **CU** 3pl d(h)'fhágadar **MC**

an aimsir láithreach	the present tense
fágaim	ní fhágann
fágann tú	an bhfágann?
fágann sé/sí	go bhfágann
fágaimid	nach bhfágann
fágann sibh	
fágann siad	
fágtar	

1pl fágann muid **CU** 3pl fágaid (siad) **M** rel. a fhágas

an aimsir fháistineach	the future tense
fágfaidh mé	ní fhágfaidh
fágfaidh tú	an bhfágfaidh?
fágfaidh sé/sí	go bhfágfaidh
fágfaimid	nach bhfágfaidh
fágfaidh sibh	
fágfaidh siad	
fágfar	

1sg fágfad, 2sg fágfair **M** fágfaidh muid **CU** var. fuígfidh **U**
rel. a fhágfas/a fhuígfeas

40 fág leave   fágáil   fágtha

an modh coinníollach	**the conditional mood**
d'fhágfainn	ní fhágfadh
d'fhágfá	an bhfágfadh?
d'fhágfadh sé/sí	go bhfágfadh
d'fhágfaimis	nach bhfágfadh
d'fhágfadh sibh	
d'fhágfaidís	
d'fhágfaí	

1pl d'fhágfadh muid **C** 3pl d'fhágfadh siad **U** var. d'fhuígfeadh **U**

an aimsir ghnáthchaite	**the imperfect tense**
d'fhágainn	ní fhágadh
d'fhágtá	an bhfágadh?
d'fhágadh sé/sí	go bhfágadh
d'fhágaimis	nach bhfágadh
d'fhágadh sibh	
d'fhágaidís	
d'fhágtaí	

1pl d'fhágadh muid **C** 3pl d'fhágadh siad **U**
Ba ghnách liom fágáil etc. **U**

an modh ordaitheach **the imperative mood**	**an foshuiteach láithreach** **the present subjunctive**
fágaim	go bhfága mé
fág	go bhfága tú
fágadh sé/sí	go bhfága sé/sí
fágaimis	go bhfágaimid
fágaigí	go bhfága sibh
fágaidís	go bhfága siad
fágtar	go bhfágtar
ná fág	nár fhága

3pl fágadh siad **U**   1pl go bhfága muid **CU**

41 faigh get   fáil   faigthe

an aimsir chaite	the past tense
fuair mé	ní bhfuair
fuair tú	an bhfuair?
fuair sé/sí	go bhfuair
fuaramar	nach bhfuair
fuair sibh	ní bhfuarthas
fuair siad	an bhfuarthas?
fuarthas	go/nach bhfuarthas

1sg (do) fuaras, *2sg* (do) fuarais, *2pl* (do) fuarabhair **M**
1pl fuair muid **CU** *3pl* (do) fuaradar **MC** *aut.* frítheadh **C**

an aimsir láithreach	the present tense
faighim	ní fhaigheann
faigheann tú	an bhfaigheann?
faigheann sé/sí	go bhfaigheann
faighimid	nach bhfaigheann
faigheann sibh	gheibh **U**
faigheann siad	*dial.* faghann
faightear	

1pl faigheann muid **CU** *3pl* faighid (siad) **M** *rel.* a fhaigheas – a gheibh **U** *indep.*
gheibhim, gheibh tú/sé/muid *etc.*, gheibhthear **U** *indep.*

an aimsir fháistineach	the future tense
gheobhaidh mé	ní bhfaighidh
gheobhaidh tú	an bhfaighidh?
gheobhaidh sé/sí	go bhfaighidh
gheobhaimid	nach bhfaighidh
gheobhaidh sibh	
gheobhaidh siad	*dial. dep.* bhfuighidh
gheofar	

1sg gheobhad, *2sg* gheobh(f)air **M**
gheobhaidh muid **CU** *rel.* a gheobhas

41 faigh get fáil faigthe

an modh coinníollach	the conditional mood
gheobhainn	ní bhfaigheadh
gheobhfá	an bhfaigheadh?
gheobhadh sé/sí	go bhfaigheadh
gheobhaimis	nach bhfaigheadh
gheobhadh sibh	
gheobhaidís	*dial.* bhfuigheadh
gheofaí	

1pl gheobhadh muid **C** *3pl* gheobhadh siad **U**

an aimsir ghnáthchaite	the imperfect tense
d'fhaighinn	ní fhaigheadh
d'fhaighteá	an bhfaigheadh?
d'fhaigheadh sé/sí	go bhfaigheadh
d'fhaighimis	nach bhfaigheadh
d'fhaigheadh sibh	
d'fhaighidís	
d'fhaightí	

1pl d'fhaigheadh muid **C** *indep.* gheibhinn, gheibhtheá, gheibheadh sé/siad *etc.* gheibhthí, Ba ghnách liom fáil **U**

an modh ordaitheach the imperative mood	an foshuiteach láithreach the present subjunctive
faighim	go bhfaighe mé
faigh	go bhfaighe tú
faigheadh sé/sí	go bhfaighe sé/sí
faighimis	go bhfaighimid
faighigí	go bhfaighe sibh
faighidís	go bhfaighe siad
faightear	go bhfaightear
ná faigh	nár fhaighe

3pl faigheadh siad **U**   *1pl* go bhfaighe muid **CU**

42 fan wait   fanacht   fanta

an aimsir chaite	the past tense
d'fhan mé	níor fhan
d'fhan tú	ar fhan?
d'fhan sé/sí	gur fhan
d'fhanamar	nár fhan
d'fhan sibh	níor fanadh
d'fhan siad	ar fanadh?
fanadh	gur/nár fanadh

1sg d(h)'fhanas, *2sg* d(h)'fhanais, *2pl* d(h)'fhanabhair **M**
1pl d'fhan muid **CU** *3pl* d(h)'fhanadar **MC**

an aimsir láithreach	the present tense
fanaim	ní fhanann
fanann tú	an bhfanann?
fanann sé/sí	go bhfanann
fanaimid	nach bhfanann
fanann sibh	
fanann siad	
fantar	

1pl fanann muid **CU** *3pl* fanaid (siad) **M** *rel.* a fhanas

an aimsir fháistineach	the future tense
fanfaidh mé	ní fhanfaidh
fanfaidh tú	an bhfanfaidh?
fanfaidh sé/sí	go bhfanfaidh
fanfaimid	nach bhfanfaidh
fanfaidh sibh	
fanfaidh siad	
fanfar	

1sg fanfad, *2sg* fanfair **M** fanfaidh muid **CU** *var.* fanóchaidh **U**
rel. a fhanóchas

42 fan wait fanacht fanta

an modh coinníollach

d'fhanfainn
d'fhanfá
d'fhanfadh sé/sí
d'fhanfaimis
d'fhanfadh sibh
d'fhanfaidís

d'fhanfaí

the conditional mood

ní fhanfadh
an bhfanfadh?
go bhfanfadh
nach bhfanfadh

1pl d'fhanfadh muid **C** d'fhanóchainn, d'fhanóchadh sé/siad **U**

an aimsir ghnáthchaite

d'fhanainn
d'fhantá
d'fhanadh sé/sí
d'fhanaimis
d'fhanadh sibh
d'fhanaidís

d'fhantaí

the imperfect tense

ní fhanadh
an bhfanadh?
go bhfanadh
nach bhfanadh

1pl d'fhanadh muid **C** *3pl* d'fhanadh siad **U**
Ba ghnách liom fanacht **U**

an modh ordaitheach
the imperative mood

fanaim
fan
fanadh sé/sí
fanaimis
fanaigí
fanaidís

fantar
  ná fan

an foshuiteach láithreach
the present subjunctive

go bhfana mé
go bhfana tú
go bhfana sé/sí
go bhfanaimid
go bhfana sibh
go bhfana siad

go bhfantar
  nár fhana

3pl fanadh siad **U**

1pl go bhfana muid **CU**

43 fás grow   fás   fásta

an aimsir chaite	the past tense
d'fhás mé	níor fhás
d'fhás tú	ar fhás?
d'fhás sé/sí	gur fhás
d'fhásamar	nár fhás
d'fhás sibh	níor fásadh
d'fhás siad	ar fásadh?
fásadh	gur/nár fásadh

1sg d(h)'fhásas, *2sg* d(h)'fhásais, *2pl* d(h)'fhásabhair **M**
1pl d'fhás muid **CU** *3pl* d(h)'fhásadar **MC**

an aimsir láithreach	the present tense
fásaim	ní fhásann
fásann tú	an bhfásann?
fásann sé/sí	go bhfásann
fásaimid	nach bhfásann
fásann sibh	
fásann siad	
fástar	

1pl fásann muid **CU** *3pl* fásaid (siad) **M** *rel.* a fhásas

an aimsir fháistineach	the future tense
fásfaidh mé	ní fhásfaidh
fásfaidh tú	an bhfásfaidh?
fásfaidh sé/sí	go bhfásfaidh
fásfaimid	nach bhfásfaidh
fásfaidh sibh	
fásfaidh siad	
fásfar	

1sg fásfad, fásfair **M** fásfaidh muid **CU** *rel.* a fhásfas

43 fás grow   fás   fásta

an modh coinníollach
d'fhásfainn
d'fhásfá
d'fhásfadh sé/sí
d'fhásfaimis
d'fhásfadh sibh
d'fhásfaidís
d'fhásfaí

the conditional mood
ní fhásfadh
an bhfásfadh?
go bhfásfadh
nach bhfásfadh

1pl d'fhásfadh muid **C** *3pl* d'fhásfadh siad **U**

an aimsir ghnáthchaite
d'fhásainn
d'fhástá
d'fhásadh sé/sí
d'fhásaimis
d'fhásadh sibh
d'fhásaidís
d'fhástaí

the imperfect tense
ní fhásadh
an bhfásadh?
go bhfásadh
nach bhfásadh

1pl d'fhásadh muid **C** *3pl* d'fhásadh siad **U**
Ba ghnách liom fás *etc.* **U**

an modh ordaitheach
the imperative mood
fásaim
fás
fásadh sé/sí
fásaimis
fásaigí
fásaidís
fástar
 ná fás

an foshuiteach láithreach
the present subjunctive
go bhfása mé
go bhfása tú
go bhfása sé/sí
go bhfásaimid
go bhfása sibh
go bhfása siad
go bhfástar
 nár fhása

3pl fásadh siad **U**

1pl go bhfása muid **CU**

44 feic see feiscint/feiceáil feicthe

an aimsir chaite	the past tense
chonaic mé	ní fhaca
chonaic tú	an bhfaca?
chonaic sé/sí	go bhfaca
chonaiceamar	nach bhfaca
chonaic sibh	ní fhacthas
chonaic siad	an bhfacthas?
chonacthas	go/nach bhfacthas

1sg (do) chonac, *2sg* (do) chonaicís, *2pl* (do) chonaiceabhair; *dep* fheaca **M**
1pl chonaic muid **CU** *3pl* chonaiceadar/chonacadar **MC**

an aimsir láithreach	the present tense
feicim	ní fheiceann
feiceann tú	an bhfeiceann?
feiceann sé/sí	go bhfeiceann
feicimid	nach bhfeiceann
feiceann sibh	
feiceann siad	*Indep.* tchí **U**
feictear	*Indep.* c(h)íonn **M**

Indep. cím, cíonn tú/sé *etc.* chí- **M** tchím, tchí tú/sé/muid (tchíonn), tchíthear **U**
1pl feiceann muid **C** *3pl* cíonn/cíd (siad)

an aimsir fháistineach	the future tense
feicfidh mé	ní fheicfidh
feicfidh tú	an bhfeicfidh?
feicfidh sé/sí	go bhfeicfidh
feicimid	nach bhfeicfidh
feicfidh sibh	
feicfidh siad	*Indep.* tchífidh **U**
feicfear	*Indep.* c(h)ífidh **M**

Indep. cífead, cífir *var.* cífidh tú/sé, cífid (siad), *var.* chífidh **M**
feicfidh muid **C** *indep.* tchífidh mé/tú/sé/muid, *aut.* tchífear **U**

44 feic see feiscint/feiceáil feicthe

an modh coinníollach
d'fheicfinn
d'fheicfeá
d'fheicfeadh sé/sí
d'fheicfimis
d'fheicfeadh sibh
d'fheicfidís
d'fheicfí

the conditional mood
ní fheicfeadh
an bhfeicfeadh?
go bhfeicfeadh
nach bhfeicfeadh

Indep. tchífeadh **U**
Indep. chífeadh **M**

Indep. chífinn, chífeá, chífimis, chífidís **M**
1pl d'fheicfeadh muid **C** *indep.* tchífinn, tchífeá, tchífeadh sé/siad *etc.* **U**

an aimsir ghnáthchaite
d'fheicinn
d'fheicteá
d'fheiceadh sé/sí
d'fheicimis
d'fheiceadh sibh
d'fheicidís
d'fheictí

the imperfect tense
ní fheiceadh
an bhfeiceadh?
go bhfeiceadh
nach bhfeiceadh

Indep. tchíodh **U**
Indep. chíodh **M**

Indep. chínn, chíteá, chíodh sé, chímis, chídis **M**
1pl d'fheiceadh muid **C** *indep.* tchínn, tchítheá, tchíodh sé/siad *etc.*
Ba ghnách liom feiceáil. **U**

an modh ordaitheach
the imperative mood
feicim
feic
feiceadh sé/sí
feicimis
feicigí
feicidís

feictear
ná feic

3pl feiceadh siad **U**

an foshuiteach láithreach
the present subjunctive
go bhfeice mé
go bhfeice tú
go bhfeice sé/sí
go bhfeicimid
go bhfeice sibh
go bhfeice siad

go bhfeictear
nár fheice

1pl go bhfeice muid **CU**

45 feoigh rot feo feoite

an aimsir chaite
d'fheoigh mé
d'fheoigh tú
d'fheoigh sé/sí
d'fheomar
d'fheoigh sibh
d'fheoigh siad
feodh

the past tense
níor fheoigh
ar fheoigh?
gur fheoigh
nár fheoigh
níor feodh
ar feodh?
gur/nár feodh

1sg d(h)'fheos, *2sg* d(h)'fheois, *2pl* d(h)'fheobhair **M**
1pl d'fheoigh muid **CU** *3pl* d(h)'fheodar **MC** *vn* feoghadh **U**

an aimsir láithreach
feoim
feonn tú
feonn sé/sí
feoimid
feonn sibh
feonn siad
feoitear

the present tense
ní fheonn
an bhfeonn?
go bhfeonn
nach bhfeonn

1pl feonn muid **CU** *3pl* feoid (siad) **M** *dial.* feoigheann
rel. a fheos

an aimsir fháistineach
feofaidh mé
feofaidh tú
feofaidh sé/sí
feofaimid
feofaidh sibh
feofaidh siad
feofar

the future tense
ní fheofaidh
an bhfeofaidh?
go bhfeofaidh
nach bhfeofaidh

1sg feofad, *2sg* feofair **M** feofaidh muid **CU** *dial.* feoighfidh
rel. a fheofas

45 feoigh rot feo feoite

an modh coinníollach
d'fheofainn
d'fheofá
d'fheofadh sé/sí
d'fheofaimis
d'fheofadh sibh
d'fheofaidís
d'fheofaí

the conditional mood
ní fheofadh
an bhfeofadh?
go bhfeofadh
nach bhfeofadh

1pl d'fheofadh muid **C** *3pl* d'fheofadh siad **U** *dial.* d'fheoighfeadh

an aimsir ghnáthchaite
d'fheoinn
d'fheoiteá
d'fheodh sé/sí
d'fheoimis
d'fheodh sibh
d'fheoidís
d'fheoití

the imperfect tense
ní fheodh
an bhfeodh?
go bhfeodh
nach bhfeodh

1pl d'fheodh muid **C**, *3pl* d'fheodh siad **U**
Ba ghnách liom feo/feoghadh *etc.* **U**

an modh ordaitheach
the imperative mood
feoim
feoigh
feodh sé/sí
feoimis
feoigí
feoidís
feoitear
  ná feoigh

an foshuiteach láithreach
the present subjunctive
go bhfeo mé
go bhfeo tú
go bhfeo sé/sí
go bhfeoimid
go bhfeo sibh
go bhfeo siad
go bhfeoitear
  nár fheo

3pl feodh siad **U**

1pl go bhfeo muid **CU**

46 fiafraigh ask   fiafraí   fiafraithe

an aimsir chaite	the past tense
d'fhiafraigh mé	níor fhiafraigh
d'fhiafraigh tú	ar fhiafraigh?
d'fhiafraigh sé/sí	gur fhiafraigh
d'fhiafraíomar	nár fhiafraigh
d'fhiafraigh sibh	níor fiafraíodh
d'fhiafraigh siad	ar fiafraíodh?
fiafraíodh	gur/nár fiafraíodh

1sg d(h)'fhiafraíos, 2sg d(h)'fhiafraís, 2pl d(h)'fhiafraíobhair **M**
1pl d'fhiafraigh muid **UC** 3pl d(h)'fhiafraíodar **MC**

an aimsir láithreach	the present tense
fiafraím	ní fhiafraíonn
fiafraíonn tú	an bhfiafraíonn?
fiafraíonn sé/sí	go bhfiafraíonn
fiafraímid	nach bhfiafraíonn
fiafraíonn sibh	
fiafraíonn siad	
fiafraítear	

1pl fiafraíonn muid **C** 3pl fiafraíd (siad) **M**
fiafraim, fiafrann sé/muid **U** rel. a fhiafraíos

an aimsir fháistineach	the future tense
fiafróidh mé	ní fhiafróidh
fiafróidh tú	an bhfiafróidh?
fiafróidh sé/sí	go bhfiafróidh
fiafróimid	nach bhfiafróidh
fiafróidh sibh	
fiafróidh siad	fiafróchaidh **U**
fiafrófar	

1sg fiafród, 2sg fiafróir **M** 1pl fiafróidh muid **C**
fiafróchaidh mé/muid etc. **U** rel. a fhiafrós/a fhiafróchas

46 fiafraigh ask fiafraí fiafraithe

an modh coinníollach
the conditional mood

d'fhiafróinn	ní fhiafródh
d'fhiafrófá	an bhfiafródh?
d'fhiafródh sé/sí	go bhfiafródh
d'fhiafróimis	nach bhfiafródh
d'fhiafródh sibh	
d'fhiafróidís	d'fhiafróchadh U
d'fhiafrófaí	

1sg d'fhiafróchainn, *3sg* d'fhiafróchadh sé/siad *etc.* U
1pl d'fhiafródh muid C

an aimsir ghnáthchaite
the imperfect tense

d'fhiafraínn	ní fhiafraíodh
d'fhiafraíteá	an bhfiafraíodh?
d'fhiafraíodh sé/sí	go bhfiafraíodh
d'fhiafraímis	nach bhfiafraíodh
d'fhiafraíodh sibh	
d'fhiafraídís	
d'fhiafraítí	

1pl d'fhiafraíodh muid C *3pl* d'fhiafraíodh siad U
Ba ghnách liom fiafraí *etc.* U

an modh ordaitheach
the imperative mood

an foshuiteach láithreach
the present subjunctive

fiafraím	go bhfiafraí mé
fiafraigh	go bhfiafraí tú
fiafraíodh sé/sí	go bhfiafraí sé/sí
fiafraímis	go bhfiafraímid
fiafraígí	go bhfiafraí sibh
fiafraídís	go bhfiafraí siad
fiafraítear	go bhfiafraítear
ná fiafraigh	nár fhiafraí

3pl fiafraíodh siad U

1pl go bhfiafraí muid CU

47 fill, pill U return   filleadh   fillte

an aimsir chaite	the past tense
d'fhill mé	níor fhill
d'fhill tú	ar fhill?
d'fhill sé/sí	gur fhill
d'fhilleamar	nár fhill
d'fhill sibh	níor filleadh
d'fhill siad	ar filleadh?
filleadh	gur/nár filleadh

1sg d(h)'fhilleas, *2sg* d(h)'fhillis, *2pl* d(h)'fhilleabhair **M**
1pl d'fhill muid **C** phill muid **U** *3pl* d'fhilleadar **MC**

an aimsir láithreach	the present tense
fillim	ní fhilleann
filleann tú	an bhfilleann?
filleann sé/sí	go bhfilleann
fillimid	nach bhfilleann
filleann sibh	
filleann siad	pilleann **U**
filltear	

1pl filleann muid **C** pilleann muid **U** *3pl* fillid (siad) **M**
rel. a fhilleas/a philleas

an aimsir fháistineach	the future tense
fillfidh mé	ní fhillfidh
fillfidh tú	an bhfillfidh?
fillfidh sé/sí	go bhfillfidh
fillfimid	nach bhfillfidh
fillfidh sibh	
fillfidh siad	pillfidh **U**
fillfear	

1sg fillfead, *2sg* fillfir **M** fillfidh muid **C** pillfidh muid **U**
rel. a fhillfeas/a phillfeas

47 fill, pill U return filleadh fillte

an modh coinníollach
d'fhillfinn
d'fhillfeá
d'fhillfeadh sé/sí
d'fhillfimis
d'fhillfeadh sibh
d'fhillfidís
d'fhillfí

the conditional mood
ní fhillfeadh
an bhfillfeadh?
go bhfillfeadh
nach bhfillfeadh

phillfeadh **U**

1pl d'fhillfeadh muid **C** 3pl phillfeadh siad **U**

an aimsir ghnáthchaite
d'fhillinn
d'fhillteá
d'fhilleadh sé/sí
d'fhillimis
d'fhilleadh sibh
d'fhillidís
d'fhilltí

the imperfect tense
ní fhilleadh
an bhfilleadh?
go bhfilleadh
nach bhfilleadh

philleadh **U**

1pl d'fhilleadh muid **C** 3pl philleadh siad **U**
Ba ghnách liom pilleadh *etc.* **U**

an modh ordaitheach
the imperative mood
fillim
fill
filleadh sé/sí
fillimis
filligí
fillidís
filltear
 ná fill

pill 3pl pilleadh siad **U**

an foshuiteach láithreach
the present subjunctive
go bhfille mé
go bhfille tú
go bhfille sé/sí
go bhfillimid
go bhfille sibh
go bhfille siad
go bhfilltear
 nár fhille

1pl go bhfille muid **C**
go bpille muid **U**

48 fliuch wet   fliuchadh   fliuchta

an aimsir chaite

fhliuch mé
fhliuch tú
fhliuch sé/sí
fhliuchamar
fhliuch sibh
fhliuch siad
fliuchadh

the past tense

níor fhliuch
ar fhliuch?
gur fhliuch
nár fhliuch
níor fliuchadh
ar fliuchadh?
gur/nár fliuchadh

1sg (do) fhliuchas, *2sg* (do) fhliuchais, *2pl* (do) fhliuchabhair **M**
1pl fhliuch muid **CU** *3pl* (do) fhliuchadar **MC**

an aimsir láithreach

fliuchaim
fliuchann tú
fliuchann sé/sí
fliuchaimid
fliuchann sibh
fliuchann siad
fliuchtar

the present tense

ní fhliuchann
an bhfliuchann?
go bhfliuchann
nach bhfliuchann

1pl fliuchann muid **CU** *3pl* fliuchaid (siad) **M** *rel.* a fhliuchas

an aimsir fháistineach

fliuchfaidh mé
fliuchfaidh tú
fliuchfaidh sé/sí
fliuchfaimid
fliuchfaidh sibh
fliuchfaidh siad
fliuchfar

the future tense

ní fhliuchfaidh
an bhfliuchfaidh?
go bhfliuchfaidh
nach bhfliuchfaidh

1sg fliuchfad, *2sg* fliuchfair **M** fliuchfaidh muid **CU**
rel. a fhliuchfas

48 **fliuch** wet **fliuchadh** **fliuchta**

an modh coinníollach	**the conditional mood**
fhliuchfainn	ní fhliuchfadh
fhliuchfá	an bhfliuchfadh?
fhliuchfadh sé/sí	go bhfliuchfadh
fhliuchfaimis	nach bhfliuchfadh
fhliuchfadh sibh	
fhliuchfaidís	
fhliuchfaí	

1pl fhliuchfadh muid **C** *3pl* fhliuchfadh siad **U**

an aimsir ghnáthchaite	**the imperfect tense**
fhliuchainn	ní fhliuchadh
fhliuchtá	an bhfliuchadh?
fhliuchadh sé/sí	go bhfliuchadh
fhliuchaimis	nach bhfliuchadh
fhliuchadh sibh	
fhliuchaidís	
fhliuchtaí	

1pl fhliuchadh muid **C** *3pl* fhliuchadh siad **U**
Ba ghnách liom fliuchadh *etc.* **U**

an modh ordaitheach	**an foshuiteach láithreach**
the imperative mood	**the present subjunctive**
fliuchaim	go bhfliucha mé
fliuch	go bhfliucha tú
fliuchadh sé/sí	go bhfliucha sé
fliuchaimis	go bhfliuchaimid
fliuchaigí	go bhfliucha sibh
fliuchaidís	go bhfliucha siad
fliuchtar	go bhfliuchtar
ná fliuch	nár fhliucha

3pl fliuchadh siad **U**   *1pl* go bhfliucha muid **CU**

49 foghlaim learn   foghlaim   foghlamtha

an aimsir chaite
d'fhoghlaim mé
d'fhoghlaim tú
d'fhoghlaim sé/sí
d'fhoghlaimíomar
d'fhoghlaim sibh
d'fhoghlaim siad
foghlaimíodh

the past tense
níor fhoghlaim
ar fhoghlaim?
gur fhoghlaim
nár fhoghlaim
níor foghlaimíodh
ar foghlaimíodh?
gur/nár foghlaimíodh

1sg d(h)'fhoghlaimíos, *2sg* d(h)'fhoghlaimís, *2pl* d(h)'fhoghlaimíobhair **M**
1pl d'fhoghlaim muid **UC** *3pl* d'fhoghlaimíodar **MC**

an aimsir láithreach
foghlaimím
foghlaimíonn tú
foghlaimíonn sé/sí
foghlaimímid
foghlaimíonn sibh
foghlaimíonn siad
foghlaimítear

the present tense
ní fhoghlaimíonn
an bhfoghlaimíonn?
go bhfoghlaimíonn
nach bhfoghlaimíonn

1pl foghlaimíonn muid **C** *3pl* foghlaimíd (siad) **M**
foghlaimim, foghlaimeann sé, muid *etc*. **U** *rel*. a fhoghlaimíos/a fhoghlaimeas

an aimsir fháistineach
foghlaimeoidh mé
foghlaimeoidh tú
foghlaimeoidh sé/sí
foghlaimeoimid
foghlaimeoidh sibh
foghlaimeoidh siad
foghlaimeofar

the future tense
ní fhoghlaimeoidh
an bhfoghlaimeoidh?
go bhfoghlaimeoidh
nach bhfoghlaimeoidh

foghlaimeochaidh **U**

1sg foghlaimeod, *2sg* foghlaimeoir **M** foghlaimeochaidh mé *etc*. **U**
1pl foghlaimeoidh muid **C** *rel*. a fhoghlaimeos/fhoghlaimeochas

49 foghlaim learn   foghlaim   foghlamtha

an modh coinníollach
d'fhoghlaimeoinn
d'fhoghlaimeofá
d'fhoghlaimeodh sé/sí
d'fhoghlaimeoimis
d'fhoghlaimeodh sibh
d'fhoghlaimeoidís
d'fhoghlaimeofaí

the conditional mood
ní fhoghlaimeodh
an bhfoghlaimeodh?
go bhfoghlaimeodh
nach bhfoghlaimeodh

d'fhoghlaimeochadh **U**

1sg d'fhoghlaimeochainn, 3sg d'fhoghlaimeochadh sé, siad *etc.* **U**
1pl d'fhoghlaimeodh muid **C**

an aimsir ghnáthchaite
d'fhoghlaimínn
d'fhoghlaimíteá
d'fhoghlaimíodh sé/sí
d'fhoghlaimímis
d'fhoghlaimíodh sibh
d'fhoghlaimídís
d'fhoghlaimítí

the imperfect tense
ní fhoghlaimíodh
an bhfoghlaimíodh?
go bhfoghlaimíodh
nach bhfoghlaimíodh

1pl d'fhoghlaimíodh muid **C** 3pl d'fhoghlaimíodh siad **U**
Ba ghnách liom foghlaim *etc.* **U**

an modh ordaitheach
the imperative mood
foghlaimím
foghlaim
foghlaimíodh sé/sí
foghlaimímis
foghlaimígí
foghlaimídís
foghlaimítear
 ná foghlaim

3pl foghlaimíodh siad **U**

an foshuiteach láithreach
the present subjunctive
go bhfoghlaimí mé
go bhfoghlaimí tú
go bhfoghlaimí sé/sí
go bhfoghlaimímid
go bhfoghlaimí sibh
go bhfoghlaimí siad
go bhfoghlaimítear
 nár fhoghlaimí

1pl go bhfoghlaimí muid **CU**

50 foilsigh publish foilsiú foilsithe

an aimsir chaite
d'fhoilsigh mé
d'fhoilsigh tú
d'fhoilsigh sé/sí
d'fhoilsíomar
d'fhoilsigh sibh
d'fhoilsigh siad
foilsíodh

the past tense
níor fhoilsigh
ar fhoilsigh?
gur fhoilsigh
nár fhoilsigh
níor foilsíodh
ar foilsíodh?
gur/nár foilsíodh

1sg d(h)'fhoilsíos, *2sg* d(h)'fhoilsís, *2pl* d(h)'fhoilsíobhair **M**
1pl d'fhoilsigh muid **UC** *3pl* d'fhoilsíodar **MC**

an aimsir láithreach
foilsím
foilsíonn tú
foilsíonn sé/sí
foilsímid
foilsíonn sibh
foilsíonn siad
foilsítear

the present tense
ní fhoilsíonn
an bhfoilsíonn?
go bhfoilsíonn
nach bhfoilsíonn

1pl foilsíonn muid **C** *3pl* foilsíd (siad) **M**
foilsim, foilseann sé, muid **U** *rel.* a fhoilsíos

an aimsir fháistineach
foilseoidh mé
foilseoidh tú
foilseoidh sé/sí
foilseoimid
foilseoidh sibh
foilseoidh siad
foilseofar

the future tense
ní fhoilseoidh
an bhfoilseoidh?
go bhfoilseoidh
nach bhfoilseoidh

foilseochaidh **U**

1sg foilseod, *2 sg* foilseoir **M** *1pl* foilseoidh muid **C**
foilseochaidh mé, muid *etc*. **U** *rel*. a fhoilseos/a fhoilseochas

50 foilsigh publish   foilsiú   foilsithe

an modh coinníollach
d'fhoilseoinn
d'fhoilseofá
d'fhoilseodh sé/sí
d'fhoilseoimis
d'fhoilseodh sibh
d'fhoilseoidís
d'fhoilseofaí

the conditional mood
ní fhoilseodh
an bhfoilseodh?
go bhfoilseodh
nach bhfoilseodh

d'fhoilseochadh **U**

1sg d'fhoilseochainn, 3sg d'fhoilseochadh sé, siad etc. **U**
1pl d'fhoilseodh muid **C**

an aimsir ghnáthchaite
d'fhoilsínn
d'fhoilsíteá
d'fhoilsíodh sé/sí
d'fhoilsímis
d'fhoilsíodh sibh
d'fhoilsídís
d'fhoilsítí

the imperfect tense
ní fhoilsíodh
an bhfoilsíodh?
go bhfoilsíodh
nach bhfoilsíodh

1pl d'fhoilsíodh muid **C**, 3pl d'fhoilsíodh siad **U**
Ba ghnách liom foilsiú etc. **U**

an modh ordaitheach
the imperative mood
foilsím
foilsigh
foilsíodh sé/sí
foilsímis
foilsígí
foilsídís
foilsítear
  ná foilsigh

3pl foilsíodh siad **U**

an foshuiteach láithreach
the present subjunctive
go bhfoilsí mé
go bhfoilsí tú
go bhfoilsí sé/sí
go bhfoilsímid
go bhfoilsí sibh
go bhfoilsí siad
go bhfoilsítear
  nár fhoilsí

1pl go bhfoilsí muid **CU**

51 freagair answer   freagairt   freagartha

an aimsir chaite
d'fhreagair mé
d'fhreagair tú
d'fhreagair sé/sí
d'fhreagraíomar
d'fhreagair sibh
d'fhreagair siad
freagraíodh

the past tense
níor fhreagair
ar fhreagair?
gur fhreagair
nár fhreagair
níor freagraíodh
ar freagraíodh?
gur/nár freagraíodh

1sg d(h)'fhreagraíos, 2sg d(h)'fhreagraís, 2pl d(h)'fhreagraíobhair **M**
1pl d'fhreagair muid **UC** 3pl d'fhreagraíodar **MC**

an aimsir láithreach
freagraím
freagraíonn tú
freagraíonn sé/sí
freagraímid
freagraíonn sibh
freagraíonn siad
freagraítear

the present tense
ní fhreagraíonn
an bhfreagraíonn?
go bhfreagraíonn
nach bhfreagraíonn

1pl freagraíonn muid **C** 3pl freagraíd (siad) **M**
freagraim, freagrann sé, muid etc. **U**

an aimsir fháistineach
freagróidh mé
freagróidh tú
freagróidh sé/sí
freagróimid
freagróidh sibh
freagróidh siad
freagrófar

the future tense
ní fhreagróidh
an bhfreagróidh?
go bhfreagróidh
nach bhfreagróidh

freagróchaidh **U**

1sg freagród, 2sg freagróir **M**
freagróchaidh mé/muid etc. **U** 1pl freagróidh muid **C**

51 freagair answer freagairt freagartha

an modh coinníollach	the conditional mood
d'fhreagróinn	ní fhreagródh
d'fhreagrófá	an bhfreagródh?
d'fhreagródh sé/sí	go bhfreagródh
d'fhreagróimis	nach bhfreagródh
d'fhreagródh sibh	
d'fhreagróidís	d'fhreagróchadh **U**
d'fhreagrófaí	

1sg d'fhreagróchainn, 3sg d'fhreagróchadh sé etc. **U**
1pl d'fhreagródh muid **C** 3pl d'fhreagróchadh siad **U**

an aimsir ghnáthchaite	the imperfect tense
d'fhreagraínn	ní fhreagraíodh
d'fhreagraíteá	an bhfreagraíodh?
d'fhreagraíodh sé/sí	go bhfreagraíodh
d'fhreagraímis	nach bhfreagraíodh
d'fhreagraíodh sibh	
d'fhreagraídís	
d'fhreagraítí	

1pl d'fhreagraíodh muid **C** 3pl d'fhreagraíodh siad **U**
Ba ghnách liom freagairt etc. **U**

an modh ordaitheach the imperative mood	an foshuiteach láithreach the present subjunctive
freagraím	go bhfreagraí mé
freagair	go bhfreagraí tú
freagraíodh sé/sí	go bhfreagraí sé/sí
freagraímis	go bhfreagraímid
freagraígí	go bhfreagraí sibh
freagraídís	go bhfreagraí siad
freagraítear	go bhfreagraítear
ná freagair	nár fhreagraí

3pl freagraíodh siad **U**   1pl go bhfreagraí muid **CU**

52 **freastail** attend **freastal** **freastalta**

an aimsir chaite	the past tense
d'fhreastail mé	níor fhreastail
d'fhreastail tú	ar fhreastail?
d'fhreastail sé/sí	gur fhreastail
d'fhreastalaíomar	nár fhreastail
d'fhreastail sibh	níor freastalaíodh
d'fhreastail siad	ar freastalaíodh?
freastalaíodh	gur/nár freastalaíodh

1sg d(h)'fhreastalaíos, *2sg* d(h)'fhreastalaís, *2pl* d(h)'fhreastalaíobhair **M**
1pl d'fhreastail muid **UC** *3pl* d'fhreastalaíodar **MC**

an aimsir láithreach	the present tense
freastalaím	ní fhreastalaíonn
freastalaíonn tú	an bhfreastalaíonn?
freastalaíonn sé/sí	go bhfreastalaíonn
freastalaímid	nach bhfreastalaíonn
freastalaíonn sibh	
freastalaíonn siad	
freastalaítear	

1pl freastalaíonn muid **UC** *3pl* freastalaíd (siad) **M**
freastalaim, freastalann sé, muid *etc.* **U** *rel.* a fhreastralaíos

an aimsir fháistineach	the future tense
freastalóidh mé	ní fhreastalóidh
freastalóidh tú	an bhfreastalóidh?
freastalóidh sé/sí	go bhfreastalóidh
freastalóimid	nach bhfreastalóidh
freastalóidh sibh	
freastalóidh siad	freastalóchaidh **U**
freastalófar	

1sg freastalód, *2sg* freastalóir **M** freastalóchaidh mé/muid *etc.* **U**
1pl freastalóidh muid **C** *rel.* a fhreastalós/a fhreastalóchas

112

52 freastail attend · freastal · freastalta

an modh coinníollach
d'fhreastalóinn
d'fhreastalófá
d'fhreastalódh sé/sí
d'fhreastalóimis
d'fhreastalódh sibh
d'fhreastalóidís
d'fhreastalófaí

the conditional mood
ní fhreastalódh
an bhfreastalódh?
go bhfreastalódh
nach bhfreastalódh

d'fhreastalóchadh **U**

1sg d'fhreastalóchainn, *3sg* d'fhreastalóchadh sé, siad *etc.* **U**
1pl d'fhreastalódh muid **C**

an aimsir ghnáthchaite
d'fhreastalaínn
d'fhreastalaíteá
d'fhreastalaíodh sé/sí
d'fhreastalaímis
d'fhreastalaíodh sibh
d'fhreastalaídís
d'fhreastalaítí

the imperfect tense
ní fhreastalaíodh
an bhfreastalaíodh?
go bhfreastalaíodh
nach bhfreastalaíodh

1pl d'fhreastalaíodh muid **C** *3pl* d'fhreastalaíodh siad **U**
Ba ghnách liom freastal *etc.* **U**

an modh ordaitheach
the imperative mood
freastalaím
freastail
freastalaíodh sé/sí
freastalaímis
freastalaígí
freastalaídís
freastalaítear
  ná freastail

3pl freastalaíodh siad **U**

an foshuiteach láithreach
the present subjunctive
go bhfreastalaí mé
go bhfreastalaí tú
go bhfreastalaí sé/sí
go bhfreastalaímid
go bhfreastalaí sibh
go bhfreastalaí siad
go bhfreastalaítear
  nár fhreastalaí

1pl go bhfreastalaí muid **UC**

53 géill yield géilleadh geillte

an aimsir chaite
the past tense

ghéill mé	níor ghéill
ghéill tú	ar ghéill?
ghéill sé/sí	gur ghéill
ghéilleamar	nár ghéill
ghéill sibh	níor géilleadh
ghéill siad	ar géilleadh?
géilleadh	gur/nár géilleadh

1sg (do) ghéilleas, *2sg* (do) ghéillis, *2pl* (do) ghéilleabhair **M**
1pl ghéill muid **CU** *3pl* (do) ghéilleadar **MC**

an aimsir láithreach
the present tense

géillim	ní ghéilleann
géilleann tú	an ngéilleann?
géilleann sé/sí	go ngéilleann
géillimid	nach ngéilleann
géilleann sibh	
géilleann siad	
géilltear	

1pl géilleann muid **CU** *3pl* géillid (siad) **M** *rel.* a ghéilleas

an aimsir fháistineach
the future tense

géillfidh mé	ní ghéillfidh
géillfidh tú	an ngéillfidh?
géillfidh sé/sí	go ngéillfidh
géillfimid	nach ngéillfidh
géillfidh sibh	
géillfidh siad	
géillfear	

1sg géillfead, *2sg* géillfir **M** géillfidh muid **CU** *rel.* a ghéillfeas

53 géill yield   géilleadh   geillte

an modh coinníollach

ghéillfinn
ghéillfeá
ghéillfeadh sé/sí
ghéillfimis
ghéillfeadh sibh
ghéillfidís

ghéillfí

1pl ghéillfeadh muid **C** *3pl* ghéillfeadh siad **U**

the conditional mood

ní ghéillfeadh
an ngéillfeadh?
go ngéillfeadh
nach ngéillfeadh

an aimsir ghnáthchaite

ghéillinn
ghéillteá
ghéilleadh sé/sí
ghéillimis
ghéilleadh sibh
ghéillidís

ghéilltí

1pl ghéilleadh muid **C** *3pl* ghéilleadh siad **U**
Ba ghnách liom géillstean **U**

the imperfect tense

ní ghéilleadh
an ngéilleadh?
go ngéilleadh
nach ngéilleadh

an modh ordaitheach
the imperative mood

géillim
géill
géilleadh sé/sí
géillimis
géilligí
géillidís

géilltear
 ná géill

3pl géilleadh siad **U**

an foshuiteach láithreach
the present subjunctive

go ngéille mé
go ngéille tú
go ngéille sé/sí
go ngéillimid
go ngéille sibh
go ngéille siad

go ngéilltear
 nár ghéille

1pl go ngéille muid **CU**

54 **glan** clean **glanadh glanta**

an aimsir chaite
ghlan mé
ghlan tú
ghlan sé/sí
ghlanamar
ghlan sibh
ghlan siad
glanadh

the past tense
níor ghlan
ar ghlan?
gur ghlan
nár ghlan
níor glanadh
ar glanadh?
gur/nár glanadh

1sg (do) ghlanas, *2sg* (do) ghlanais, *2pl* (do) ghlanabhair **M**
1pl ghlan muid **CU** *3pl* (do) ghlanadar **MC**

an aimsir láithreach
glanaim
glanann tú
glanann sé/sí
glanaimid
glanann sibh
glanann siad
glantar

the present tense
ní ghlanann
an nglanann?
go nglanann
nach nglanann

1pl glanann muid **CU** *3pl* glanaid (siad) **M** *rel.* a ghlanas

an aimsir fháistineach
glanfaidh mé
glanfaidh tú
glanfaidh sé/sí
glanfaimid
glanfaidh sibh
glanfaidh siad
glanfar

the future tense
ní ghlanfaidh
an nglanfaidh?
go nglanfaidh
nach nglanfaidh

1sg glanfad, *2sg* glanfair **M** glanfaidh muid **CU** *rel.* a ghlanfas

54 glan clean glanadh glanta

an modh coinníollach	the conditional mood
ghlanfainn	ní ghlanfadh
ghlanfá	an nglanfadh?
ghlanfadh sé/sí	go nglanfadh
ghlanfaimis	nach nglanfadh
ghlanfadh sibh	
ghlanfaidís	
ghlanfaí	

1pl ghlanfadh muid **C** *3pl* ghlanfadh siad **U**

an aimsir ghnáthchaite	the imperfect tense
ghlanainn	ní ghlanadh
ghlantá	an nglanadh?
ghlanadh sé/sí	go nglanadh
ghlanaimis	nach nglanadh
ghlanadh sibh	
ghlanaidís	
ghlantaí	

1pl ghlanadh muid **C** *3pl* ghlanadh siad **U**
Ba ghnách liom glanadh *etc.* **U**

an modh ordaitheach the imperative mood	an foshuiteach láithreach the present subjunctive
glanaim	go nglana mé
glan	go nglana tú
glanadh sé/sí	go nglana sé/sí
glanaimis	go nglanaimid
glanaigí	go nglana sibh
glanaidís	go nglana siad
glantar	go nglantar
ná glan	nár ghlana

3pl glanadh siad **U**

1pl go nglana muid **CU**

55 goirtigh pickle goirtiú goirtithe

an aimsir chaite — the past tense

an aimsir chaite	the past tense
ghoirtigh mé	níor ghoirtigh
ghoirtigh tú	ar ghoirtigh?
ghoirtigh sé/sí	gur ghoirtigh
ghoirtíomar	nár ghoirtigh
ghoirtigh sibh	níor goirtíodh
ghoirtigh siad	ar goirtíodh?
goirtíodh	gur/nár goirtíodh

1sg (do) ghoirtíos, *2sg* (do) ghoirtís, *2pl* (do) ghoirtíobhair **M**
1pl ghoirtigh muid **UC** *3pl* ghoirtíodar **MC**

an aimsir láithreach — the present tense

an aimsir láithreach	the present tense
goirtím	ní ghoirtíonn
goirtíonn tú	an ngoirtíonn?
goirtíonn sé/sí	go ngoirtíonn
goirtímid	nach ngoirtíonn
goirtíonn sibh	
goirtíonn siad	
goirtítear	

1pl goirtíonn muid **C** *3pl* goirtíd (siad) **M**
goirtim, goirteann sé/muid **U** *rel.* a ghoirtíos

an aimsir fháistineach — the future tense

an aimsir fháistineach	the future tense
goirteoidh mé	ní ghoirteoidh
goirteoidh tú	an ngoirteoidh?
goirteoidh sé/sí	go ngoirteoidh
goirteoimid	nach ngoirteoidh
goirteoidh sibh	
goirteoidh siad	goirteochaidh **U**
goirteofar	

1sg goirteod, *2sg* goirteoir **M** *1pl* goirteoidh muid **C**
goirteochaidh mé/muid *etc.* **U** *rel.* a ghoirteos/a ghoirteochas

55 goirtigh pickle goirtiú goirtithe

an modh coinníollach
ghoirteoinn
ghoirteofá
ghoirteodh sé/sí
ghoirteoimis
ghoirteodh sibh
ghoirteoidís
ghoirteofaí

the conditional mood
ní ghoirteodh
an ngoirteodh?
go ngoirteodh
nach ngoirteodh

ghoirteochadh **U**

1sg ghoirteochainn, *3sg* ghoirteochadh sé, siad *etc.* **U**
1pl ghoirteodh muid **C**

an aimsir ghnáthchaite
ghoirtínn
ghoirtíteá
ghoirtíodh sé/sí
ghoirtímis
ghoirtíodh sibh
ghoirtídís
ghoirtítí

the imperfect tense
ní ghoirtíodh
an ngoirtíodh?
go ngoirtíodh
nach ngoirtíodh

1pl ghoirtíodh muid **C**, *3pl* ghoirtíodh siad **U**
Ba ghnách liom goirtiú *etc.* **U**

an modh ordaitheach
the imperative mood
goirtím
goirtigh
goirtíodh sé/sí
goirtímis
goirtígí
goirtídís
goirtítear
 ná goirtigh

3pl goirtíodh siad **U**

an foshuiteach láithreach
the present subjunctive
go ngoirtí mé
go ngoirtí tú
go ngoirtí sé/sí
go ngoirtímid
go ngoirtí sibh
go ngoirtí siad
go ngoirtítear
 nár ghoirtí

1pl go ngoirtí muid **CU**

56 gortaigh hurt gortú gortaithe

an aimsir chaite
ghortaigh mé
ghortaigh tú
ghortaigh sé/sí
ghortaíomar
ghortaigh sibh
ghortaigh siad
gortaíodh

the past tense
níor ghortaigh
ar ghortaigh?
gur ghortaigh
nár ghortaigh
níor gortaíodh
ar gortaíodh?
gur/nár gortaíodh

1sg (do) ghortaíos, 2sg (do) ghortaís, 2pl (do) ghortaíobhair **M**
1pl ghortaigh muid **UC** 3pl ghortaíodar **MC**

an aimsir láithreach
gortaím
gortaíonn tú
gortaíonn sé/sí
gortaímid
gortaíonn sibh
gortaíonn siad
gortaítear

the present tense
ní ghortaíonn
an ngortaíonn?
go ngortaíonn
nach ngortaíonn

1pl gortaíonn muid **C** 3pl gortaíd (siad) **M**
gortaim, gortann sé/muid **U** rel. a ghortaíos

an aimsir fháistineach
gortóidh mé
gortóidh tú
gortóidh sé/sí
gortóimid
gortóidh sibh
gortóidh siad
gortófar

the future tense
ní ghortóidh
an ngortóidh?
go ngortóidh
nach ngortóidh

gortóchaidh **U**

1sg gortód, 2sg gortóir **M** 1pl gortóidh muid **C**
gortóchaidh mé/muid etc. **U** rel. a ghortós/a ghortóchas

56 gortaigh hurt   gortú   gortaithe

an modh coinníollach
ghortóinn
ghortófá
ghortódh sé/sí
ghortóimis
ghortódh sibh
ghortóidís
ghortófaí

the conditional mood
ní ghortódh
an ngortódh?
go ngortódh
nach ngortódh

ghortóchadh **U**

1sg ghortóchainn, 3sg ghortóchadh sé/siad etc. **U**
1pl ghortódh muid **C**

an aimsir ghnáthchaite
ghortaínn
ghortaíteá
ghortaíodh sé/sí
ghortaímis
ghortaíodh sibh
ghortaídís
ghortaítí

the imperfect tense
ní ghortaíodh
an ngortaíodh?
go ngortaíodh
nach ngortaíodh

1pl ghortaíodh muid **C** 3pl ghortaíodh siad **U**
Ba ghnách liom gortú etc. **U**

an modh ordaitheach
the imperative mood
gortaím
gortaigh
gortaíodh sé/sí
gortaímis
gortaígí
gortaídís
gortaítear
 ná gortaigh

3pl gortaíodh siad **U**

an foshuiteach láithreach
the present subjunctive
go ngortaí mé
go ngortaí tú
go ngortaí sé/sí
go ngortaímid
go ngortaí sibh
go ngortaí siad
go ngortaítear
 nár ghortaí

1pl go ngortaí muid **CU**

57 iarr ask iarraidh iarrtha

an aimsir chaite	the past tense
d'iarr mé	níor iarr
d'iarr tú	ar iarr?
d'iarr sé/sí	gur iarr
d'iarramar	nár iarr
d'iarr sibh	níor iarradh/níor hi.
d'iarr siad	ar iarradh?
iarradh/hiarradh	gur/nár iarradh

1sg d(h)'iarras, *2sg* d(h)'iarrais, *2pl* d(h)'iarrabhair **M**
1pl d'iarr muid **CU** *3pl* d'iarradar **MC** *aut.* hiarradh **MCU**

an aimsir láithreach	the present tense
iarraim	ní iarrann
iarrann tú	an iarrann?
iarrann sé/sí	go n-iarrann
iarraimid	nach n-iarrann
iarrann sibh	
iarrann siad	
iarrtar	

1pl iarrann muid **CU** *3pl* iarraid (siad) **M** *rel.* a iarras

an aimsir fháistineach	the future tense
iarrfaidh mé	ní iarrfaidh
iarrfaidh tú	an iarrfaidh?
iarrfaidh sé/sí	go n-iarrfaidh
iarrfaimid	nach n-iarrfaidh
iarrfaidh sibh	
iarrfaidh siad	
iarrfar	

1sg iarrfad, *2sg* iarrfair **M** iarrfaidh muid **CU** *rel.* a iarrfas

57 iarr ask   iarraidh   iarrtha

an modh coinníollach
d'iarrfainn
d'iarrfá tú
d'iarrfadh sé/sí
d'iarrfaimis
d'iarrfadh sibh
d'iarrfadís
iarrafaí

the conditional mood
níor iarrfadh
an iarrfadh?
go n-iarrfadh
nach n-iarrfadh

1pl d'iarrfadh muid **CU** *3pl* d'iarrfadh siadh **U**

an aimsir ghnáthchaite
d'iarrainn
d'iarrtá
d'iarradh sé/sí
d'iarraimis
d'iarradh sibh
d'iarraidís
d'iarrtaí

the imperfect tense
ní iarradh
an iarradh?
go n-iarradh
nach n-iarradh

1pl d'iarradh muid **C** *3pl* d'iarradh siad **U**
Ba ghnách liom iarraidh *etc*. **U**

an modh ordaitheach
the imperative mood
iarraim
iarr
iarraidh sé/sí
iarrfaimis
iarraigí
iarraidís
iarrtar
 ná hiarr

an foshuiteach láithreach
the present subjunctive
go n-iarra mé
go n-iarra tú
go n-iarra sé/sí
go n-iarraimid
go n-iarra sibh
go n-iarra siad
go n-iarrtar
 nár iarra

3pl iarradh siad **U**

1pl go n-iarra muid **CU**

58 imigh leave, go off imeacht imithe

an aimsir chaite

d'imigh mé
d'imigh tú
d'imigh sé/sí
d'imíomar
d'imigh sibh
d'imigh siad
imíodh/himíodh

the past tense

níor imigh
ar imigh?
gur imigh
nár imigh
níor imíodh/níor himíodh
ar imíodh?
gur/nár imíodh

1sg d(h)'imíos, *2sg* d(h)'imís, *2pl* d(h)'imíobhair **M**
1pl d'imigh muid **UC** *3pl* d'imíodar **MC** *aut.* himíodh **MCU**

an aimsir láithreach

imím
imíonn tú
imíonn sé/sí
imímid
imíonn sibh
imíonn siad
imítear

the present tense

ní imíonn
an imíonn?
go n-imíonn
nach n-imíonn

1pl imíonn muid **C** *3pl* imíd (siad) **M**
imim, imeann sé, muid *etc.* **U** *rel.* a imíos

an aimsir fháistineach

imeoidh mé
imeoidh tú
imeoidh sé/sí
imeoimid
imeoidh sibh
imeoidh siad
imeofar

the future tense

ní imeoidh
an imeoidh?
go n-imeoidh
nach n-imeoidh

imeochaidh **U**

1sg imeod, *2sg* imeoir **M** imeochaidh mé, muid *etc.* **U**
1pl imeoidh muid **C** *rel.* a imeos/a imeochas

58 imigh leave, go off · imeacht · imithe

an modh coinníollach
d'imeoinn
d'imeofá
d'imeodh sé/sí
d'imeoimis
d'imeodh sibh
d'imeoidís
d'imeofaí

the conditional mood
ní imeodh
an imeodh?
go n-imeodh
nach n-imeodh

d'imeochadh **U**

1sg d'imeochainn, *3sg* d'imeochadh sé, siad *etc.* **U**
1pl d'imeodh muid **C**

an aimsir láithreach
d'imínn
d'imíteá
d'imíodh sé/sí
d'imímis
d'imíodh sibh
d'imídís
d'imítí

the present tense
ní imíodh
an imíodh?
go n-imíodh
nach n-imíodh

1pl d'imíodh muid **C** *3pl* d'imíodh siad **U**
Ba ghnách liom imeacht *etc.* **U**

an modh ordaitheach
the imperative mood
imím
imigh
imíodh sé/sí
imímis
imígí
imídís
imítear
 ná himigh

3pl imíodh siad **U**

an foshuiteach láithreach
the present subjunctive
go n-imí mé
go n-imí tú
go n-imí sé/sí
go n-imímid
go n-imí sibh
go n-imí siad
go n-imítear
nár imí

1pl go n-imí muid **CU**

59 imir play   imirt   imeartha

an aimsir chaite	the past tense
d'imir mé	níor imir
d'imir tú	ar imir?
d'imir sé/sí	gur imir
d'imríomar	nár imir
d'imir sibh	níor imríodh/níor himríodh
d'imir siad	ar imríodh?
imríodh/himríodh	gur/nár imríodh

1sg d(h)'imríos, *2sg* d(h)'imrís, *2pl* d(h)'imríobhair **M**
1pl d'imir muid **UC** *3pl* d'imríodar **MC** *aut.* himríodh **MCU**

an aimsir láithreach	the present tense
imrím	ní imríonn
imríonn tú	an imríonn?
imríonn sé/sí	go n-imríonn
imrímid	nach n-imríonn
imríonn sibh	
imríonn siad	
imrítear	

1pl imríonn muid **C** *3pl* imríd (siad) **M**
imrim, imreann sé, muid *etc.* **U** *rel.* a imríos/a imreas

an aimsir fháistineach	the future tense
imreoidh mé	ní imreoidh
imreoidh tú	an imreoidh?
imreoidh sé/sí	go n-imreoidh
imreoimid	nach n-imreoidh
imreoidh sibh	
imreoidh siad	imreochaidh/imeoraidh **U**
imreofar	

1sg imreod, *2sg* imreoir **M** *1pl* imreoidh muid **C**
imreochaidh mé, muid *etc.* (*var.* imeoraidh) **U** *rel.* a imreos/a imreochas

59 imir play   imirt   imeartha

an modh coinníollach
d'imreoinn
d'imreofá
d'imreodh sé/sí
d'imreoimis
d'imreodh sibh
d'imreoidís
d'imreofaí

the conditional mood
ní imreodh
an imreodh?
go n-imreodh
nach n-imreodh

d'imreochadh/d'imeoradh **U**

1sg d'imreochainn, 3sg d'imreochadh sé, siad etc.
(var. d'imeorainn, d'imreoradh) **U** 1pl d'imreodh muid **C**

an aimsir ghnáthchaite
d'imrínn
d'imríteá
d'imríodh sé/sí
d'imrímis
d'imríodh sibh
d'imrídís
d'imrítí

the imperfect tense
ní imríodh
an imríodh?
go n-imríodh
nach n-imríodh

1pl d'imríodh muid **C** 3pl d'imríodh siad **U**
Ba ghnách liom imirt etc. **U**

an modh ordaitheach
the imperative mood
imrím
imir
imríodh sé/sí
imrímis
imrígí
imrídís
imrítear
 ná himir

3pl imríodh siad **U**

an foshuiteach láithreach
the present subjunctive
go n-imrí mé
go n-imrí tú
go n-imrí sé/sí
go n-imrímid
go n-imrí sibh
go n-imrí siad
go n-imrítear
 nár imrí

1pl go n-imrí muid **CU**

60 inis tell   insint/inse   inste

an aimsir chaite

d'inis mé
d'inis tú
d'inis sé/sí
d'insíomar
d'inis sibh
d'inis siad

insíodh/hinsíodh

the past tense

níor inis
ar inis?
gur inis
nár inis

níor insíodh/níor hinsíodh
ar insíodh?
gur/nár insíodh

1sg (do) niseas, *2sg* (do) nisis, *3* (do) nis sé *etc*. *2pl* (do) niseabhair, *3pl* (do) niseadar **M**
1pl d'inis muid **UC** *3pl* d'insíodar, *aut* hinsíodh **C**; d'ins mé *etc*., *aut*. hinseadh **U**

an aimsir láithreach

insím
insíonn tú
insíonn sé/sí
insímid
insíonn sibh
insíonn siad

insítear

the present tense

ní insíonn
an insíonn?
go n-insíonn
nach n-insíonn

niseann **M**

1pl insíonn muid **C** nisim, niseann tú/sé, nisimid, nisid (siad) **M** insim, inseann sé, muid
etc. **U** *rel*. a insíos/a inseas

an aimsir fháistineach

inseoidh mé
inseoidh tú
inseoidh sé/sí
inseoimid
inseoidh sibh
inseoidh siad

inseofar

the future tense

ní inseoidh
an inseoidh?
go n-inseoidh
nach n-inseoidh

inseochaidh **U**
neosaidh **M**

1sg neosad, neosfair, neosaidh sé, neosaimid *etc*. **M** inseochaidh mé, muid *etc*. **U**
1pl inseoidh muid **C** *rel*. a inseos/a inseochas

60 inis tell   insint/inse   inste

an modh coinníollach — the conditional mood

an modh coinníollach	the conditional mood
d'inseoinn	ní inseodh
d'inseofá	an inseodh?
d'inseodh sé/sí	go n-inseodh
d'inseoimis	nach n-inseodh
d'inseodh sibh	d'inseochadh **U**
d'inseoidís	neosadh **M**
d'inseofaí	

neosainn, neosfá, neosadh sé, neosaimis *etc.* **M**
1sg d'inseochainn, d'inseochadh sé/siad *etc.* **U** 1pl d'inseodh muid **C**

an aimsir ghnáthchaite — the imperfect tense

an aimsir ghnáthchaite	the imperfect tense
d'insínn	ní insíodh
d'insíteá	an insíodh?
d'insíodh sé/sí	go n-insíodh
d'insímis	nach n-insíodh
d'insíodh sibh	
d'insídís	niseadh **M**
d'insítí	

nisinn, nisteá, niseadh sé, nisimis, nisidís **M** 1pl d'insíodh muid **C**
3pl d'insíodh siad **U** Ba ghnách liom inse *etc.* **U**

an modh ordaitheach / the imperative mood — an foshuiteach láithreach / the present subjunctive

an modh ordaitheach the imperative mood	an foshuiteach láithreach the present subjunctive
insím	go n-insí mé
inis	go n-insí tú
insíodh sé/sí	go n-insí sé/sí
insímis	go n-insímid
insígí	go n-insí sibh
insídís	go n-insí siad
insítear	go n-insítear
ná hinis	nár insí

nisim, nis **M** 3pl insíodh siad **U**

1pl go n-insí muid **CU** go nise **M**

61 iompair carry iompar iompartha

an aimsir chaite
d'iompair mé
d'iompair tú
d'iompair sé/sí
d'iompraíomar
d'iompair sibh
d'iompair siad
iompraíodh/hiompraíodh

the past tense
níor iompair
ar iompair?
gur iompair
nár iompair
níor iompraíodh/níor hi.
ar iompraíodh?
gur/nár iompraíodh

1sg d(h)'iompraíos, *2sg* d(h)'iompraís, *2pl* d(h)'iompraíobhair **M**
1pl d'iompair muid **UC** *3pl* d'iompraíodar **MC** *aut*. hiompraíodh **MCU**

an aimsir láithreach
iompraím
iompraíonn tú
iompraíonn sé/sí
iompraímid
iompraíonn sibh
iompraíonn siad
iompraítear

the present tense
ní iompraíonn
an iompraíonn?
go n-iompraíonn
nach n-iompraíonn

1pl iompraíonn muid **C** *3pl* iompraíd (siad) **M**
iompraim, iomprann sé, muid *etc*. **U** *rel*. a iompraíos/a iompras

an aimsir fháistineach
iompróidh mé
iompróidh tú
iompróidh sé/sí
iompróimid
iompróidh sibh
iompróidh siad
iomprófar

the future tense
ní iompróidh
an iompróidh?
go n-iompróidh
nach n-iompróidh

iompróchaidh **U**

1sg iompród, *2sg* iompróir **M** *1pl* iompróidh muid **C** iompróchaidh mé/muid *etc*. **U**
rel. a iomprós/a iompróchas

61 iompair carry iompar iompartha

an modh coinníollach
d'iompróinn
d'iomprófá
d'iompródh sé/sí
d'iompróimis
d'iompródh sibh
d'iompróidís
d'iomprófaí

the conditional mood
ní iompródh
an iompródh?
go n-iompródh
nach n-iompródh

d'iompróchadh **U**

1sg d'iompróchainn, *3sg* d'iompróchadh sé, siad *etc.* **U**
1pl d'iompródh muid **C**

an aimsir ghnáthchaite
d'iompraínn
d'iompraíteá
d'iompraíodh sé/sí
d'iompraímis
d'iompraíodh sibh
d'iompraídís
d'iompraítí

the imperfect tense
ní iompraíodh
an iompraíodh?
go n-iompraíodh
nach n-iompraíodh

1pl d'iompraíodh muid **C** *3pl* d'iompraíodh siad **U**
Ba ghnách liom iompar *etc.* **U**

an modh ordaitheachthe the imperative mood
iompraím
iompair
iompraíodh sé/sí
iompraímis
iompraígí
iompraídís
iompraítear
ná hiompair

an foshuiteach láithreach the present subjunctive
go n-iompraí mé
go n-iompraí tú
go n-iompraí sé/sí
go n-iompraímid
go n-iompraí sibh
go n-iompraí siad
go n-iompraítear
nár iompraí

3pl iompraíodh siad **U**

1pl go n-iompraí muid **CU**

62 ionsaigh attack ionsaí ionsaithe

an aimsir chaite	the past tense
d'ionsaigh mé	níor ionsaigh
d'ionsaigh tú	ar ionsaigh?
d'ionsaigh sé/sí	gur ionsaigh
d'ionsaíomar	nár ionsaigh
d'ionsaigh sibh	níor ionsaíodh/níor hi.
d'ionsaigh siad	ar ionsaíodh?
ionsaíodh/hionsaíodh	gur/nár ionsaíodh

1sg d(h)'ionsaíos, 2sg d(h)'ionsaís, 2pl d(h)'ionsaíobhair **M**
1pl d'ionsaigh muid **UC** 3pl d'ionsaíodar **MC** aut. hionsaíodh **MCU**

an aimsir láithreach	the present tense
ionsaím	ní ionsaíonn
ionsaíonn tú	an ionsaíonn?
ionsaíonn sé/sí	go n-ionsaíonn
ionsaímid	nach n-ionsaíonn
ionsaíonn sibh	
ionsaíonn siad	
ionsaítear	

1pl ionsaíonn muid **C** 3pl ionsaíd (siad) **M**
ionsaim, ionsann sé/muid etc. **U** rel. a ionsaíos

an aimsir fháistineach	the future tense
ionsóidh mé	ní ionsóidh
ionsóidh tú	an ionsóidh?
ionsóidh sé/sí	go n-ionsóidh
ionsóimid	nach n-ionsóidh
ionsóidh sibh	
ionsóidh siad	ionsóchaidh **U**
ionsófar	

1sg ionsód, 2sg ionsóir **M** 1pl ionsóidh muid **C**
ionsóchaidh mé/muid etc. **U** rel. a ionsós/a ionsóchas

62 ionsaigh attack ionsaí ionsaithe

an modh coinníollach
d'ionsóinn
d'ionsófá
d'ionsódh sé/sí
d'ionsóimis
d'ionsódh sibh
d'ionsóidís
d'ionsófaí

the conditional mood
ní ionsódh
an ionsódh?
go n-ionsódh
nach n-ionsódh

d'ionsóchadh **U**

1sg d'ionsóchainn, 3sg d'ionsóchadh sé/siad *etc.* **U**
1pl d'ionsódh muid **C**

an aimsir ghnáthchaite
d'ionsaínn
d'ionsaíteá
d'ionsaíodh sé/sí
d'ionsaímis
d'ionsaíodh sibh
d'ionsaídís
d'ionsaítí

the imperfect tense
ní ionsaíodh
an ionsaíodh?
go n-ionsaíodh
nach n-ionsaíodh

1pl d'ionsaíodh muid **C** 3pl d'ionsaíodh siad **U**
Ba ghnách liom ionsaí *etc.* **U**

an modh ordaitheach
the imperative mood
ionsaím
ionsaigh
ionsaíodh sé/sí
ionsaímis
ionsaígí
ionsaídís
ionsaítear
 ná hionsaigh

an foshuiteach láithreach
the present subjunctive
go n-ionsaí mé
go n-ionsaí tú
go n-ionsaí sé/sí
go n-ionsaímid
go n-ionsaí sibh
go n-ionsaí siad
go n-ionsaítear
 nár ionsaí

3pl ionsaíodh siad **U**

1pl go n-ionsaí muid **CU**

63 ith eat ithe ite

an aimsir chaite — the past tense

d'ith mé	níor ith
d'ith tú	ar ith?
d'ith sé/sí	gur ith
d'itheamar	nár ith
d'ith sibh	níor itheadh/níor hitheadh
d'ith siad	ar itheadh?
itheadh /hitheadh	gur/nár itheadh

1sg d(h)'itheas, *2sg* d(h)'ithis, *2pl* d(h)'itheabhair **M** *var.* d'uaigh
1pl d'ith muid **CU** *3pl* d'itheadar **MC** *aut.* hitheadh **MCU**

an aimsir láithreach — the present tense

ithim	ní itheann
itheann tú	an itheann?
itheann sé/sí	go n-itheann
ithimid	nach n-itheann
itheann sibh	
itheann siad	
itear	

1pl itheann muid **CU** *3pl* ithid (siad) **M** *dial.* íosann, *rel.* a itheas

an aimsir fháistineach — the future tense

íosfaidh mé	ní íosfaidh
íosfaidh tú	an íosfaidh?
íosfaidh sé/sí	go n-íosfaidh
íosfaimid	nach n-íosfaidh
íosfaidh sibh	
íosfaidh siad	
íosfar	

1sg íosfad, *2sg* íosfair **M** íosfaidh muid **CU** *rel.* a íosfas

63 **ith** eat **ithe ite**

an modh coinníollach	the conditional mood
d'íosfainn	ní íosfadh
d'íosfá	an íosfadh?
d'íosfadh sé/sí	go n-íosfadh
d'íosfaimis	nach n-íosfadh
d'íosfadh sibh	
d'íosfaidís	
d'íosfaí	

1pl d'íosfadh muid **C** *3pl* d'íosfadh siad **U**

an aimsir ghnáthchaite	the imperfect tense
d'ithinn	ní itheadh
d'iteá	an itheadh?
d'itheadh sé/sí	go n-itheadh
d'ithimis	nach n-itheadh
d'itheadh sibh	
d'ithidís	
d'ití	

1pl d'itheadh muid **C** *3pl* d'itheadh siad, Ba ghnách liom ithe **U**

an modh ordaitheach the imperative mood	an foshuiteach láithreach the present subjunctive
ithim	go n-ithe mé
ith	go n-ithe tú
itheadh sé/sí	go n-ithe sé/sí
ithimis	go n-ithimid
ithigí	go n-ithe sibh
ithidís	go n-ithe siad
itear	go n-itear
ná hith	nár ithe

3pl itheadh siad **U**　　　　　　　*1pl* go n-ithe muid **CU**

64 labhair speak labhairt labhartha

an aimsir chaite	the past tense
labhair mé	níor labhair
labhair tú	ar labhair?
labhair sé/sí	gur labhair
labhraíomar	nár labhair
labhair sibh	níor labhraíodh/*var.* labhradh **MU**
labhair siad	ar labhraíodh?
labhraíodh	gur/nár labhraíodh

1sg (do) labhras, *2sg* (do) labhrais, *2pl* (do) labhrabhair **M**
1pl labhair muid **UC** *3pl* do labhradar **M** labhraíodar **C**

an aimsir láithreach	the present tense
labhraím	ní labhraíonn
labhraíonn tú	an labhraíonn?
labhraíonn sé/sí	go labhraíonn
labhraímid	nach labhraíonn
labhraíonn sibh	
labhraíonn siad	labhrann **UM**
labhraítear	

1pl labhraíonn muid **C** *3pl* labhraíd (siad) **M**
labhraim, labhrann sé, muid *etc.* **U** *rel.* a labhraíos/a labhras

an aimsir fháistineach	the future tense
labhróidh mé	ní labhróidh
labhróidh tú	an labhróidh?
labhróidh sé/sí	go labhróidh
labhróimid	nach labhróidh
labhróidh sibh	
labhróidh siad	labharfaidh **U**
labhrófar	

1sg labhród, *2sg* labhróir **M** labharfaidh mé/muid *etc.* **U**
1pl labhróidh muid **C** *rel.* a labhrós/a labharfas

64 labhair speak   labhairt   labhartha

an modh coinníollach
labhróinn
labhrófá
labhródh sé/sí
labhróimis
labhródh sibh
labhróidís
labhrófaí

the conditional mood
ní labhródh
an labhródh?
go labhródh
nach labhródh

labharfadh **U**

1sg labharfainn, *2sg* labharfá, *3sg* labharfadh sé, siad *etc.* **U**
1pl labhródh muid **C**

an aimsir ghnáthchaite
labhraínn
labhraíteá
labhraíodh sé/sí
labhraímis
labhraíodh sibh
labhraídís
labhraítí

the imperfect tense
ní labhraíodh
an labhraíodh?
go labhraíodh
nach labhraíodh

labhradh **U**

1pl labhraíodh muid **C** *3pl* labhradh siad **U**
Ba ghnách liom labhairt *etc.* **U**

an modh ordaitheach
the imperative mood
labhraím
labhair
labhraíodh sé/sí
labhraímis
labhraígí
labhraídís
labhraítear
ná labhair

an foshuiteach láithreach
the present subjunctive
go labhraí mé
go labhraí tú
go labhraí sé/sí
go labhraímid
go labhraí sibh
go labhraí siad
go labhraítear
nár labhraí

3pl labhradh siad **U**

1pl go labhraí muid **CU**

65 las light lasadh lasta

an aimsir chaite — the past tense

an aimsir chaite	the past tense
las mé	níor las
las tú	ar las?
las sé/sí	gur las
lasamar	nár las
las sibh	níor lasadh
las siad	ar lasadh?
lasadh	gur/nár lasadh

1sg (do) lasas, *2sg* (do) lasais, *2pl* (do) lasabhair **M**
1pl las muid **CU** *3pl* (do) lasadar **MC**

an aimsir láithreach — the present tense

an aimsir láithreach	the present tense
lasaim	ní lasann
lasann tú	an lasann?
lasann sé/sí	go lasann
lasaimid	nach lasann
lasann sibh	
lasann siad	
lastar	

1pl lasann muid **CU** *3pl* lasaid (siad) **M** *rel.* a lasas

an aimsir fháistineach — the future tense

an aimsir fháistineach	the future tense
lasfaidh mé	ní lasfaidh
lasfaidh tú	an lasfaidh?
lasfaidh sé/sí	go lasfaidh
lasfaimid	nach lasfaidh
lasfaidh sibh	
lasfaidh siad	
lasfar	

1sg lasfad, *2sg* lasfair **M** lasfaidh muid **CU** *rel.* a lasfas

65 las light   lasadh   lasta

an modh coinníollach | the conditional mood

an modh coinníollach	the conditional mood
lasfainn	ní lasfadh
lasfá	an lasfadh?
lasfadh sé/sí	go lasfadh
lasfaimis	nach lasfadh
lasfadh sibh	
lasfaidís	
lasfaí	

1pl lasfadh muid **C** 3pl lasfadh siad **U**

an aimsir ghnáthchaite | the imperfect tense

an aimsir ghnáthchaite	the imperfect tense
lasainn	ní lasadh
lastá	an lasadh?
lasadh sé/sí	go lasadh
lasaimis	nach lasadh
lasadh sibh	
lasaidís	
lastaí	

1pl lasadh muid **C** 3pl lasadh siad **U**
Ba ghnách liom lasadh *etc.* **U**

an modh ordaitheach the imperative mood | an foshuiteach láithreach the present subjunctive

an modh ordaitheach the imperative mood	an foshuiteach láithreach the present subjunctive
lasaim	go lasa mé
las	go lasa tú
lasadh sé/sí	go lasa sé/sí
lasaimis	go lasaimid
lasaigí	go lasa sibh
lasaidís	go lasa siad
lastar	go lastar
ná las	nár lasa

3pl lasadh siad **U**   1pl go lasa muid **CU**

66 léigh read   léamh   léite

an aimsir chaite

léigh mé
léigh tú
léigh sé/sí
léamar
léigh sibh
léigh siad
léadh

the past tense

níor léigh
ar léigh?
gur léigh
nár léigh
níor léadh
ar léadh?
gur/nár léadh

1sg (do) léas, *2sg* (do) léis, *2pl* (do) léabhair **M**
1pl léigh muid **CU** *3pl* (do) léadar **MC**

an aimsir láithreach

léim
léann tú
léann sé/sí
léimid
léann sibh
léann siad
léitear

the present tense

ní léann
an léann?
go léann
nach léann

1pl léann muid **CU** *3pl* léid (siad) **M** *rel.* a léas

an aimsir fháistineach

léifidh mé
léifidh tú
léifidh sé/sí
léifimid
léifidh sibh
léifidh siad
léifear

the future tense

ní léifidh
an léifidh?
go léifidh
nach léifidh

1sg léifead, *2sg* léifir **M** léifidh muid **CU** *rel.* a léifeas

66 léigh read   léamh   léite

an modh coinníollach	**the conditional mood**
léifinn	ní léifeadh
léifeá	an léifeadh?
léifeadh sé/sí	go léifeadh
léifimis	nach léifeadh
léifeadh sibh	
léifidís	
léifí	

1pl léifeadh muid **C** *3pl* léifeadh siad **U**

an aimsir ghnáthchaite	**the imperfect tense**
léinn	ní léadh
léiteá	an léadh?
léadh sé/sí	go léadh
léimis	nach léadh
léadh sibh	
léidís	
léití	

1pl léadh muid **C** *3pl* léadh siad **U**
Ba ghnách liom léamh *etc.* **U**

an modh ordaitheach **the imperative mood**	**an foshuiteach láithreach** **the present subjunctive**
léim	go lé mé
léigh	go lé tú
léadh sé/sí	go lé sé/sí
léimis	go léimid
léigí	go lé sibh
léidís	go lé siad
léitear	go léitear
ná léigh	nár lé

3pl léadh siad **U**

1pl go lé muid **CU**

67 lig let   ligean/ligint U   ligthe

an aimsir chaite	the past tense
lig mé	níor lig
lig tú	ar lig?
lig sé/sí	gur lig
ligeamar	nár lig
lig sibh	níor ligeadh
lig siad	ar ligeadh?
ligeadh	gur/nár ligeadh

1sg (do) ligeas, *2sg* (do) ligis, *2pl* (do) ligeabhair **M**
1pl lig muid **CU** *3pl* (do) ligeadar **MC**

an aimsir láithreach	the present tense
ligim	ní ligeann
ligeann tú	an ligeann?
ligeann sé/sí	go ligeann
ligimid	nach ligeann
ligeann sibh	
ligeann siad	
ligtear	

1pl ligeann muid **CU** *3pl* ligid (siad) **M** *rel.* a ligeas

an aimsir fháistineach	the future tense
ligfidh mé	ní ligfidh
ligfidh tú	an ligfidh?
ligfidh sé/sí	go ligfidh
ligfimid	nach ligfidh
ligfidh sibh	
ligfidh siad	
ligfear	

1sg ligfead, *2sg* ligfir **M** ligfidh muid **CU** *rel.* a ligfeas

67 lig let ligean/ligint U ligthe

an modh coinníollach	the conditional mood
ligfinn	ní ligfeadh
ligfeá	an ligfeadh?
ligfeadh sé/sí	go ligfeadh
ligfimis	nach ligfeadh
ligfeadh sibh	
ligfidís	
ligfí	

1pl ligfeadh muid **C** *3pl* ligfeadh siad **U**

an aimsir ghnáthchaite	the imperfect tense
liginn	ní ligeadh
ligteá	an ligeadh?
ligeadh sé/sí	go ligeadh
ligimis	nach ligeadh
ligeadh sibh	
ligidís	
ligtí	

1pl ligeadh muid **C**, *3pl* ligeadh siad **U**
Ba ghnách liom ligint *etc.* **U**

an modh ordaitheach the imperative mood	an foshuiteach láithreach the present subjunctive
ligim	go lige mé
lig	go lige tú
ligeadh sé/sí	go lige sé/sí
ligimis	go ligimid
ligigí	go lige sibh
ligidís	go lige siad
ligtear	go ligtear
ná lig	nár lige

3pl ligeadh siad **U**   *1pl* go lige muid **CU**

68 maraigh kill   marú   maraithe

an aimsir chaite	the past tense
mharaigh mé	níor mharaigh
mharaigh tú	ar mharaigh?
mharaigh sé/sí	gur mharaigh
mharaíomar	nár mharaigh
mharaigh sibh	níor maraíodh
mharaigh siad	ar maraíodh?
maraíodh	gur/nár maraíodh

1sg (do) mharaíos, *2sg* (do) mharaís, *2pl* (do) mharaíobhair **M**
1pl mharaigh muid **C** *3pl* mharaíodar **MC** mharbh mé, muid *etc.* **U**

an aimsir láithreach	the present tense
maraím	ní mharaíonn
maraíonn tú	an maraíonn?
maraíonn sé/sí	go maraíonn
maraímid	nach maraíonn
maraíonn sibh	
maraíonn siad	marbhann **U**
maraítear	

1pl maraíonn muid **C** *3pl* maraíd (siad) **M**
marbhaim, marbhann sé/muid **U** *rel.* a mharaíos/a mharbhas

an aimsir fháistineach	the future tense
maróidh mé	ní mharóidh
maróidh tú	an maróidh?
maróidh sé/sí	go maróidh
maróimid	nach maróidh
maróidh sibh	
maróidh siad	muirbhfidh/muirfidh **U**
marófar	

1sg maród, *2sg* maróir **M** *1pl* maróidh muid **C**
muirbhfidh mé/muid *etc.* **U** *rel.* a mharós/a mhuir(bh)feas

68 maraigh kill marú maraithe

an modh coinníollach — the conditional mood

mharóinn	ní mharódh
mharófá	an maródh?
mharódh sé/sí	go maródh
mharóimis	nach maródh
mharódh sibh	
mharóidís	mhuirbhfeadh/mhuirfeadh **U**
mharófaí	

1sg mhuirbhfinn, *3sg* mhuirbhfeadh sé/siad *etc.* **U**
1pl mharódh muid **C**

an aimsir ghnáthchaite — the imperfect tense

mharaínn	ní mharaíodh
mharaíteá	an maraíodh?
mharaíodh sé/sí	go maraíodh
mharaímis	nach maraíodh
mharaíodh sibh	
mharaídís	mharbhadh **U**
mharaítí	

1pl mharaíodh muid **C** *3pl* mharbhadh siad **U**
Ba ghnách liom marbhadh *etc.* **U**

an modh ordaitheach / the imperative mood — an foshuiteach láithreach / the present subjunctive

maraím	go maraí mé
maraigh	go maraí tú
maraíodh sé/sí	go maraí sé/sí
maraímis	go maraímid
maraígí	go maraí sibh
maraídís	go maraí siad
maraítear	go maraítear
ná maraigh	nár mharaí

marbh, marbhadh sé, siad *etc.* **U**   go maraí muid **C** go marbha **U**

69 meath wither **meath meata**

an aimsir chaite
mheath mé
mheath tú
mheath sé/sí
mheathamar
mheath sibh
mheath siad
meathadh

the past tense
níor mheath
ar mheath?
gur mheath
nár mheath
níor meathadh
ar meathadh?
gur/nár meathadh

1sg (do) mheathas, *2sg* (do) mheathais, *2pl* (do) mheathabhair **M**
1pl mheath muid **CU** *3pl* (do) mheathadar **MC**

an aimsir láithreach
meathaim
meathann tú
meathann sé/sí
meathaimid
meathann sibh
meathann siad
meatar

the present tense
ní mheathann
an meathann?
go meathann
nach meathann

1pl meathann muid **CU** *3pl* meathaid (siad) **M** *rel.* a mheathas

an aimsir fháistineach
meathfaidh mé
meathfaidh tú
meathfaidh sé/sí
meathfaimid
meathfaidh sibh
meathfaidh siad
meathfar

the future tense
ní mheathfaidh
an meathfaidh?
go meathfaidh
nach meathfaidh

1sg meathfad, *2sg* meathfair **M** meathfaidh muid **CU**
rel. a mheathfas

69 meath wither **meath meata**

an modh coinníollach — the conditional mood

an modh coinníollach	the conditional mood
mheathfainn	ní mheathfadh
mheathfá	an meathfadh?
mheathfadh sé/sí	go meathfadh
mheathfaimis	nach meathfadh
mheathfadh sibh	
mheathfaidís	
mheathfaí	

1pl mheathfadh muid **C** *3pl* mheathfadh siad **U**

an aimsir ghnáthchaite — the imperfect tense

an aimsir ghnáthchaite	the imperfect tense
mheathainn	ní mheathadh
mheatá	an meathadh?
mheathadh sé/sí	go meathadh
mheathaimis	nach meathadh
mheathadh sibh	
mheathaidís	
mheataí	

1pl mheathadh muid **C** *3pl* mheathadh siad **U**
Ba ghnách liom meath *etc.* **U**

an modh ordaitheach the imperative mood — an foshuiteach láithreach the present subjunctive

an modh ordaitheach the imperative mood	an foshuiteach láithreach the present subjunctive
meathaim	go meatha mé
meath	go meatha tú
meathadh sé/sí	go meatha sé/sí
meathaimis	go meathaimid
meathaigí	go meatha sibh
meathaidís	go meatha siad
meatar	go meatar
ná meath	nár mheatha

3pl meathadh siad **U**   *1pl* go meatha muid **CU**

70 mill destroy milleadh millte

an aimsir chaite — the past tense

an aimsir chaite	the past tense
mhill mé	níor mhill
mhill tú	ar mhill?
mhill sé/sí	gur mhill
mhilleamar	nár mhill
mhill sibh	níor milleadh
mhill siad	ar milleadh?
milleadh	gur/nár milleadh

1sg (do) mhilleas, *2sg* (do) mhillis, *2pl* (do) mhilleabhair **M**
1pl mhill muid **CU** *3pl* (do) mhilleadar **MC**

an aimsir láithreach — the present tense

an aimsir láithreach	the present tense
millim	ní mhilleann
milleann tú	an milleann?
milleann sé/sí	go milleann
millimid	nach milleann
milleann sibh	
milleann siad	
milltear	

1pl milleann muid **CU** *3pl* millid (siad) **M** *rel.* a mhilleas

an aimsir fháistineach — the future tense

an aimsir fháistineach	the future tense
millfidh mé	ní mhillfidh
millfidh tú	an millfidh?
millfidh sé/sí	go millfidh
millfimid	nach millfidh
millfidh sibh	
millfidh siad	
millfear	

1sg millfead, *2sg* millfir **M** millfidh muid **CU** *rel.* a mhillfeas

70 mill destroy milleadh millte

an modh coinníollach
mhillfinn
mhillfeá
mhillfeadh sé/sí
mhillfimis
mhillfeadh sibh
mhillfidís
mhillfí

the conditional mood
ní mhillfeadh
an millfeadh?
go millfeadh
nach millfeadh

1pl mhillfeadh muid **C** *3pl* mhillfeadh siad **U**

an aimsir ghnáthchaite
mhillinn
mhillteá
mhilleadh sé/sí
mhillimis
mhilleadh sibh
mhillidís
mhilltí

the imperfect tense
ní mhilleadh
an milleadh?
go milleadh
nach milleadh

1pl mhilleadh muid **C**, *3pl* mhilleadh siad **U**
Ba ghnách liom milleadh **U**

an modh ordaitheach
the imperative mood
millim
mill
milleadh sé/sí
millimis
milligí
millidís
milltear
 ná mill

an foshuiteach láithreach
the present subjunctive
go mille mé
go mille tú
go mille sé/sí
go millimid
go mille sibh
go mille siad
go milltear
 nár mhille

3pl milleadh siad **U**

1pl go mille muid **CU**

71 **mínigh** explain **míniú mínithe**

an aimsir chaite	**the past tense**
mhínigh mé	níor mhínigh
mhínigh tú	ar mhínigh?
mhínigh sé/sí	gur mhínigh
mhíníomar	nár mhínigh
mhínigh sibh	níor míníodh
mhínigh siad	ar míníodh?
míníodh	gur/nár míníodh

1sg (do) mhíníos, *2sg* (do) mhínís, *2pl* (do) mhíníobhair **M**
1pl mhínigh muid **UC** *3pl* mhíníodar **MC**

an aimsir láithreach	**the present tense**
míním	ní mhíníonn
míníonn tú	an míníonn?
míníonn sé/sí	go míníonn
mínímid	nach míníonn
míníonn sibh	
míníonn siad	
mínítear	

1pl míníonn muid **C** *3pl* míníd (siad) **M**
mínim, míneann sé/muid **U** *rel.* a mhíníos

an aimsir fháistineach	**the future tense**
míneoidh mé	ní mhíneoidh
míneoidh tú	an míneoidh?
míneoidh sé/sí	go míneoidh
míneoimid	nach míneoidh
míneoidh sibh	
míneoidh siad	míneochaidh **U**
míneofar	

1sg míneod, *2sg* míneoir **M** *1pl* míneoidh muid **C**
míneochaidh mé/muid *etc.* **U** *rel.* a mhíneos/a mhíneochas

71 mínigh explain   míniú   mínithe

an modh coinníollach
mhíneoinn
mhíneofá
mhíneodh sé/sí
mhíneoimis
mhíneodh sibh
mhíneoidís
mhíneofaí

the conditional mood
ní mhíneodh
an míneodh?
go míneodh
nach míneodh

mhíneochadh **U**

1sg mhíneochainn, 3sg mhíneochadh sé, siad *etc.* **U**
1pl mhíneodh muid **C**

an aimsir ghnáthchaite
mhí\nínn
mhíníteá
mhíníodh sé/sí
mhínímis
mhíníodh sibh
mhínídís
mhínítí

the imperfect tense
ní mhíníodh
an míníodh?
go míníodh
nach míníodh

1pl mhíníodh muid **C** 3pl mhíníodh siad **U**
Ba ghnách liom míniú *etc.* **U**

an modh ordaitheach
the imperative mood
mhíním
mínigh
míníodh sé/sí
mínímis
mínígí
mínídís
mínítear
ná mínigh

3pl míníodh siad **U**

an foshuiteach láithreach
the present subjunctive
go míní mé
go míní tú
go míní sé/sí
go mínímid
go míní sibh
go míní siad
go mínítear
nár mhíní

1pl go míní muid **CU**

72 **mionnaigh** swear **mionnú** **mionnaithe**

an aimsir chaite

mhionnaigh mé
mhionnaigh tú
mhionnaigh sé/sí
mhionnaíomar
mhionnaigh sibh
mhionnaigh siad
mionnaíodh

the past tense

níor mhionnaigh
ar mhionnaigh?
gur mhionnaigh
nár mhionnaigh
níor mionnaíodh
ar mionnaíodh?
gur/nár mionnaíodh

1sg (do) mhionnaíos, *2sg* (do) mhionnaís, *2pl* (do) mhionnaíobhair **M**
1pl mhionnaigh muid **UC** *3pl* mhionnaíodar **MC**

an aimsir láithreach

mionnaím
mionnaíonn tú
mionnaíonn sé/sí
mionnaímid
mionnaíonn sibh
mionnaíonn siad
mionnaítear

the present tense

ní mhionnaíonn
an mionnaíonn?
go mionnaíonn
nach mionnaíonn

1pl mionnaíonn muid **C** *3pl* mionnaíd (siad) **M**
mionnaim, mionnann sé/muid **U** *rel.* a mhionnaíos

an aimsir fháistineach

mionnóidh mé
mionnóidh tú
mionnóidh sé/sí
mionnóimid
mionnóidh sibh
mionnóidh siad
mionnófar

the future tense

ní mhionnóidh
an mionnóidh?
go mionnóidh
nach mionnóidh

mionnóchaidh **U**

1sg mionnód, *2sg* mionnóir **M** *1pl* mionnóidh muid **C**
mionnóchaidh mé/muid *etc.* **U** *rel.* a mhionnós/a mhionnóchas

72 mionnaigh swear mionnú mionnaithe

an modh coinníollach
the conditional mood

mhionnóinn	ní mhionnódh
mhionnófá	an mionnódh?
mhionnódh sé/sí	go mionnódh
mhionnóimis	nach mionnódh
mhionnódh sibh	
mhionnóidís	mhionnóchadh **U**
mhionnófaí	

1sg mhionnóchainn, *3sg* mhionnóchadh sé/siad *etc.* **U**
1pl mhionnódh muid **C**

an aimsir ghnáthchaite
the imperfect tense

mhionnaínn	ní mhionnaíodh
mhionnaíteá	an mionnaíodh?
mhionnaíodh sé/sí	go mionnaíodh
mhionnaímis	nach mionnaíodh
mhionnaíodh sibh	
mhionnaídís	
mhionnaítí	

1pl mhionnaíodh muid **C** *3pl* mhionnaíodh siad **U**
Ba ghnách liom mionnú *etc.* **U**

an modh ordaitheach
the imperative mood
an foshuiteach láithreach
the present subjunctive

mionnaím	go mionnaí mé
mionnaigh	go mionnaí tú
mionnaíodh sé/sí	go mionnaí sé/sí
mionnaímis	go mionnaímid
mionnaígí	go mionnaí sibh
mionnaídís	go mionnaí siad
mionnaítear	go mionnaítear
ná mionnaigh	nár mhionnaí

3pl mionnaíodh siad **U** *1pl* go mionnaí muid **CU**

73 mol praise   moladh   molta

an aimsir chaite
mhol mé
mhol tú
mhol sé/sí
mholamar
mhol sibh
mhol siad
moladh

the past tense
níor mhol
ar mhol?
gur mhol
nár mhol
níor moladh
ar moladh?
gur/nár moladh

1sg (do) mholas, 2sg (do) mholais, 2pl (do) mholabhair **M**
1pl mhol muid **CU** 3pl (do) mholadar **MC**

an aimsir láithreach
molaim
molann tú
molann sé/sí
molaimid
molann sibh
molann siad
moltar

the present tense
ní mholann
an molann?
go molann
nach molann

1pl molann muid **CU** 3pl molaid (siad) **M** rel. a mholas

an aimsir fháistineach
molfaidh mé
molfaidh tú
molfaidh sé/sí
molfaimid
molfaidh sibh
molfaidh siad
molfar

the future tense
ní mholfaidh
an molfaidh?
go molfaidh
nach molfaidh

1sg molfad, 2sg molfair **M** molfaidh muid **CU** rel. a mholfas

73 **mol** praise **moladh molta**

an modh coinníollach
mholfainn
mholfá
mholfadh sé/sí
mholfaimis
mholfadh sibh
mholfaidís
mholfaí

the conditional mood
ní mholfadh
an molfadh?
go molfadh
nach molfadh

1pl mholfadh muid **C** *3pl* mholfadh siad **U**

an aimsir ghnáthchaite
mholainn
mholtá
mholadh sé/sí
mholaimis
mholadh sibh
mholaidís
mholtaí

the imperfect tense
ní mholadh
an moladh?
go moladh
nach moladh

1pl mholadh muid **C** *3pl* mholadh siad **U**
Ba ghnách liom moladh *etc.* **U**

an modh ordaitheach
the imperative mood
molaim
mol
moladh sé/sí
molaimis
molaigí
molaidís
moltar
 ná mol

an foshuiteach láithreach
the present subjunctive
go mola mé
go mola tú
go mola sé
go molaimid
go mola sibh
go mola siad
go moltar
 nár mhola

3pl moladh siad **U**

1pl go mola muid **CU**

74 múscail awaken múscailt múscailte

an aimsir chaite	the past tense
mhúscail mé	níor mhúscail
mhúscail tú	ar mhúscail?
mhúscail sé/sí	gur mhúscail
mhúsclaíomar	nár mhúscail
mhúscail sibh	níor músclaíodh
mhúscail siad	ar músclaíodh?
músclaíodh	gur/nár músclaíodh

1sg (do) mhúsclaíos, 2sg (do) mhúsclaís, 2pl (do) mhúsclaíobhair **M** 1pl mhúscail muid **UC** 3pl mhúsclaíodar **MC**; **NB** múscail = muscail **U**

an aimsir láithreach	the present tense
músclaím	ní mhúsclaíonn
músclaíonn tú	an músclaíonn?
músclaíonn sé/sí	go músclaíonn
músclaímid	nach músclaíonn
músclaíonn sibh	
músclaíonn siad	
músclaítear	

1pl músclaíonn muid **C** 3pl músclaíd (siad) **M** músclaim, músclann sé, muid etc. **U** rel. a mhúsclaíos/a mhúsclas

an aimsir fháistineach	the future tense
músclóidh mé	ní mhúsclóidh
músclóidh tú	an músclóidh?
músclóidh sé/sí	go músclóidh
músclóimid	nach músclóidh
músclóidh sibh	
músclóidh siad	musclóchaidh **U**
músclófar	

1sg músclód, 2sg músclóir **M** musclóchaidh mé/muid etc. **U** 1pl músclóidh muid **C** rel. a mhúsclós/a mhusclóchas

74 **múscail** awaken **múscailt múscailte**

an modh coinníollach

mhúsclóinn
mhúsclófá
mhúsclódh sé/sí
mhúsclóimis
mhúsclódh sibh
mhúsclóidís
mhúsclófaí

the conditional mood

ní mhúsclódh
an músclódh?
go músclódh
nach músclódh

mhusclóchadh **U**

1sg mhusclóchainn, 3sg mhusclóchadh sé, siad etc. **U**
1pl mhúsclódh muid **C**

an aimsir ghnáthchaite

mhúsclaínn
mhúsclaíteá
mhúsclaíodh sé/sí
mhúsclaímis
mhúsclaíodh sibh
mhúsclaídís
mhúsclaítí

the imperfect tense

ní mhúsclaíodh
an músclaíodh?
go músclaíodh
nach músclaíodh

1pl mhúsclaíodh muid **C** 3pl mhúsclaíodh siad **U**
Ba ghnách liom muscailt etc. **U**

an modh ordaitheach
the imperative mood

músclaím
múscail
músclaíodh sé/sí
músclaímis
músclaígí
músclaídís
músclaítear
ná múscail

3pl musclaíodh siad **U**

an foshuiteach láithreach
the present subjunctive

go músclaí mé
go músclaí tú
go músclaí sé/sí
go músclaímid
go músclaí sibh
go músclaí siad
go músclaítear
nár mhúsclaí

1pl go musclaí muid **CU**

75 neartaigh strengthen neartú neartaithe

an aimsir chaite	the past tense
neartaigh mé	níor neartaigh
neartaigh tú	ar neartaigh?
neartaigh sé/sí	gur neartaigh
neartaíomar	nár neartaigh
neartaigh sibh	níor neartaíodh
neartaigh siad	ar neartaíodh?
neartaíodh	gur/nár neartaíodh

1sg (do) neartaíos, *2sg* (do) neartaís, *2pl* (do) neartaíobhair **M**
1pl neartaigh muid **UC** *3pl* neartaíodar **MC**

an aimsir láithreach	the present tense
neartaím	ní neartaíonn
neartaíonn tú	an neartaíonn?
neartaíonn sé/sí	go neartaíonn
neartaímid	nach neartaíonn
neartaíonn sibh	
neartaíonn siad	
neartaítear	

1pl neartaíonn muid **C** *3pl* neartaíd (siad) **M**
neartaim, neartann sé/muid **U** *rel*. a neartaíos

an aimsir fháistineach	the future tense
neartóidh mé	ní neartóidh
neartóidh tú	an neartóidh?
neartóidh sé/sí	go neartóidh
neartóimid	nach neartóidh
neartóidh sibh	
neartóidh siad	neartóchaidh **U**
neartófar	

1sg neartód, *2sg* neartóir **M** *1pl* neartóidh muid **C**
neartóchaidh mé/muid *etc*. **U** *rel*. a neartós/a neartóchas

75 neartaigh strengthen neartú neartaithe

an modh coinníollach

neartóinn
neartófá
neartódh sé/sí
neartóimis
neartódh sibh
neartóidís
neartófaí

the conditional mood

ní neartódh
an neartódh?
go neartódh
nach neartódh

neartóchadh **U**

1sg neartóchainn, *3sg* neartóchadh sé/siad *etc.* **U**
1pl neartódh muid **C**

an aimsir ghnáthchaite

neartaínn
neartaíteá
neartaíodh sé/sí
neartaímis
neartaíodh sibh
neartaídís
neartaítí

the imperfect tense

ní neartaíodh
an neartaíodh?
go neartaíodh
nach neartaíodh

1pl neartaíodh muid **C** *3pl* neartaíodh siad **U**
Ba ghnách liom neartú *etc.* **U**

an modh ordaitheach
the imperative mood

neartaím
neartaigh
neartaíodh sé/sí
neartaímis
neartaígí
neartaídís
neartaítear
 ná neartaigh

3pl neartaíodh siad **U**

an foshuiteach láithreach
the present subjunctive

go neartaí mé
go neartaí tú
go neartaí sé/sí
go neartaímid
go neartaí sibh
go neartaí siad
go neartaítear
 nár neartaí

1pl go neartaí muid **CU**

76 nigh wash ní nite

an aimsir chaite	the past tense
nigh mé	níor nigh
nigh tú	ar nigh?
nigh sé/sí	gur nigh
níomar	nár nigh
nigh sibh	níor níodh
nigh siad	ar níodh?
níodh	gur/nár níodh

1sg (do) níos, *2sg* (do) nís, *2pl* (do) níobhair **M**
1pl nigh muid **CU** *3pl* (do) níodar **MC**

an aimsir láithreach	the present tense
ním	ní níonn
níonn tú	an níonn?
níonn sé/sí	go níonn
nímid	nach níonn
níonn sibh	
níonn siad	
nitear	

1pl níonn muid **CU** *3pl* níd (siad) **M** *rel.* a níos

an aimsir fháistineach	the future tense
nífidh mé	ní nífidh
nífidh tú	an nífidh?
nífidh sé	go nífidh
nífimid	nach nífidh
nífidh sibh	
nífidh siad	
nífear	

1sg nífead, *2sg* nífir **M** nífidh muid **CU** *rel.* a nífeas

76 nigh wash ní nite

an modh coinníollach	the conditional mood
nífinn	ní nífeadh
nífeá	an nífeadh?
nífeadh sé	go nífeadh
nífimis	nach nífeadh
nífeadh sibh	
nífidís	
nífí	

1pl nífeadh muid **C** *3pl* nífeadh siad **U**

an aimsir ghnáthchaite	the imperfect tense
nínn	ní níodh
niteá	an níodh?
níodh sé	go níodh
nímis	nach níodh
níodh sibh	
nídís	
nití	

1pl níodh muid **C** *3pl* níodh siad, Ba ghnách liom ní *etc.* **U**

an modh ordaitheach the imperative mood	an foshuiteach láithreach the present subjunctive
ním	go ní mé
nigh	go ní tú
níodh sé	go ní sé
nímis	go nímid
nígí	go ní sibh
nídís	go ní siad
nitear	go nitear
ná nigh	nár ní

3pl níodh siad **U** | *1pl* go ní muid **CU**

77 oil educate   oiliúint   oilte

an aimsir chaite	the past tense
d'oil mé	níor oil
d'oil tú	ar oil?
d'oil sé/sí	gur oil
d'oileamar	nár oil
d'oil sibh	níor oileadh/níor hoileadh
d'oil siad	ar oileadh?
oileadh/hoileadh	gur/nár oileadh

1sg d(h)'oileas, *2sg* d(h)'oilis, *2pl* d(h)'oileabhair **M**
1pl d'oil muid **CU** *3pl* d(h)'oileadar **MC** *aut.* hoileadh **MCU**

an aimsir láithreach	the present tense
oilim	ní oileann
oileann tú	an oileann?
oileann sé/sí	go n-oileann
oilimid	nach n-oileann
oileann sibh	
oileann siad	
oiltear	

1pl oileann muid **CU** *3pl* oilid (siad) **M** *rel.* a oileas

an aimsir fháistineach	the future tense
oilfidh mé	ní oilfidh
oilfidh tú	an oilfidh?
oilfidh sé/sí	go n-oilfidh
oilfimid	nach n-oilfidh
oilfidh sibh	
oilfidh siad	
oilfear	

1sg oilfead, *2sg* oilfir **M** oilfidh muid **CU** *rel.* a oilfeas

77 oil educate oiliúint oilte

an modh coinníollach
d'oilfinn
d'oilfeá
d'oilfeadh sé/sí
d'oilfimis
d'oilfeadh sibh
d'oilfidís
d'oilfí

the conditional mood
ní oilfeadh
an oilfeadh?
go n-oilfeadh
nach n-oilfeadh

1pl d'oilfeadh muid **C** *3pl* d'oilfeadh siad **U**

an aimsir ghnáthchaite
d'oilinn
d'oilteá
d'oileadh sé/sí
d'oilimis
d'oileadh sibh
d'oilidís
d'oiltí

the imperfect tense
ní oileadh
an oileadh?
go n-oileadh
nach n-oileadh

1pl d'oileadh muid **C** *3pl* d'oileadh siad **U**
Ba ghnách liom oiliúint *etc.* **U**

an modh ordaitheach
the imperative mood
oilim
oil
oileadh sé/sí
oilimis
oiligí
oilidís
oiltear
 ná hoil

3pl oileadh siad **U**

an foshuiteach láithreach
the present subjunctive
go n-oile mé
go n-oile tú
go n-oile sé/sí
go n-oilimid
go n-oile sibh
go n-oile siad
go n-oiltear
 nár oile

1pl go n-oile muid **CU**

78 ól drink   ól   ólta

an aimsir chaite	the past tense
d'ól mé	níor ól
d'ól tú	ar ól?
d'ól sé/sí	gur ól
d'ólamar	nár ól
d'ól sibh	níor óladh/níor hóladh
d'ól siad	ar óladh?
óladh/hóladh	gur/nár óladh

1sg d(h)'ólas, *2sg* d(h)'ólais, *2pl* d(h)'ólabhair **M**
1pl d'ól muid **CU** *3pl* d'óladar **MC** *aut.* hóladh **MCU**

an aimsir láithreach	the present tense
ólaim	ní ólann
ólann tú	an ólann?
ólann sé/sí	go n-ólann
ólaimid	nach n-ólann
ólann sibh	
ólann siad	
óltar	

1pl ólann muid **CU** *3pl* ólaid (siad) **M** *rel.* a ólas

an aimsir fháistineach	the future tense
ólfaidh mé	ní ólfaidh
ólfaidh tú	an ólfaidh?
ólfaidh sé/sí	go n-ólfaidh
ólfaimid	nach n-ólfaidh
ólfaidh sibh	
ólfaidh siad	
ólfar	

1sg ólfad, *2sg* ólfair **M** ólfaidh muid **CU** *rel.* a ólfas

78 ól drink ól ólta

an modh coinníollach
d'ólfainn
d'ólfá
d'ólfadh sé/sí
d'ólfaimis
d'ólfadh sibh
d'ólfaidís
d'ólfaí

the conditional mood
ní ólfadh
an ólfadh?
go n-ólfadh
nach n-ólfadh

1pl d'ólfadh muid **C** *3pl* d'ólfadh siad **U**

an aimsir ghnáthchaite
d'ólainn
d'óltá
d'óladh sé/sí
d'ólaimis
d'óladh sibh
d'ólaidís
d'óltaí

the imperfect tense
ní óladh
an óladh?
go n-óladh
nach n-óladh

1pl d'óladh muid **C** *3pl* d'óladh siad, Ba ghnách liom ól **U**

an modh ordaitheach
the imperative mood
ólaim
ól
óladh sé/sí
ólaimis
ólaigí
ólaidís
óltar
  ná hól

an foshuiteach láithreach
the present subjunctive
go n-óla mé
go n-óla tú
go n-óla sé
go n-ólaimid
go n-óla sibh
go n-óla siad
go n-óltar
  nár óla

3pl óladh siad **U**

1pl go n-óla muid **CU**

79 ordaigh order   ordú   ordaithe

an aimsir chaite

d'ordaigh mé
d'ordaigh tú
d'ordaigh sé/sí
d'ordaíomar
d'ordaigh sibh
d'ordaigh siad
ordaíodh/hordaíodh

the past tense

níor ordaigh
ar ordaigh?
gur ordaigh
nár ordaigh
níor ordaíodh/níor ho.
ar ordaíodh?
gur/nár ordaíodh

1sg d(h)'ordaíos, *2sg* d(h)'ordaís, *2pl* d(h)'ordaíobhair **M**
1pl d'ordaigh muid **UC** *3pl* d'ordaíodar **MC** *aut.* hordaíodh **MCU**

an aimsir láithreach

ordaím
ordaíonn tú
ordaíonn sé/sí
ordaímid
ordaíonn sibh
ordaíonn siad
ordaítear

the present tense

ní ordaíonn
an ordaíonn?
go n-ordaíonn
nach n-ordaíonn

1pl ordaíonn muid **C** *3pl* ordaíd (siad) **M**
ordaim, ordann sé/muid *etc.* **U** *rel.* a ordaíos

an aimsir fháistineach

ordóidh mé
ordóidh tú
ordóidh sé/sí
ordóimid
ordóidh sibh
ordóidh siad
ordófar

the future tense

ní ordóidh
an ordóidh?
go n-ordóidh
nach n-ordóidh

ordóchaidh **U**

1sg ordód, *2sg* ordóir **M** *1pl* ordóidh muid **C**
ordóchaidh mé/muid *etc.* **U** *rel.* a ordós/a ordóchas

79 ordaigh order ordú ordaithe

an modh coinníollach — the conditional mood

d'ordóinn	ní ordódh
d'ordófá	an ordódh?
d'ordódh sé/sí	go n-ordódh
d'ordóimis	nach n-ordódh
d'ordódh sibh	
d'ordóidís	d'ordóchadh **U**
d'ordófaí	

1sg d'ordóchainn, 3sg d'ordóchadh sé/siad *etc.* **U**
1pl d'ordódh muid **C**

an aimsir ghnáthchaite — the imperfect tense

d'ordaínn	ní ordaíodh
d'ordaíteá	an ordaíodh?
d'ordaíodh sé/sí	go n-ordaíodh
d'ordaímis	nach n-ordaíodh
d'ordaíodh sibh	
d'ordaídís	
d'ordaítí	

1pl d'ordaíodh muid **C** 3pl d'ordaíodh siad **U**
Ba ghnách liom ordú *etc.* **U**

an modh ordaitheach the imperative mood — an foshuiteach láithreach the present subjunctive

ordaím	go n-ordaí mé
ordaigh	go n-ordaí tú
ordaíodh sé/sí	go n-ordaí sé/sí
ordaímis	go n-ordaímid
ordaígí	go n-ordaí sibh
ordaídís	go n-ordaí siad
ordaítear	go n-ordaítear
ná hordaigh	nár ordaí

3pl ordaíodh siad **U**   1pl go n-ordaí muid **CU**

80 oscail, foscail U open   oscailt   oscailte

an aimsir chaite
d'oscail mé
d'oscail tú
d'oscail sé/sí
d'osclaíomar
d'oscail sibh
d'oscail siad
osclaíodh/hosclaíodh

the past tense
níor oscail
ar oscail?
gur oscail
nár oscail
níor osclaíodh/níor ho.
ar osclaíodh?
gur/nár osclaíodh

1sg d(h)'osclaíos, 2sg d(h)'osclaís, 2pl d(h)'osclaíobhair M
1pl d'oscail muid C 3pl d'osclaíodar MC aut. hosclaíodh MC
d'fhoscail mé/muid etc., aut. foscladh U

an aimsir láithreach
osclaím
osclaíonn tú
osclaíonn sé/sí
osclaímid
osclaíonn sibh
osclaíonn siad
osclaítear

the present tense
ní osclaíonn
an osclaíonn?
go n-osclaíonn
nach n-osclaíonn

fosclann U

1pl osclaíonn muid C 3pl osclaíd (siad) M
fosclaim, fosclann sé, muid etc. U rel. a osclaíos/a fhosclas

an aimsir fháistineach
osclóidh mé
osclóidh tú
osclóidh sé/sí
osclóimid
osclóidh sibh
osclóidh siad
osclófar

the future tense
ní osclóidh
an osclóidh?
go n-osclóidh
nach n-osclóidh

fosclóchaidh U

1sg osclód, 2sg osclóir M 1pl osclóidh muid C
fosclóchaidh mé/muid etc. U rel. a osclós/a fhosclóchas

80 oscail, foscail *U* open   oscailt   oscailte

an modh coinníollach
d'osclóinn
d'osclófá
d'osclódh sé/sí
d'osclóimis
d'osclódh sibh
d'osclóidís
d'osclófaí

the conditional mood
ní osclódh
an osclódh?
go n-osclódh
nach n-osclódh

d'fhosclóchadh **U**

1sg d'fhosclóchainn, *3sg* d'fhosclóchadh sé, siad *etc.* **U**
1pl d'osclódh muid **C**

an aimsir ghnáthchaite
d'osclaínn
d'osclaíteá
d'osclaíodh sé/sí
d'osclaímis
d'osclaíodh sibh
d'osclaídís
d'osclaítí

the imperfect tense
ní osclaíodh
an osclaíodh?
go n-osclaíodh
nach n-osclaíodh

d'fhoscladh **U**

1pl d'osclaíodh muid **C** *3pl* d'fhoscla(ío)dh siad **U**
Ba ghnách liom foscailt/foscladh *etc.* **U**

an modh ordaitheach
the imperative mood
osclaím
oscail   foscail **U**
osclaíodh sé/sí
osclaímis
osclaígí
osclaídís
osclaítear
  ná hoscail, ná foscail **U**

3pl foscla(ío)dh siad **U**

an foshuiteach láithreach
the present subjunctive
go n-osclaí mé
go n-osclaí tú
go n-osclaí sé/sí
go n-osclaímid
go n-osclaí sibh
go n-osclaí siad
go n-osclaítear
  nár osclaí

1pl go n-osclaí muid **C**
go bhfosclaí **U**

81 pacáil pack   pacáil   pacáilte

an aimsir chaite	the past tense
phacáil mé	níor phacáil
phacáil tú	ar phacáil?
phacáil sé/sí	gur phacáil
phacálamar	nár phacáil
phacáil sibh	níor pacáladh
phacáil siad	ar pacáladh?
pacáladh	gur/nár pacáladh

1sg (do) phacálas, *2sg* (do) phacálais, *2pl* (do) phacálabhair **M**
1pl phacáil muid **CU** *3pl* (do) phacáladar **MC**

an aimsir láithreach	the present tense
pacálaim	ní phacálann
pacálann tú	an bpacálann?
pacálann sé/sí	go bpacálann
pacálaimid	nach bpacálann
pacálann sibh	
pacálann siad	
pacáiltear	

1pl pacálann muid **CU** *3pl* pacálaid (siad) **M** *rel.* a phacálas

an aimsir fháistineach	the future tense
pacálfaidh mé	ní phacálfaidh
pacálfaidh tú	an bpacálfaidh?
pacálfaidh sé/sí	go bpacálfaidh
pacálfaimid	nach bpacálfaidh
pacálfaidh sibh	
pacálfaidh siad	
pacálfar	

1sg pacálfad, *2sg* pacálfair **M** pacálfaidh muid **CU**
rel. a phacálfas

81 pacáil pack   pacáil   pacáilte

an modh coinníollach	the conditional mood
phacálfainn	ní phacálfadh
phacálfá	an bpacálfadh?
phacálfadh sé/sí	go bpacálfadh
phacálfaimis	nach bpacálfadh
phacálfadh sibh	
phacálfaidís	
phacálfaí	

1pl phacálfadh muid **C** *3pl* phacálfadh siad **U**

an aimsir ghnáthchaite	the imperfect tense
phacálainn	ní phacáladh
phacáilteá	an bpacáladh?
phacáladh sé/sí	go bpacáladh
phacálaimis	nach bpacáladh
phacáladh sibh	
phacálaidís	
phacáiltí	

1pl phacáladh muid **C** *3pl* phacáladh siad **U**
Ba ghnách liom pacáil *etc.* **U**

an modh ordaitheach the imperative mood	an foshuiteach láithreach the present subjunctive
pacálaim	go bpacála mé
pacáil	go bpacála tú
pacáladh sé/sí	go bpacála sé/sí
pacálaimis	go bpacálaimid
pacálaigí	go bpacála sibh
pacálaidís	go bpacála siad
pacáiltear	go bpacáiltear
ná pacáil	nár phacála

3pl pacáladh siad **U**   *1pl* go bpacála muid **CU**

82 pós marry pósadh pósta

an aimsir chaite	the past tense
phós mé	níor phós
phós tú	ar phós?
phós sé/sí	gur phós
phósamar	nár phós
phós sibh	níor pósadh
phós siad	ar pósadh?
pósadh	gur/nár pósadh

1sg (do) phósas, *2sg* (do) phósais, *2pl* (do) phósabhair **M**
1pl phós muid **CU** *3pl* (do) phósadar **MC**

an aimsir láithreach	the present tense
pósaim	ní phósann
pósann tú	an bpósann?
pósann sé/sí	go bpósann
pósaimid	nach bpósann
pósann sibh	
pósann siad	
póstar	

1pl pósann muid **CU** *3pl* pósaid (siad) **M** *rel.* a phósas

an aimsir fháistineach	the future tense
pósfaidh mé	ní phósfaidh
pósfaidh tú	an bpósfaidh?
pósfaidh sé/sí	go bpósfaidh
pósfaimid	nach bpósfaidh
pósfaidh sibh	
pósfaidh siad	
pósfar	

1sg pósfad, *2sg* pósfair **M** pósfaidh muid **CU** *rel.* a phósfas

82 pós marry   pósadh   pósta

an modh coinníollach
phósfainn
phósfá
phósfadh sé/sí
phósfaimis
phósfadh sibh
phósfaidís
phósfaí

the conditional mood
ní phósfadh
an bpósfadh?
go bpósfadh
nach bpósfadh

1pl phósfadh muid **C** *3pl* phósfadh siad **U**

an aimsir ghnáthchaite
phósainn
phóstá
phósadh sé/sí
phósaimis
phósadh sibh
phósaidís
phóstaí

the imperfect tense
ní phósadh
an bpósadh?
go bpósadh
nach bpósadh

1pl phósadh muid **C** *3pl* phósadh siad **U**
Ba ghnách liom pósadh *etc.* **U**

an modh ordaitheach
the imperative mood
pósaim
pós
pósadh sé/sí
pósaimis
pósaigí
pósaidís
póstar
 ná pós

3pl pósadh siad **U**

an foshuiteach láithreach
the present subjunctive
go bpósa mé
go bpósa tú
go bpósa sé/sí
go bpósaimid
go bpósa sibh
go bpósa siad
go bpóstar
 nár phósa

1pl go bpósa muid **CU**

83 rith run   rith   rite

an aimsir chaite	the past tense
rith mé	níor rith
rith tú	ar rith?
rith sé/sí	gur rith
ritheamar	nár rith
rith sibh	níor ritheadh
rith siad	ar ritheadh?
ritheadh	gur/nár ritheadh

1sg (do) ritheas, *2sg* (do) rithis, *2pl* (do) ritheabhair **M**
1pl rith muid **CU** *3pl* (do) ritheadar **MC**

an aimsir láithreach	the present tense
rithim	ní ritheann
ritheann tú	an ritheann?
ritheann sé/sí	go ritheann
rithimid	nach ritheann
ritheann sibh	
ritheann siad	
ritear	

1pl ritheann muid **CU** *3pl* rithid (siad) **M** *rel.* a ritheas

an aimsir fháistineach	the future tense
rithfidh mé	ní rithfidh
rithfidh tú	an rithfidh?
rithfidh sé/sí	go rithfidh
rithfimid	nach rithfidh
rithfidh sibh	
rithfidh siad	
rithfear	

1sg rithfead, *2sg* rithfir **M** rithfidh muid **CU** *rel.* a rithfeas

83 rith run rith rite

an modh coinníollach the conditional mood

rithfinn	ní rithfeadh
rithfeá	an rithfeadh?
rithfeadh sé/sí	go rithfeadh
rithfimis	nach rithfeadh
rithfeadh sibh	
rithfidís	
rithfí	

1pl rithfeadh muid C 3pl rithfeadh siad U

an aimsir ghnáthchaite · the imperfect tense

rithinn	ní ritheadh
riteá	an ritheadh?
ritheadh sé/sí	go ritheadh
rithimis	nach ritheadh
ritheadh sibh	
rithidís	
rití	

1pl ritheadh muid C 3pl ritheadh siad U
Ba ghnách liom rith/reáchtáil *etc.* U

an modh ordaitheach the imperative mood · an foshuiteach láithreach the present subjunctive

rithim	go rithe mé
rith	go rithe tú
ritheadh sé/sí	go rithe sé/sí
rithimis	go rithimid
rithigí	go rithe sibh
rithidís	go rithe siad
ritear	go ritear
ná rith	nár rithe

3pl ritheadh siad U · 1pl go rithe muid CU

84 roinn divide, rann *U*   roinnt   roinnte

an aimsir chaite	the past tense
roinn mé	níor roinn
roinn tú	ar roinn?
roinn sé/sí	gur roinn
roinneamar	nár roinn
roinn sibh	níor roinneadh
roinn siad	ar roinneadh?
roinneadh	gur/nár roinneadh

1sg (do) roinneas, *2sg* (do) roinnis, *2pl* (do) roinneabhair **M**
1pl roinn muid **C** rann muid (roinn = rann) **U** *3pl* (do) roinneadar **MC**

an aimsir láithreach	the present tense
roinnim	ní roinneann
roinneann tú	an roinneann?
roinneann sé/sí	go roinneann
roinnimid	nach roinneann
roinneann sibh	
roinneann siad	ranann **U**
roinntear	

1pl roinneann muid **C** rannaim, rannann tú, muid *etc.* **U**
3pl roinnid (siad) **M** *rel.* a roinneas/a rannas

an aimsir fháistineach	the future tense
roinnfidh mé	ní roinnfidh
roinnfidh tú	an roinnfidh?
roinnfidh sé/sí	go roinnfidh
roinnfimid	nach roinnfidh
roinnfidh sibh	
roinnfidh siad	
roinnfear	rannfaidh **U**

1sg roinnfead, *2sg* roinnfir **M** roinnfidh muid **C**
rannfaidh mé, muid *etc.* **U** *rel.* a roinnfeas/a rannfas

84 **roinn** divide, **rann** *U*   **roinnt**   **roinnte**

an modh coinníollach
roinnfinn
roinnfeá
roinnfeadh sé/sí
roinnfimis
roinnfeadh sibh
roinnfidís

roinnfí

the conditional mood
ní roinnfeadh
an roinnfeadh?
go roinnfeadh
nach roinnfeadh

rannfadh **U**

1pl roinnfeadh muid **C** *3pl* rannfadh siad **U**

an aimsir ghnáthchaite
roinninn
roinnteá
roinneadh sé/sí
roinnimis
roinneadh sibh
roinnidís
roinntí

the imperfect tense
ní roinneadh
an roinneadh?
go roinneadh
nach roinneadh

rannadh **U**

1pl roinneadh muid **C** *3pl* rannadh siad **U**
Ba ghnách liom rann *etc.* **U**

an modh ordaitheach
the imperative mood
roinnim
roinn   rann **U**
roinneadh sé/sí
roinnimis
roinnigí
roinnidís

roinntear
 ná roinn

3pl rannadh siad *etc.* **U** *1pl*

an foshuiteach láithreach
the present subjunctive
go roinne mé
go roinne tú
go roinne sé/sí
go roinnimid
go roinne sibh
go roinne siad
go roinntear
 nár roinne

go roinne muid **C**
go ranna mé/muid **U**

85 sábháil save   sábháil   sábháilte

an aimsir chaite   the past tense

shábháil mé	níor shábháil
shábháil tú	ar shábháil?
shábháil sé/sí	gur shábháil
shábhálamar	nár shábháil
shábháil sibh	níor sábháladh
shábháil siad	ar sábháladh?
sábháladh	gur/nár sábháladh

1sg (do) shábhálas, 2sg (do) shábhálais, 2pl (do) shábhálabhair **M**
1pl shábháil muid **CU** 3pl (do) shábháladar **MC**

an aimsir láithreach   the present tense

sábhálaim	ní shábhálann
sábhálann tú	an sábhálann?
sábhálann sé/sí	go sábhálann
sábhálaimid	nach sábhálann
sábhálann sibh	
sábhálann siad	
sábháiltear	

1pl sábhálann muid **CU** 3pl sábhálaid (siad) **M** rel. a shábhálas

an aimsir fháistineach   the future tense

sábhálfaidh mé	ní shábhálfaidh
sábhálfaidh tú	an sábhálfaidh?
sábhálfaidh sé/sí	go sábhálfaidh
sábhálfaimid	nach sábhálfaidh
sábhálfaidh sibh	
sábhálfaidh siad	
sábhálfar	

1sg sábhálfad, 2sg sábhálfair **M** sábhálfaidh muid **CU**
rel. a shábhálfas

85 sábháil save   sábháil   sábháilte

an modh coinníollach

shábhálfainn
shábhálfá
shábhálfadh sé/sí
shábhálfaimis
shábhálfadh sibh
shábhálfaidís
shábhálfaí

the conditional mood

ní shábhálfadh
an sábhálfadh?
go sábhálfadh
nach sábhálfadh

1pl shábhálfadh muid **C** *3pl* shábhálfadh siad **U**

an aimsir ghnáthchaite

shábhálainn
shábháilteá
shábháladh sé/sí
shábhálaimis
shábháladh sibh
shábhálaidís
shábháiltí

the imperfect tense

ní shábháladh
an sábháladh?
go sábháladh
nach sábháladh

1pl shábháladh muid **C** *3pl* shábháladh siad **U**
Ba ghnách liom sábháil *etc.* **U**

an modh ordaitheach
the imperative mood

sábhálaim
sábháil
sábháladh sé/sí
sábhálaimis
sábhálaigí
sábhálaidís
sábháiltear
 ná sábháil

an foshuiteach láithreach
the present subjunctive

go sábhála mé
go sábhála tú
go sábhála sé/sí
go sábhálaimid
go sábhála sibh
go sábhála siad
go sábháiltear
 nár shábhála

3pl sábháladh siad **U**

1pl go sábhála muid **CU**

86 **scanraigh** frighten **scanrú** **scanraithe**

an aimsir chaite	**the past tense**
scanraigh mé	níor scanraigh
scanraigh tú	ar scanraigh?
scanraigh sé/sí	gur scanraigh
scanraíomar	nár scanraigh
scanraigh sibh	níor scanraíodh
scanraigh siad	ar scanraíodh?
scanraíodh	gur/nár scanraíodh

1sg (do) scanraíos, *2sg* (do) scanraís, *2pl* (do) scanraíobhair **M**
1pl scanraigh muid **UC** *3pl* scanraíodar **MC**

an aimsir láithreach	**the present tense**
scanraím	ní scanraíonn
scanraíonn tú	an scanraíonn?
scanraíonn sé/sí	go scanraíonn
scanraímid	nach scanraíonn
scanraíonn sibh	
scanraíonn siad	
scanraítear	

1pl scanraíonn muid **C** *3pl* scanraíd (siad) **M**
scanraim, scanrann sé/muid **U** *rel.* a scanraíos

an aimsir fháistineach	**the future tense**
scanróidh mé	ní scanróidh
scanróidh tú	an scanróidh?
scanróidh sé/sí	go scanróidh
scanróimid	nach scanróidh
scanróidh sibh	
scanróidh siad	scanróchaidh **U**
scanrófar	

1sg scanród, *2sg* scanróir **M** *1pl* scanróidh muid **C**
scanróchaidh mé/muid *etc.* **U** *rel.* a scanrós/a scanróchas

86 scanraigh frighten scanrú scanraithe

an modh coinníollach	the conditional mood
scanróinn	ní scanródh
scanrófá	an scanródh?
scanródh sé/sí	go scanródh
scanróimis	nach scanródh
scanródh sibh	
scanróidís	scanróchadh **U**
scanrófaí	

1sg scanróchainn, 3sg scanróchadh sé/siad *etc.* **U**
1pl scanródh muid **C**

an aimsir ghnáthchaite	the imperfect tense
scanraínn	ní scanraíodh
scanraíteá	an scanraíodh?
scanraíodh sé/sí	go scanraíodh
scanraímis	nach scanraíodh
scanraíodh sibh	
scanraídís	
scanraítí	

1pl scanraíodh muid **C** 3pl scanraíodh siad **U**
Ba ghnách liom scanrú *etc.* **U**

an modh ordaitheach the imperative mood	an foshuiteach láithreach the present subjunctive
scanraím	go scanraí mé
scanraigh	go scanraí tú
scanraíodh sé/sí	go scanraí sé/sí
scanraímis	go scanraímid
scanraígi	go scanraí sibh
scanraídís	go scanraí siad
scanraítear	go scanraítear
ná scanraigh	nár scanraí

3pl scanraíodh siad **U**

1pl go scanraí muid **CU**

87 scaoil loosen scaoileadh scaoilte

an aimsir chaite
scaoil mé
scaoil tú
scaoil sé/sí
scaoileamar
scaoil sibh
scaoil siad
scaoileadh

the past tense
níor scaoil
ar scaoil?
gur scaoil
nár scaoil
níor scaoileadh
ar scaoileadh?
gur/nár scaoileadh

1sg (do) scaoileas, *2sg* (do) scaoilis, *2pl* (do) scaoileabhair **M**
1pl scaoil muid **CU** *3pl* (do) scaoileadar **MC**

an aimsir láithreach
scaoilim
scaoileann tú
scaoileann sé/sí
scaoilimid
scaoileann sibh
scaoileann siad
scaoiltear

the present tense
ní scaoileann
an scaoileann?
go scaoileann
nach scaoileann

1pl scaoileann muid **CU** *3pl* scaoilid (siad) **M** *rel.* a scaoileas

an aimsir fháistineach
scaoilfidh mé
scaoilfidh tú
scaoilfidh sé/sí
scaoilimid
scaoilfidh sibh
scaoilfidh siad
scaoilfear

the future tense
ní scaoilfidh
an scaoilfidh?
go scaoilfidh
nach scaoilfidh

1sg scaoilfead, *2sg* scaoilfir **M** scaoilfidh muid **CU**
rel. a scaoilfeas

87 scaoil loosen scaoileadh scaoilte

an modh coinníollach the conditional mood

scaoilfinn	ní scaoilfeadh
scaoilfeá	an scaoilfeadh?
scaoilfeadh sé/sí	go scaoilfeadh
scaoilfimis	nach scaoilfeadh
scaoilfeadh sibh	
scaoilfidís	
scaoilfí	

1pl scaoilfeadh muid **C** *3pl* scaoilfeadh siad **U**

an aimsir ghnáthchaite   the imperfect tense

scaoilinn	ní scaoileadh
scaoilteá	an scaoileadh?
scaoileadh sé/sí	go scaoileadh
scaoilimis	nach scaoileadh
scaoileadh sibh	
scaoilidís	
scaoiltí	

1pl scaoileadh muid **C** *3pl* scaoileadh siad **U**
Ba ghnách liom scaoileadh *etc.* **U**

an modh ordaitheach   an foshuiteach láithreach
the imperative mood   the present subjunctive

scaoilim	go scaoile mé
scaoil	go scaoile tú
scaoileadh sé/sí	go scaoile sé/sí
scaoilimis	go scaoilimid
scaoiligí	go scaoile sibh
scaoilidís	go scaoile siad
scaoiltear	go scaoiltear
ná scaoil	nár scaoile

3pl scaoileadh siad **U**   *1pl* go scaoile muid **CU**

88 scríobh write   scríobh   scríofa

an aimsir chaite
scríobh mé
scríobh tú
scríobh sé/sí
scríobhamar
scríobh sibh
scríobh siad
scríobhadh

the past tense
níor scríobh
ar scríobh?
gur scríobh
nár scríobh
níor scríobhadh
ar scríobhadh?
gur/nár scríobhadh

1sg (do) scríobhas, *2sg* (do) scríobhais, *2pl* (do) scríobhabhair **M**
1pl scríobh muid **CU** *3pl* (do) scríobhadar **MC**

an aimsir láithreach
scríobhaim
scríobhann tú
scríobhann sé/sí
scríobhaimid
scríobhann sibh
scríobhann siad
scríobhtar

the present tense
ní scríobhann
an scríobhann?
go scríobhann
nach scríobhann

1pl scríobhann muid **CU** *3pl* scríobhaid (siad) **M** *rel.* a scríobhas

an aimsir fháistineach
scríobhfaidh mé
scríobhfaidh tú
scríobhfaidh sé/sí
scríobhfaimid
scríobhfaidh sibh
scríobhfaidh siad
scríobhfar

the future tense
ní scríobhfaidh
an scríobhfaidh?
go scríobhfaidh
nach scríobhfaidh

1sg scríobhfad, *2sg* scríobhfair **M** scríobhfaidh muid **CU**
rel. a scríobhfas

88 scríobh write scríobh scríofa

an modh coinníollach
scríobhfainn
scríobhfá
scríobhfadh sé/sí
scríobhfaimis
scríobhfadh sibh
scríobhfaidís
scríobhfaí

the conditional mood
ní scríobhfadh
an scríobhfadh?
go scríobhfadh
nach scríobhfadh

1pl scríobhfadh muid **C** *3pl* scríobhfadh siad **U**

an aimsir ghnáthchaite
scríobhainn
scríobhtá
scríobhadh sé/sí
scríobhaimis
scríobhadh sibh
scríobhaidís
scríobhtaí

the imperfect tense
ní scríobhadh
an scríobhadh?
go scríobhadh
nach scríobhadh

1pl scríobhadh muid **C** *3pl* scríobhadh siad **U**
Ba ghnách liom scríobh **U**

an modh ordaitheach
the imperative mood
scríobhaim
scríobh
scríobhadh sé/sí
scríobhaimis
scríobhaigí
scríobhaidís
scríobhtar
 ná scríobh

an foshuiteach láithreach
the present subjunctive
go scríobha mé
go scríobha tú
go scríobha sé
go scríobhaimid
go scríobha sibh
go scríobha siad
go scríobhtar
 nár scríobha

3pl scríobhadh siad **U**

1pl go scríobha muid **CU**

89 seachain avoid   seachaint   seachanta

an aimsir chaite · the past tense

sheachain mé	níor sheachain
sheachain tú	ar sheachain?
sheachain sé/sí	gur sheachain
sheachnaíomar	nár sheachain
sheachain sibh	níor seachnaíodh
sheachain siad	ar seachnaíodh?
seachnaíodh	gur/nár seachnaíodh

1sg (do) sheachnaíos, *2sg* (do) sheachnaís, *2pl* (do) sheachnaíobhair **M**
1pl sheachain muid **UC** *3pl* sheachnaíodar **MC**

an aimsir láithreach · the present tense

seachnaím	ní sheachnaíonn
seachnaíonn tú	an seachnaíonn?
seachnaíonn sé/sí	go seachnaíonn
seachnaímid	nach seachnaíonn
seachnaíonn sibh	
seachnaíonn siad	
seachnaítear	

1pl seachnaíonn muid **C** *3pl* seachnaíd (siad) **M** seachnaim, seachnann sé, muid *etc.* **U**
rel. a sheachnaíos/a sheachnas

an aimsir fháistineach · the future tense

seachnóidh mé	ní sheachnóidh
seachnóidh tú	an seachnóidh?
seachnóidh sé/sí	go seachnóidh
seachnóimid	nach seachnóidh
seachnóidh sibh	
seachnóidh siad	seachnóchaidh **U**
seachnófar	

1sg seachnód, *2sg* seachnóir **M** seachnóchaidh mé/muid *etc.* **U**
1pl seachnóidh muid **C** *rel.* a sheachnós/a sheachnóchas

89 seachain avoid   seachaint   seachanta

an modh coinníollach	the conditional mood
sheachnóinn	ní sheachnódh
sheachnófá	an seachnódh?
sheachnódh sé/sí	go seachnódh
sheachnóimis	nach seachnódh
sheachnódh sibh	
sheachnóidís	sheachnóchadh **U**
sheachnófaí	

1sg sheachnóchainn, *3sg* sheachnóchadh sé, siad *etc.* **U**
1pl sheachnódh muid **C**

an aimsir ghnáthchaite	the imperfect tense
sheachnaínn	ní sheachnaíodh
sheachnaíteá	an seachnaíodh?
sheachnaíodh sé/sí	go seachnaíodh
sheachnaímis	nach seachnaíodh
sheachnaíodh sibh	
sheachnaídís	
sheachnaítí	

1pl sheachnaíodh muid **C** *3pl* sheachnaíodh siad **U**
Ba ghnách liom seachaint *etc.* **U**

an modh ordaitheach the imperative mood	an foshuiteach láithreach the present subjunctive
seachnaím	go seachnaí mé
seachain	go seachnaí tú
seachnaíodh sé/sí	go seachnaí sé/sí
seachnaímis	go seachnaímid
seachnaígí	go seachnaí sibh
seachnaídís	go seachnaí siad
seachnaítear	go seachnaítear
ná seachain	nár sheachnaí

3pl seachnaíodh siad **U**   *1pl* go seachnaí muid **CU**

90 seas stand seasamh seasta

an aimsir chaite	the past tense
sheas mé	níor sheas
sheas tú	ar sheas?
sheas sé/sí	gur sheas
sheasamar	nár sheas
sheas sibh	níor seasadh
sheas siad	ar seasadh?
seasadh	gur/nár seasadh

1sg (do) sheasas, *2sg* (do) sheasais, *2pl* (do) sheasabhair **M**
1pl sheas muid **CU** *3pl* (do) sheasadar **MC** seas = seasaigh **U**

an aimsir láithreach	the present tense
seasaim	ní sheasann
seasann tú	an seasann?
seasann sé/sí	go seasann
seasaimid	nach seasann
seasann sibh	
seasann siad	
seastar	

1pl seasann muid **CU** *3pl* seasaid (siad) **M** *rel.* a sheasas

an aimsir fháistineach	the future tense
seasfaidh mé	ní sheasfaidh
seasfaidh tú	an seasfaidh?
seasfaidh sé/sí	go seasfaidh
seasfaimid	nach seasfaidh
seasfaidh sibh	
seasfaidh siad	
seasfar	

1sg seasfad, *2sg* seasfair **M** seasfaidh muid **C**
seasóchaidh mé/muid *etc*. **U** *rel.* a sheasfas/a sheasóchas

90 seas stand   seasamh   seasta

an modh coinníollach
the conditional mood

sheasfainn	ní sheasfadh
sheasfá	an seasfadh?
sheasfadh sé/sí	go seasfadh
sheasfaimis	nach seasfadh
sheasfadh sibh	
sheasfaidís	
sheasfaí	

1pl sheasfadh muid **C** *3pl* sheasóchadh sé/siad *etc.* **U**

an aimsir ghnáthchaite
the imperfect tense

sheasainn	ní sheasadh
sheastá	an seasadh?
sheasadh sé/sí	go seasadh
sheasaimis	nach seasadh
sheasadh sibh	
sheasaidís	
sheastaí	

1pl sheasadh muid **C** *3pl* sheasadh siad **U**
Ba ghnách liom seasamh *etc.* **U**

an modh ordaitheach
the imperative mood

an foshuiteach láithreach
the present subjunctive

seasaim	go seasa mé
seas	go seasa tú
seasadh sé/sí	go seasa sé/sí
seasaimis	go seasaimid
seasaigí	go seasa sibh
seasaidís	go seasa siad
seastar	go seastar
ná seas	nár sheasa

3pl seasadh siad **U**   *1pl* go seasa muid **CU**

91 sín stretch síneadh sínte

an aimsir chaite — the past tense

shín mé	níor shín
shín tú	ar shín?
shín sé/sí	gur shín
shíneamar	nár shín
shín sibh	níor síneadh
shín siad	ar síneadh?
síneadh	gur/nár síneadh

1sg (do) shíneas, 2sg (do) shínis, 2pl (do) shíneabhair **M**
1pl shín muid **CU** 3pl (do) shíneadar **MC**

an aimsir láithreach — the present tense

sínim	ní shíneann
síneann tú	an síneann?
síneann sé/sí	go síneann
sínimid	nach síneann
síneann sibh	
síneann siad	
síntear	

1pl síneann muid **CU** 3pl sínid (siad) **M** rel. a shíneas

an aimsir fháistineach — the future tense

sínfidh mé	ní shínfidh
sínfidh tú	an sínfidh?
sínfidh sé/sí	go sínfidh
sínfimid	nach sínfidh
sínfidh sibh	
sínfidh siad	
sínfear	

1sg sínfead, 2sg sínfir **M** sínfidh muid **CU** rel. a shínfeas

91 sín stretch síneadh sínte

an modh coinníollach
the conditional mood

shínfinn
shínfeá
shínfeadh sé/sí
shínfimis
shínfeadh sibh
shínfidís
shínfí

ní shínfeadh
an sínfeadh?
go sínfeadh
nach sínfeadh

1pl shínfeadh muid **C** *3pl* shínfeadh siad **U**

an aimsir ghnáthchaite
the imperfect tense

shíninn
shínteá
shíneadh sé/sí
shínimis
shíneadh sibh
shínidís
shíntí

ní shíneadh
an síneadh?
go síneadh
nach síneadh

1pl shíneadh muid **C** *3pl* shíneadh siad **U**
Ba ghnách liom síneadh **U**

an modh ordaitheach
the imperative mood

sínim
sín
síneadh sé/sí
sínimis
sínigí
sínidís
síntear
 ná sín

an foshuiteach láithreach
the present subjunctive

go síne mé
go síne tú
go síne sé/sí
go sínimid
go síne sibh
go síne siad
go síntear
 nár shíne

3pl síneadh siad **U**

1pl go síne muid **CU**

92 sínigh sign   síniú   sínithe

an aimsir chaite

the past tense

shínigh mé	níor shínigh
shínigh tú	ar shínigh?
shínigh sé/sí	gur shínigh
shíníomar	nár shínigh
shínigh sibh	níor síníodh
shínigh siad	ar síníodh?
síníodh	gur/nár síníodh

1sg (do) shíníos, *2sg* (do) shínís, *2pl* (do) shíníobhair **M**
1pl shínigh muid **UC** *3pl* shíníodar **MC**

an aimsir láithreach

the present tense

síním	ní shíníonn
síníonn tú	an síníonn?
síníonn sé/sí	go síníonn
sínímid	nach síníonn
síníonn sibh	
síníonn siad	
sínítear	

1pl síníonn muid **C** *3pl* síníd (siad) **M**
sínim, síneann sé/muid **U** *rel.* a shíníos

an aimsir fháistineach

the future tense

síneoidh mé	ní shíneoidh
síneoidh tú	an síneoidh?
síneoidh sé/sí	go síneoidh
síneoimid	nach síneoidh
síneoidh sibh	
síneoidh siad	síneochaidh **U**
síneofar	

1sg síneod, *2sg* síneoir **M** *1pl* síneoidh muid **C**
síneochaidh mé/muid *etc.* **U** *rel.* a shíneos/a shíneochas

92 sínigh sign   síniú   sínithe

an modh coinníollach
shíneoinn
shíneofá
shíneodh sé/sí
shíneoimis
shíneodh sibh
shíneoidís
shíneofaí

the conditional mood
ní shíneodh
an síneodh?
go síneodh
nach síneodh

shíneochadh **U**

1sg shíneochainn, 3sg shíneochadh sé, siad etc. **U**
1pl shíneodh muid **C**

an aimsir ghnáthchaite
shínínn
shíníteá
shíníodh sé/sí
shínímis
shíníodh sibh
shínídís
shínítí

the imperfect tense
ní shíníodh
an síníodh?
go síníodh
nach síníodh

1pl shíníodh muid **C**, 3pl shíníodh siad **U**
Ba ghnách liom síniú etc. **U**

an modh ordaitheach
the imperative mood
síním
sínigh
síníodh sé/sí
sínímis
sínígí
sínídís
sínítear
 ná sínigh

3pl síníodh siad **U**

an foshuiteach láithreach
the present subjunctive
go síní mé
go síní tú
go síní sé/sí
go sínímid
go síní sibh
go síní siad
go sínítear
 nár shíní

1pl go síní muid **CU**

93 siúil walk   siúl   siúlta

an aimsir chaite	the past tense
shiúil mé	níor shiúil
shiúil tú	ar shiúil?
shiúil sé/sí	gur shiúil
shiúlamar	nár shiúil
shiúil sibh	níor siúladh
shiúil siad	ar siúladh?
siúladh	gur/nár siúladh

1sg (do) shiúlas, 2sg (do) shiúlais, 2pl (do) shiúlabhair **M**
1pl shiúil muid **CU** 3pl (do) shiúladar **MC**

an aimsir láithreach	the present tense
siúlaim	ní shiúlann
siúlann tú	an siúlann?
siúlann sé/sí	go siúlann
siúlaimid	nach siúlann
siúlann sibh	
siúlann siad	
siúltar	

1pl siúlann muid **CU** 3pl siúlaid (siad) **M** rel. a shiúlas

an aimsir fháistineach	the future tense
siúlfaidh mé	ní shiúlfaidh
siúlfaidh tú	an siúlfaidh?
siúlfaidh sé/sí	go siúlfaidh
siúlfaimid	nach siúlfaidh
siúlfaidh sibh	
siúlfaidh siad	
siúlfar	

1sg siúlfad, 2sg siúlfair **M** siúlfaidh muid **CU** rel. a shiúlfas

93 siúil walk   siúl   siúlta

an modh coinníollach
shiúlfainn
shiúlfá
shiúlfadh sé/sí
shiúlfaimis
shiúlfadh sibh
shiúlfaidís
shiúlfaí

the conditional mood
ní shiúlfadh
an siúlfadh?
go siúlfadh
nach siúlfadh

1pl shiúlfadh muid **C** *3pl* shiúlfadh siad **U**

an aimsir ghnáthchaite
shiúlainn
shiúltá
shiúladh sé/sí
shiúlaimis
shiúladh sibh
shiúlaidís
shiúltaí

the imperfect tense
ní shiúladh
an siúladh?
go siúladh
nach siúladh

1pl shiúladh muid **C** *3pl* shiúladh siad **U**
Ba ghnách liom siúl *etc.* **U**

an modh ordaitheach
the imperative mood
siúlaim
siúil
siúladh sé/sí
siúlaimis
siúlaigí
siúlaidís
siúltar
 ná siúil

3pl siúladh siad **U**

an foshuiteach láithreach
the present subjunctive
go siúla mé
go siúla tú
go siúla sé
go siúlaimid
go siúla sibh
go siúla siad
go siúltar
 nár shiúla

1pl go siúla muid **CU**

94 smaoinigh think smaoineamh smaoinithe

an aimsir chaite — the past tense

smaoinigh mé	níor smaoinigh
smaoinigh tú	ar smaoinigh?
smaoinigh sé/sí	gur smaoinigh
smaoiníomar	nár smaoinigh
smaoinigh sibh	níor smaoiníodh
smaoinigh siad	ar smaoiníodh?
smaoiníodh	gur/nár smaoiníodh

1sg (do) smaoiníos, *2sg* (do) smaoinís, *2pl* (do) smaoiníobhair **M**
1pl smaoinigh muid **UC** *3pl* smaoiníodar **MC** smaoitigh **U**

an aimsir láithreach — the present tense

smaoiním	ní smaoiníonn
smaoiníonn tú	an smaoiníonn?
smaoiníonn sé/sí	go smaoiníonn
smaoinímid	nach smaoiníonn
smaoiníonn sibh	
smaoiníonn siad	
smaoinítear	smaoiteann **U**

1pl smaoiníonn muid **C** *3pl* smaoiníd (siad) **M**
smaoitim, smaoiteann sé/muid **U** *rel.* a smaoiníos

an aimsir fháistineach — the future tense

smaoineoidh mé	ní smaoineoidh
smaoineoidh tú	an smaoineoidh?
smaoineoidh sé/sí	go smaoineoidh
smaoineoimid	nach smaoineoidh
smaoineoidh sibh	
smaoineoidh siad	
smaoineofar	smaoiteochaidh **U**

1sg smaoineod, *2sg* smaoineoir **M** *1pl* smaoineoidh muid **C**
smaoiteochaidh mé/muid *etc.* **U** *rel.* a smaoineos/a smaoiteochas

94 **smaoinigh** think **smaoineamh smaoinithe**

an modh coinníollach
smaoineoinn
smaoineofá
smaoineodh sé/sí
smaoineoimis
smaoineodh sibh
smaoineoidís
smaoineofaí

the conditional mood
ní smaoineodh
an smaoineodh?
go smaoineodh
nach smaoineodh

smaoiteochadh **U**

1sg smaoiteochainn, *3sg* smaoiteochadh sé, siad *etc.* **U**
1pl smaoineodh muid **C**

an aimsir ghnáthchaite
smaoinínn
smaoiníteá
smaoiníodh sé/sí
smaoinímis
smaoiníodh sibh
smaoinídís
smaoinítí

the imperfect tense
ní smaoiníodh
an smaoiníodh?
go smaoiníodh
nach smaoiníodh

1pl smaoiníodh muid **C**, *3pl* smaoitíodh siad **U**
Ba ghnách liom smaoitiú *etc.* **U**

an modh ordaitheach
the imperative mood
smaoiním
smaoinigh
smaoiníodh sé/sí
smaoinímis
smaoinígí
smaoinídís
smaoinítear
  ná smaoinigh

3pl smaoitíodh siad **U**

an foshuiteach láithreach
the present subjunctive
go smaoiní mé
go smaoiní tú
go smaoiní sé/sí
go smaoinímid
go smaoiní sibh
go smaoiní siad
go smaoinítear
  nár smaoiní

1pl go smaoiní muid **CU**

95 socraigh settle socrú socraithe

an aimsir chaite — the past tense

shocraigh mé	níor shocraigh
shocraigh tú	ar shocraigh?
shocraigh sé/sí	gur shocraigh
shocraíomar	nár shocraigh
shocraigh sibh	níor socraíodh
shocraigh siad	ar socraíodh?
socraíodh	gur/nár socraíodh

1sg (do) shocraíos, 2sg (do) shocraís, 2pl (do) shocraíobhair **M**
1pl shocraigh muid **UC** 3pl shocraíodar **MC**

an aimsir láithreach — the present tense

socraím	ní shocraíonn
socraíonn tú	an socraíonn?
socraíonn sé/sí	go socraíonn
socraímid	nach socraíonn
socraíonn sibh	
socraíonn siad	
socraítear	

1pl socraíonn muid **C** 3pl socraíd (siad) **M**
socraim, socrann sé/muid **U** rel. a shocraíos

an aimsir fháistineach — the future tense

socróidh mé	ní shocróidh
socróidh tú	an socróidh?
socróidh sé/sí	go socróidh
socróimid	nach socróidh
socróidh sibh	
socróidh siad	socróchaidh **U**
socrófar	

1sg socród, 2sg socróir **M** 1pl socróidh muid **C**
socróchaidh mé/muid etc. **U** rel. a shocrós/a shocróchas

95 socraigh settle socrú socraithe

an modh coinníollach / the conditional mood

shocróinn	ní shocródh
shocrófá	an socródh?
shocródh sé/sí	go socródh
shocróimis	nach socródh
shocródh sibh	
shocróidís	shocróchadh **U**
shocrófaí	

1sg shocróchainn, *3sg* shocróchadh sé/siad *etc.* **U**
1pl shocródh muid **C**

an aimsir ghnáthchaite / the imperfect tense

shocraínn	ní shocraíodh
shocraíteá	an socraíodh?
shocraíodh sé/sí	go socraíodh
shocraímis	nach socraíodh
shocraíodh sibh	
shocraídís	
shocraítí	

1pl shocraíodh muid **C** *3pl* shocraíodh siad **U**
Ba ghnách liom socrú *etc.* **U**

an modh ordaitheach / the imperative mood

an foshuiteach láithreach / the present subjunctive

socraím	go socraí mé
socraigh	go socraí tú
socraíodh sé/sí	go socraí sé/sí
socraímis	go socraímid
socraígí	go socraí sibh
socraídís	go socraí siad
socraítear	go socraítear
ná socraigh	nár shocraí

3pl socraíodh siad **U**

1pl go socraí muid **CU**

96 stampáil stamp   stampáil   stampáilte

an aimsir chaite	the past tense
stampáil mé	níor stampáil
stampáil tú	ar stampáil?
stampáil sé/sí	gur stampáil
stampálamar	nár stampáil
stampáil sibh	níor stampáladh
stampáil siad	ar stampáladh?
stampáladh	gur/nár stampáladh

1sg (do) stampálas, 2sg (do) stampálais, 2pl (do) stampálabhair **M**
1pl stampáil muid **CU** 3pl (do) stampáladar **MC**

an aimsir láithreach	the present tense
stampálaim	ní stampálann
stampálann tú	an stampálann?
stampálann sé/sí	go stampálann
stampálaimid	nach stampálann
stampálann sibh	
stampálann siad	
stampáiltear	

1pl stampálann muid **CU** 3pl stampálaid (siad) **M**
rel. a stampálas

an aimsir fháistineach	the future tense
stampálfaidh mé	ní stampálfaidh
stampálfaidh tú	an stampálfaidh?
stampálfaidh sé/sí	go stampálfaidh
stampálfaimid	nach stampálfaidh
stampálfaidh sibh	
stampálfaidh siad	
stampálfar	

1sg stampálfad, 2sg stampálfair **M** stampálfaidh muid **CU**
rel. a stampálfas

96 stampáil stamp stampáil stampáilte

an modh conníollach	the conditional mood
stampálfainn	ní stampálfadh
stampálfa	an stampálfadh?
stampálfadh sé/sí	gur stampáil
stampálfaimis	go stampálfadh
stampálfadh sibh	nach stampálfadh
stampálfaifis	
stampálfaí	

1pl stampálfadh muid **C** *3pl* stampálfadh siad **U**

an aimsir ghnáthchaite	the imperfect tense
stampálainn	ní stampáladh
stampáilteá	an stampáladh?
stampáladh sé/sí	go stampáladh
stampálaimis	nach stampáladh
stampáladh sibh	
stampáladís	
stampáiltí	

1pl stampáladh muid **C** *3pl* stampáladh siad **U**
Ba ghnách liom stampáils *etc.* **U**

an modh ordaitheach the imperative mood	an foshuiteach láithreach the present subjunctive
stampálaim	go stampála me
stampáil	go stampála tu?
stampáladh sé/sí	go stampála sé/sí
stampálfaimis	go stampálaimid
stampálaigí	go stampála sibh
stampálfaidís	go stampála siad
stampáiltear	go stampáiltear
ná stampáiltear	nár stampáiltear

3pl stampáladh siad **U**   *1pl* go stampála muid **CU**

97 **suigh** sit **suí** **suite**

an aimsir chaite — the past tense

shuigh mé	níor shuigh
shuigh tú	ar shuigh?
shuigh sé/sí	gur shuigh
shuíomar	nár shuigh
shuigh sibh	suíor suíodh
shuigh siad	ar suíodh?
suíodh	gur/nár suíodh

1sg (do) shuíos, *2sg* (do) shuís, *2pl* (do) shuíobhair **M**
1pl shuigh muid **CU** *3pl* (do) shuíodar **MC**

an aimsir láithreach — the present tense

suím	ní shuíonn
suíonn tú	an suíonn?
suíonn sé/sí	go suíonn
suímid	nach suíonn
suíonn sibh	
suíonn siad	
suitear	

1pl suíonn muid **CU** *3pl* suíd (siad) **M** *rel.* a shuíos

an aimsir fháistineach — the future tense

suífidh mé	ní shuífidh
suífidh tú	an suífidh?
suífidh sé/sí	go suífidh
suífimid	nach suífidh
suífidh sibh	
suífidh siad	
suífear	

1sg suífead, *2sg* suífir **M** suífidh muid **CU** *rel.* a shuífeas

97 **suigh** sit **suí suite**

an modh coinníollach

shuífinn
shuífeá
shuífeadh sé/sí
shuífimis
shuífeadh sibh
shuífidís
shuífí

the conditional mood

ní shuífeadh
an suífeadh?
go suífeadh
nach suífeadh

1pl shuífeadh muid **C** *3pl* shuífeadh siad **U**

an aimsir ghnáthchaite

shuínn
shuiteá
shuíodh sé/sí
shuímis
shuíodh sibh
shuídís
shuití

the imperfect tense

ní shuíodh
an suíodh?
go suíodh
nach suíodh

1pl shuíodh muid **C** *3pl* shuíodh siad **U**
Ba ghnách liom suí *etc.* **U**

an modh ordaitheach
the imperative mood

suím
suigh
suíodh sé/sí
suímis
suígí
suídís
suitear
 ná suigh

3pl suíodh siad **U**

an foshuiteach láithreach
the present subjunctive

go suí mé
go suí tú
go suí sé/sí
go suímid
go suí sibh
go suí siad
go suitear
 nár shuí

1pl go suí muid **CU**

98 tabhair give   tabhairt   tugtha

an aimsir chaite	the past tense
thug mé	níor thug
thug tú	ar thug?
thug sé/sí	gur thug
thugamar	nár thug
thug sibh	níor tugadh
thug siad	ar tugadh?
tugadh	gur/nár tugadh

1sg (do) thugas, *2sg* (do) thugais, *2pl* (do) thugabhair **M** *1pl* thug muid **CU**
3pl (do) thugadar **MC** ní thug, an/go/nach dtug **CU**

an aimsir láithreach	the present tense
tugaim	ní thugann
tugann tú	an dtugann?
tugann sé/sí	go dtugann
tugaimid	nach dtugann
tugann sibh	
tugann siad	*indep.* bheir **U**
tugtar	

1pl tugann muid **CU** *3pl* tugaid (siad) **M** *rel.* a thugas – a bheir **U** *Indep.* bheirim,
bheir tú/sé/muid, bheirtear *etc.* **U** *var.* tabhrann

an aimsir fháistineach	the future tense
tabharfaidh mé	ní thabharfaidh
tabharfaidh tú	an dtabharfaidh?
tabharfaidh sé/sí	go dtabharfaidh
tabharfaimid	nach dtabharfaidh
tabharfaidh sibh	*indep.* bhéarfaidh **U**
tabharfaidh siad	tiubharfaidh **MC**
tabharfar	

1sg tabharfad, *2sg* tabharfair **M**
tabharfaidh muid, *rel.* a thabharfas **C**
indep. bhéarfaidh mé, tú, sé muid, bhéarfar *etc.*, *rel.* – a bhéarfas **U**

98 tabhair give tabhairt tugtha

an modh coinníollach the conditional mood

thabharfainn	ní thabharfadh
thabharfá	an dtabharfadh?
thabharfadh sé/sí	go dtabharfadh
thabharfaimis	nach dtabharfadh
thabharfadh sibh	*indep.* bhéarfadh **U**
thabharfaidís	thiubharfadh **MC**
thabharfaí	

1pl thabharfadh muid **C**
indep. bhéarfainn, bhéarfá, bhéarfadh sé/siad, bhéarfaimis, bhéarfaí **U**

an aimsir ghnáthchaite   the imperfect tense

thugainn	ní thugadh
thugtá	an dtugadh?
thugadh sé/sí	go dtugadh
thugaimis	nach dtugadh
thugadh sibh	
thugaidís	
thugtaí	

1pl thugadh muid **C**
indep. bheirinn, bheirtheá, bheireadh sé/siad, bheirimis, bheirtí **U**
Ba ghnách liom tabhairt **U** *var. dep.* tabhradh

an modh ordaitheach the imperative mood

an foshuiteach láithreach the present subjunctive

tugaim	go dtuga mé
tabhair *dial.* tug	go dtuga tú
tugadh sé/sí	go dtuga sé/sí
tugaimis	go dtugaimid
tugaigí	go dtuga sibh
tugaidís	go dtuga siad
tugtar	go dtugtar
ná tabhair	nár thuga

3pl tugadh siad **U**

1pl go dtuga muid **CU**

99 tagair refer tagairt tagartha

an aimsir chaite	the past tense
thagair mé	níor thagair
thagair tú	ar thagair?
thagair sé/sí	gur thagair
thagraíomar	nár thagair
thagair sibh	níor tagraíodh
thagair siad	ar tagraíodh?
tagraíodh	gur/nár tagraíodh

1sg (do) thagraíos, 2sg (do) thagraís, 2pl (do) thagraíobhair **M**
1pl thagair muid **UC** 3pl (do) thagraíodar **MC**

an aimsir láithreach	the present tense
tagraím	ní thagraíonn
tagraíonn tú	an dtagraíonn?
tagraíonn sé/sí	go dtagraíonn
tagraímid	nach dtagraíonn
tagraíonn sibh	
tagraíonn siad	
tagraítear	

1pl tagraíonn muid **C** 3pl tagraíd (siad) **M**
tagraim, tagrann sé, muid etc. **U** rel. a thagraíos/a thagras

an aimsir fháistineach	the future tense
tagróidh mé	ní thagróidh
tagróidh tú	an dtagróidh?
tagróidh sé/sí	go dtagróidh
tagróimid	nach dtagróidh
tagróidh sibh	
tagróidh siad	tagróchaidh **U**
tagrófar	

1sg tagród, 2sg tagróir **M** tagróchaidh mé/muid etc. **U**
1pl tagróidh muid **C** rel. a thagrós/a thagróchas

99 tagair refer tagairt tagartha

an modh coinníollach · the conditional mood

thagróinn	ní thagródh
thagrófá	an dtagródh?
thagródh sé/sí	go dtagródh
thagróimis	nach dtagródh
thagródh sibh	
thagróidís	thagróchadh **U**
thagrófaí	

1sg thagróchainn, *3sg* thagróchadh sé, siad *etc.* **U**
1pl thagródh muid **C**

an aimsir ghnáthchaite · the imperfect tense

thagraínn	ní thagraíodh
thagraíteá	an dtagraíodh?
thagraíodh sé/sí	go dtagraíodh
thagraímis	nach dtagraíodh
thagraíodh sibh	
thagraídís	
thagraítí	

1pl thagraíodh muid **C** *3pl* thagraíodh siad **U**
Ba ghnách liom tagairt *etc.* **U**

an modh ordaitheach · the imperative mood / an foshuiteach láithreach · the present subjunctive

tagraím	go dtagraí mé
tagair	go dtagraí tú
tagraíodh sé/sí	go dtagraí sé/sí
tagraímis	go dtagraímid
tagraígí	go dtagraí sibh
tagraídís	go dtagraí siad
tagraítear	go dtagraítear
ná tagair	nár thagraí

3pl tagraíodh siad **U**   *1pl* go dtagraí muid **CU**

100 taispeáin show taispeáint taispeánta

an aimsir chaite	the past tense
thaispeáin mé	níor thaispeáin
thaispeáin tú	ar thaispeáin?
thaispeáin sé/sí	gur thaispeáin
thaispeánamar	nár thaispeáin
thaispeáin sibh	níor taispeánadh
thaispeáin siad	ar taispeánadh?
taispeánadh	gur/nár taispeánadh

1sg (do) thaispeánas, *2sg* (do) thaispeánais, *2pl* (do) thaispeánabhair **M**
1pl thaispeáin muid **CU** *3pl* (do) thaispeánadar **MC** *dial.* spáin sé *etc.*

an aimsir láithreach	the present tense
taispeánaim	ní thaispeánann
taispeánann tú	an dtaispeánann?
taispeánann sé/sí	go dtaispeánann
taispeánaimid	nach dtaispeánann
taispeánann sibh	
taispeánann siad	*dial.* spáineann
taispeántar	taiseánann **U**

1pl taispeánann muid **CU** *3pl* taispeánaid (siad) **M**
rel. a thaispeánas

an aimsir fháistineach	the future tense
taispeánfaidh mé	ní thaispeánfaidh
taispeánfaidh tú	an dtaispeánfaidh?
taispeánfaidh sé/sí	go dtaispeánfaidh
taispeánfaimid	nach dtaispeánfaidh
taispeánfaidh sibh	
taispeánfaidh siad	*dial.* spáinfidh
taispeánfar	taiseánfaidh **U**

1sg taispeánfad, *2sg* taispeánfair **M**
taispeánfaidh muid **CU** *rel.* a thaispeánfas

100 taispeáin show taispeáint taispeánta

an modh coinníollach
thaispeánfainn
thaispeánfá
thaispeánfadh sé/sí
thaispeánfaimis
thaispeánfadh sibh
thaispeánfaidís
thaispeánfaí

the conditional mood
ní thaispeánfadh
an dtaispeánfadh?
go dtaispeánfadh
nach dtaispeánfadh

dial. spáinfeadh
thaiseánfadh **U**

1pl thaispeánfadh muid **C**, *3pl* thaispeánfadh siad **U**

an aimsir ghnáthchaite
thaispeánainn
thaispeántá
thaispeánadh sé/sí
thaispeánaimis
thaispeánadh sibh
thaispeánaidís
thaispeántaí

the imperfect tense
ní thaispeánadh
an dtaispeánadh?
go dtaispeánadh
nach dtaispeánadh

dial. spáineadh
thaiseánadh **U**

1pl thaispeánadh muid **C** *3pl* thaispeánadh siad **U**
Ba ghnách liom taispeáint *etc.* **U**

an modh ordaitheach
the imperative mood
taispeánaim
taispeáin *dial.* spáin
taispeánadh sé/sí
taispeánaimis
taispeánaigí
taispeánaidís
taispeántar
 ná taispeáin

an foshuiteach láithreach
the present subjunctive
go dtaispeána mé
go dtaispeána tú
go dtaispeána sé/sí
go dtaispeánaimid
go dtaispeána sibh
go dtaispeána siad
go dtaispeántar
 nár thaispeána

3pl taispeánadh siad **U**

1pl go dtaispeána muid **CU**

101 taistil travel taisteal taistealta

an aimsir chaite	the past tense
thaistil mé	níor thaistil
thaistil tú	ar thaistil?
thaistil sé/sí	gur thaistil
thaistealaíomar	nár thaistil
thaistil sibh	níor taistealaíodh
thaistil siad	ar taistealaíodh?
taistealaíodh	gur/nár taistealaíodh

1sg (do) thaistealaíos, 2sg (do) thaistealaís, 2pl (do) thaistealaíobhair **M**
1pl thaistil muid **UC** 3pl thaistealaíodar **MC**

an aimsir láithreach	the present tense
taistealaím	ní thaistealaíonn
taistealaíonn tú	an dtaistealaíonn?
taistealaíonn sé/sí	go dtaistealaíonn
taistealaímid	nach dtaistealaíonn
taistealaíonn sibh	
taistealaíonn siad	
taistealaítear	

1pl taistealaíonn muid **C** 3pl taistealaíd (siad) **M** taistealaim, taistealann sé/muid *etc.*
U *rel.* a thaistealaíos/a thaistealas

an aimsir fháistineach	the future tense
taistealóidh mé	ní thaistealóidh
taistealóidh tú	an dtaistealóidh?
taistealóidh sé/sí	go dtaistealóidh
taistealóimid	nach dtaistealóidh
taistealóidh sibh	
taistealóidh siad	taistealóchaidh **U**
taistealófar	

1sg taistealód, 2sg taistealóir **M** taistealóchaidh mé/muid *etc.* **U** 1pl taistealóidh
muid **C** *rel.* a thaistealós/a thaistealóchas

101 **taistil** travel **taisteal** **taistealta**

an modh coinníollach
the conditional mood

thaistealóinn	ní thaistealódh
thaistealófá	an dtaistealódh?
thaistealódh sé/sí	go dtaistealódh
thaistealóimis	nach dtaistealódh
thaistealódh sibh	
thaistealóidís	thaistealóchadh **U**
thaistealófaí	

1sg thaistealóchainn, *3sg* thaistealóchadh sé/siad *etc.* **U**
1pl thaistealódh muid **C**

an aimsir ghnáthchaite
the imperfect tense

thaistealaínn	ní thaistealaíodh
thaistealaíteá	an dtaistealaíodh?
thaistealaíodh sé/sí	go dtaistealaíodh
thaistealaímis	nach dtaistealaíodh
thaistealaíodh sibh	
thaistealaídís	
thaistealaítí	

1pl thaistealaíodh muid **C** thaistealainn, thaistealadh sé/siad **U**
Ba ghnách liom taisteal *etc.* **U**

an modh ordaitheach
the imperative mood

taistealaím	go dtaistealaí mé
taistil	go dtaistealaí tú
taistealaíodh sé/sí	go dtaistealaí sé/sí
taistealaímis	go dtaistealaímid
taistealaígí	go dtaistealaí sibh
taistealaídís	go dtaistealaí siad
taistealaítear	go dtaistealaítear
ná taistil	nár thaistealaí

an foshuiteach láithreach
the present subjunctive

3pl taistealadh sé/siad **U**

1pl go dtaistealaí muid **CU**

102 taitin shine   taitneamh   taitnithe

an aimsir chaite
thaitin mé
thaitin tú
thaitin sé/sí
thaitníomar
thaitin sibh
thaitin siad

taitníodh

the past tense
níor thaitin
ar thaitin?
gur thaitin
nár thaitin
níor taitníodh
ar taitníodh?
gur/nár taitníodh

1sg (do) thaitníos, 2sg (do) thaitnís, 2pl (do) thaitníobhair **M**
1pl thaitin muid **UC** 3pl thaitníodar **MC** thaitin le = 'enjoyed' **U**

an aimsir láithreach
taitním
taitníonn tú
taitníonn sé/sí
taitnímid
taitníonn sibh
taitníonn siad

taitnítear

the present tense
ní thaitníonn
an dtaitníonn?
go dtaitníonn
nach dtaitníonn

1pl taitníonn muid **C** 3pl taitníd (siad) **M**
taitnim, taitneann sé, muid etc. **U** rel. a thaitníos/a thaitneas

an aimsir fháistineach
taitneoidh mé
taitneoidh tú
taitneoidh sé/sí
taitneoimid
taitneoidh sibh
taitneoidh siad

taitneofar

the future tense
ní thaitneoidh
an dtaitneoidh?
go dtaitneoidh
nach dtaitneoidh

taitneochaidh **U**

1sg taitneod, 2sg taitneoir **M** 1pl taitneoidh muid **C**
taitneochaidh mé, muid etc. **U** rel. a thaitneos/a thaitneochas

102 taitin shine   taitneamh   taitnithe

an modh coinníollach	the conditional mood
thaitneoinn	ní thaitneodh
thaitneofá	an dtaitneodh?
thaitneodh sé/sí	go dtaitneodh
thaitneoimis	nach dtaitneodh
thaitneodh sibh	
thaitneoidís	thaitneochadh **U**
thaitneofaí	

1sg thaitneochainn, 3sg thaitneochadh sé, siad *etc.* **U**
1pl thaitneodh muid **C**

an aimsir ghnáthchaite	the imperfect tense
thaitnínn	ní thaitníodh
thaitníteá	an dtaitníodh?
thaitníodh sé/sí	go dtaitníodh
thaitnímis	nach dtaitníodh
thaitníodh sibh	
thaitnídís	
thaitnítí	

1pl thaitníodh muid **C** 3pl thaitníodh siad **U**
Ba ghnách liom taitneamh *etc.* **U**

an modh ordaitheach the imperative mood	an foshuiteach láithreach the present subjunctive
taitním	go dtaitní mé
taitin	go dtaitní tú
taitníodh sé/sí	go dtaitní sé/sí
taitnímis	go dtaitnímid
taitnígí	go dtaitní sibh
taitnídís	go dtaitní siad
taitnítear	go dtaitnítear
ná taitin	nár thaitní

3pl taitníodh siad **U**

1pl go dtaitní muid **CU**

103 tar come   teacht/theacht   tagtha

an aimsir chaite
the past tense

tháinig mé	níor tháinig
tháinig tú	ar tháinig?
tháinig sé/sí	gur tháinig
thánagamar	nár tháinig
tháinig sibh	níor thángthas
tháinig siad	ar thángthas?
thángthas	gur/nár thángthas

1sg (do) thánag/tháiníos, *2sg* (do) tháinís, *2pl* (do) thánabhair **M**
1pl tháinig muid **CU** *3pl* thángadar **MC**; *vn* tíocht **C**
Dep. ní tháinig, an/go/nach dtáinig **UC**

an aimsir láithreach
the present tense

tagaim	ní thagann
tagann tú	an dtagann?
tagann sé/sí	go dtagann
tagaimid	nach dtagann
tagann sibh	
tagann siad	
tagtar	

1pl tagann muid **C** *3pl* tagaid (siad) **M** tigim, tig tú/sé/muid *etc.* **U** teagann;
vn t(h)íocht **C**

an aimsir fháistineach
the future tense

tiocfaidh mé	ní thiocfaidh
tiocfaidh tú	an dtiocfaidh?
tiocfaidh sé/sí	go dtiocfaidh
tiocfaimid	nach dtiocfaidh
tiocfaidh sibh	
tiocfaidh siad	
tiocfar	

1sg tiocfad, *2sg* tiocfair **M** tiocfaidh muid **CU** tiucf- **MC**

103 tar come teacht/theacht tagtha

an modh coinníollach the conditional mood

thiocfainn	ní thiocfadh
thiocfá	an dtiocfadh?
thiocfadh sé/sí	go dtiocfadh
thiocfaimis	nach dtiocfadh
thiocfadh sibh	
thiocfaidís	
thiocfaí	

1pl thiocfadh muid C 3pl thiocfadh siad U thiucf- MC

an aimsir ghnáthchaite the imperfect tense

thagainn	ní thagadh
thagtá	an dtagadh?
thagadh sé/sí	go dtagadh
thagaimis	nach dtagadh
thagadh sibh	
thagaidís	
thagtaí	

1pl thagadh muid C 3pl thiginn, thigeadh sé/siad
Ba ghnách liom theacht U etc.

an modh ordaitheach the imperative mood

an foshuiteach láithreach the present subjunctive

tagaim		go dtaga mé
tar	dial. gabh, goite U	go dtaga tú
tagadh sé/sí		go dtaga sé/sí
tagaimis		go dtagaimid
tagaigí		go dtaga sibh
tagaidís		go dtaga siad
tagtar		go dtagtar
ná tar		nár thaga

3pl tagadh/taradh siad U

1pl go dtaga muid C
go dtigidh/go dtaraidh U

104 tarraing pull   tarraingt   tarraingthe

an aimsir chaite	the past tense
tharraing mé	níor tharraing
tharraing tú	ar tharraing?
tharraing sé/sí	gur tharraing
tharraingíomar	nár tharraing
tharraing sibh	níor tarraingíodh
tharraing siad	ar tarraingíodh?
tarraingíodh	gur/nár tarraingíodh

1sg (do) tharraingíos, 2 (do) tharraingís, 2pl (do) tharraingíobhair (var. thairrig sé) **M**
1pl tharraing muid **UC** 3pl tharraingíodar **MC**

an aimsir láithreach	the present tense
tarraingím	ní tharraingíonn
tarraingíonn tú	an dtarraingíonn?
tarraingíonn sé/sí	go dtarraingíonn
tarraingímid	nach dtarraingíonn
tarraingíonn sibh	
tarraingíonn siad	tairrigíonn **M**
tarraingítear	tairrngneann **U**

1pl tarraingíonn muid **C**; 3pl tarraingíd (siad) **M** tarraingim, tarraingeann sé, muid etc.,
pron tairrneann **U**, rel. a tharraingíos/a tharraingeann

an aimsir fháistineach	the future tense
tarraingeoidh mé	ní tharraingeoidh
tarraingeoidh tú	an dtarraingeoidh?
tarraingeoidh sé/sí	go dtarraingeoidh
tarraingeoimid	nach dtarraingeoidh
tarraingeoidh sibh	
tarraingeoidh siad	tairriceoidh **M**
tarraingeofar	tairrngneochaidh **U**

1sg tarraingeod, 2sg tarraingeoir **M** tarraingeochaidh mé, muid etc. **U**
1pl tarraingeoidh muid **C** rel. a tharraingeos/tharraingeochas

104 tarraing pull   tarraingt   tarraingthe

an modh coinníollach	the conditional mood
tharraingeoinn	ní tharraingeodh
tharraingeofá	an dtarraingeodh?
tharraingeodh sé/sí	go dtarraingeodh
tharraingeoimis	nach dtarraingeodh
tharraingeodh sibh	
tharraingeoidís	thairriceodh **M**
tharraingeofaí	thairrngneochadh **U**

> 1sg tharraingeochainn, 3sg tharraingeochadh sé, siad *etc.* **U**
> 1pl tharraingeodh muid **C**

an aimsir ghnáthchaite	the imperfect tense
tharraingínn	ní tharraingíodh
tharraingíteá	an dtarraingíodh?
tharraingíodh sé/sí	go dtarraingíodh
tharraingímis	nach dtarraingíodh
tharraingíodh sibh	
tharraingídís	thairrigíodh **M**
tharraingítí	thairrngneadh **U**

> 1pl tharraingíodh muid **C** 3pl tharraingíodh siad **U**
> Ba ghnách liom tarraingt *etc.* **U**

an modh ordaitheach the imperative mood	an foshuiteach láithreach the present subjunctive
tarraingím	go dtarraingí mé
tarraing	go dtarraingí tú
tarraingíodh sé/sí	go dtarraingí sé/sí
tarraingímis	go dtarraingímid
tarraingígí	go dtarraingí sibh
tarraingídís	go dtarraingí siad
tarraingítear	go dtarraingítear
ná tarraing	nár tharraingí

> 3pl tarraingíodh siad **U**   1pl go dtarraingí muid **CU**

105 **teann** tighten **teannadh teannta**

an aimsir chaite   the past tense

theann mé	níor theann
theann tú	ar theann?
theann sé/sí	gur theann
theannamar	nár theann
theann sibh	níor teannadh
theann siad	ar teannadh?
teannadh	gur/nár teannadh

1sg (do) theannas, *2sg* (do) theannais, *2pl* (do) theannabhair **M**
1pl theann muid **CU** *3pl* (do) theannadar **MC**

an aimsir láithreach   the present tense

teannaim	ní theannann
teannann tú	an dteannann?
teannann sé/sí	go dteannann
teannaimid	nach dteannann
teannann sibh	
teannann siad	
teanntar	

1pl teannann muid **CU** *3pl* teannaid (siad) **M** *rel.* a theannas

an aimsir fháistineach   the future tense

teannfaidh mé	ní theannfaidh
teannfaidh tú	an dteannfaidh?
teannfaidh sé/sí	go dteannfaidh
teannfaimid	nach dteannfaidh
teannfaidh sibh	
teannfaidh siad	
teannfar	

1sg teannfad, *2sg* teannfair **M** teannfaidh muid **CU**
rel. a theannfas

105 teann tighten   teannadh   teannta

an modh coinníollach	the conditional mood
theannfainn	ní theannfadh
theannfá	an dteannfadh?
theannfadh sé/sí	go dteannfadh
theannfaimis	nach dteannfadh
theannfadh sibh	
theannfaidís	
theannfaí	

1pl theannfadh muid **C** *3pl* theannfadh siad **U**

an aimsir ghnáthchaite	the imperfect tense
theannainn	ní theannadh
theanntá	an dteannadh?
theannadh sé/sí	go dteannadh
theannaimis	nach dteannadh
theannadh sibh	
theannaidís	
theanntaí	

1pl theannadh muid **C** *3pl* theannadh siad **U**
Ba ghnách liom teannadh *etc.* **U**

an modh ordaitheach the imperative mood	an foshuiteach láithreach the present subjunctive
teannaim	go dteanna mé
teann	go dteanna tú
teannadh sé/sí	go dteanna sé/sí
teannaimis	go dteannaimid
teannaigí	go dteanna sibh
teannaidís	go dteanna siad
teanntar	go dteanntar
ná teann	nár theanna

3pl teannadh siad **U**   *1pl* go dteanna muid **CU**

106 téigh go   dul/dhul   dulta

an aimsir chaite	the past tense
chuaigh mé	ní dheachaigh
chuaigh tú	an ndeachaigh?
chuaigh sé/sí	go ndeachaigh
chuamar	nach ndeachaigh
chuaigh sibh	ní dheachthas
chuaigh siad	an ndeachthas?
chuathas	go/nach ndeachthas

1sg (do) chuas, *2sg* (do) chuais, *2pl* (do) chuabhair **M**
1pl chuaigh muid **CU** *3pl* chuadar **MC** *dep.* ní theachaidh, an dteachaidh? **U**

an aimsir láithreach	the present tense
téim	ní théann
téann tú	an dtéann?
téann sé/sí	go dtéann
téimid	nach dtéann
téann sibh	théid **U**
téann siad	
téitear	

1pl téann muid **CU** *3pl* téid (siad) **M** *var.* théid *or* théann = téann
rel. a théann

an aimsir fháistineach	the future tense
rachaidh mé	ní rachaidh
rachaidh tú	an rachaidh?
rachaidh sé/sí	go rachaidh
rachaimid	nach rachaidh
rachaidh sibh	
rachaidh siad	
rachfar	

1sg raghad, *2sg* raghair; raghaidh = rachaidh **M**
rachaidh muid **CU** *rel.* a rachas

106 téigh go dul/dhul dulta

an modh coinníollach the conditional mood

rachainn	ní rachadh
rachfá	an rachadh?
rachadh sé/sí	go rachadh
rachaimis	nach rachadh
rachadh sibh	
rachaidís	
rachfaí	

1 sg raghainn; raghadh = rachadh **M**
1pl rachadh muid **C** *3pl* rachadh siad **U**

an aimsir ghnáthchaite the imperfect tense

théinn	ní théadh
théiteá	an dtéadh?
théadh sé/sí	go dtéadh
théimis	nach dtéadh
théadh sibh	
théidís	
théití	

1pl théadh muid **C** *3pl* théadh siad, Ba ghnách liom dhul **U**

an modh ordaitheach an foshuiteach láithreach
the imperative mood the present subjunctive

téim	go dté mé
téigh *dial*. gabh	go dté tú
téadh sé/sí	go dté sé/sí
téimis	go dtéimid
téigí	go dté sibh
téidís	go dté siad
téitear	go dtéitear
ná téigh *dial*. ná gabh	nár thé

3pl théadh siad **U**   *1pl* go dté muid **CU**

107 tiomáin drive   tiomáint   tiománta

an aimsir chaite   the past tense

thiomáin mé	níor thiomáin
thiomáin tú	ar thiomáin?
thiomáin sé/sí	gur thiomáin
thiomáineamar	nár thiomáin
thiomáin sibh	níor tiomáineadh
thiomáin siad	ar tiomáineadh?
tiomáineadh	gur/nár tiomáineadh

1sg (do) thiomáineas, *2sg* (do) thiomáinis, *2pl* (do) thiomáin-eabhair **M**
1pl thiomáin muid **CU** *3pl* (do) thiomáineadar **MC**

an aimsir láithreach   the present tense

tiomáinim	ní thiomáineann
tiomáineann tú	an dtiomáineann?
tiomáineann sé/sí	go dtiomáineann
tiomáinimid	nach dtiomáineann
tiomáineann sibh	
tiomáineann siad	
tiomáintear	

1pl tiomáineann muid **CU** *3pl* tiomáinid (siad) **M**
rel. a thiomáineas

an aimsir fháistineach   the future tense

tiomáinfidh mé	ní thiomáinfidh
tiomáinfidh tú	an dtiomáinfidh?
tiomáinfidh sé/sí	go dtiomáinfidh
tiomáinfimid	nach dtiomáinfidh
tiomáinfidh sibh	
tiomáinfidh siad	
tiomáinfear	

1sg tiomáinfead, *2sg* tiomáinfir **M** tiomáinfidh muid **CU**
rel. a thiomáinfeas

107 tiomáin drive   tiomáint   tiománta

an modh coinníollach the conditional mood

thiomáinfinn	ní thiomáinfeadh
thiomáinfeá	an dtiomáinfeadh?
thiomáinfeadh sé/sí	go dtiomáinfeadh
thiomáinfimis	nach dtiomáinfeadh
thiomáinfeadh sibh	
thiomáinfidís	
thiomáinfí	

1pl thiomáinfeadh muid **C** *3pl* thiomáinfeadh siad **U**

an aimsir ghnáthchaite   the imperfect tense

thiomáininn	ní thiomáineadh
thiomáinteá	an dtiomáineadh?
thiomáineadh sé/sí	go dtiomáineadh
thiomáinimis	nach dtiomáineadh
thiomáineadh sibh	
thiomáinidís	
thiomáintí	

1pl thiomáineadh muid **C** *3pl* thiomáineadh siad **U**
Ba ghnách liom tiomáint **U**

an modh ordaitheach the imperative mood / an foshuiteach láithreach the present subjunctive

an modh ordaitheach the imperative mood	an foshuiteach láithreach the present subjunctive
tiomáinim	go dtiomáine mé
tiomáin	go dtiomáine tú
tiomáineadh sé/sí	go dtiomáine sé/sí
tiomáinimis	go dtiomáinimid
tiomáinigí	go dtiomáine sibh
tiomáinidís	go dtiomáine siad
tiomáintear	go dtiomáintear
ná tiomáin	nár thiomáine

3pl tiomáineadh siad **U**   *1pl* go dtiomáine muid **CU**

108 tit fall   titim   tite

an aimsir chaite

thit mé
thit tú
thit sé/sí
thiteamar
thit sibh
thit siad
titeadh

the past tense

níor thit
ar thit?
gur thit
nár thit
níor titeadh
ar titeadh?
gur/nár titeadh

1sg (do) thiteas, *2sg* (do) thitis, *2pl* (do) thiteabhair **M**
1pl thit muid **CU** *3pl* (do) thiteadar **MC**

an aimsir láithreach

titim
titeann tú
titeann sé/sí
titimid
titeann sibh
titeann siad
titear

the present tense

ní thiteann
an dtiteann?
go dtiteann
nach dtiteann

1pl titeann muid **CU** *3pl* titid (siad) **M** *rel.* a thiteas

an aimsir fháistineach

titfidh mé
titfidh tú
titfidh sé/sí
titfimid
titfidh sibh
titfidh siad
titfear

the future tense

ní thitfidh
an dtitfidh?
go dtitfidh
nach dtitfidh

1sg titfead, *2sg* titfir **M** titfidh muid **CU** *rel.* a thitfeas

108 tit fall   titim   tite

an modh coinníollach	the conditional mood
thitfinn	ní thitfeadh
thitfeá	an dtitfeadh?
thitfeadh sé/sí	go dtitfeadh
thitfimis	nach dtitfeadh
thitfeadh sibh	
thitfidís	
thitfí	

1pl thitfeadh muid **C** 3pl thitfeadh siad **U**

an aimsir ghnáthchaite	the imperfect tense
thitinn	ní thiteadh
thiteá	an dtiteadh?
thiteadh sé/sí	go dtiteadh
thitimis	nach dtiteadh
thiteadh sibh	
thitidís	
thití	

1pl thiteadh muid **C** 3pl thiteadh siad **U**
Ba ghnách liom titim *etc.* **U**

an modh ordaitheach the imperative mood	an foshuiteach láithreach the present subjunctive
titim	go dtite mé
tit	go dtite tú
titeadh sé/sí	go dtite sé/sí
titimis	go dtitimid
titigí	go dtite sibh
titidís	go dtite siad
titear	go dtitear
ná tit	nár thite

3pl titeadh siad **U**   1pl go dtite muid **CU**

109 tóg lift   tógáil   tógtha

an aimsir chaite	the past tense
thóg mé	níor thóg
thóg tú	ar thóg?
thóg sé/sí	gur thóg
thógamar	nár thóg
thóg sibh	níor tógadh
thóg siad	ar tógadh?
tógadh	gur/nár tógadh

1sg (do) thógas, *2sg* (do) thógais, *2pl* (do) thógabhair **M**
1pl thóg muid **CU** *3pl* (do) thógadar **MC** tóg = tóig **C**

an aimsir láithreach	the present tense
tógaim	ní thógann
tógann tú	an dtógann?
tógann sé/sí	go dtógann
tógaimid	nach dtógann
tógann sibh	
tógann siad	tóigeann **C**
tógtar	

1pl tógann muid **CU** *3pl* tógaid (siad) **M** *rel*. a thógas

an aimsir fháistineach	the future tense
tógfaidh mé	ní thógfaidh
tógfaidh tú	an dtógfaidh?
tógfaidh sé/sí	go dtógfaidh
tógfaimid	nach dtógfaidh
tógfaidh sibh	
tógfaidh siad	tóigfidh **C**
tógfar	

1sg tógfad, *2sg* tógfair **M** tógfaidh muid **CU** *rel*. a thógfas

109 tóg lift   tógáil   tógtha

an modh coinníollach	the conditional mood
thógfainn	ní thógfadh
thógfá	an dtógfadh?
thógfadh sé/sí	go dtógfadh
thógfaimis	nach dtógfadh
thógfadh sibh	
thógfaidís	thóigfeadh C
thógfaí	

1pl thóigfeadh muid C 3pl thógfadh siad U

an aimsir ghnáthchaite	the imperfect tense
thógainn	ní thógadh
thógtá	an dtógadh?
thógadh sé/sí	go dtógadh
thógaimis	nach dtógadh
thógadh sibh	
thógaidís	thóigeadh C
thógtaí	

1pl thóigeadh muid C 3pl thógadh siad, Ba ghnách liom tógáil U

an modh ordaitheach the imperative mood	an foshuiteach láithreach the present subjunctive
tógaim	go dtóga mé
tóg	go dtóga tú
tógadh sé/sí	go dtóga sé/sí
tógaimis	go dtógaimid
tógaigí	go dtóga sibh
tógaidís	go dtóga siad
tógtar	go dtógtar
ná tóg	nár thóga

3pl tógadh siad U

1pl go dtóga muid U
go dtóige C

110 tosaigh begin   tosú   tosaithe

an aimsir chaite	the past tense	
thosaigh mé	níor thosaigh	thosnaigh **M**
thosaigh tú	ar thosaigh?	thoisigh **U**
thosaigh sé/sí	gur thosaigh	
thosaíomar	nár thosaigh	
thosaigh sibh	níor tosaíodh	
thosaigh siad	ar tosaíodh?	
tosaíodh	gur/nár tosaíodh	

1sg (do) thosnaíos, 2sg (do) thosnaís, 2pl (do) thosnaíobhair **M**
1pl thosaigh muid **C** 3pl thos(n)aíodar **MC** thoisigh mé, muid **U**

an aimsir láithreach	the present tense
tosaím	ní thosaíonn
tosaíonn tú	an dtosaíonn?
tosaíonn sé/sí	go dtosaíonn
tosaímid	nach dtosaíonn
tosaíonn sibh	tosnaíonn **M**
tosaíonn siad	toisíonn/toiseann **U**
tosaítear	

1pl tosaíonn muid **C** 3pl tosnaíd (siad) **M**
toisim, toiseann sé, muid etc. **U** rel. a thosaíos/a thoisíos

an aimsir fháistineach	the future tense
tosóidh mé	ní thosóidh
tosóidh tú	an dtosóidh?
tosóidh sé/sí	go dtosóidh
tosóimid	nach dtosóidh
tosóidh sibh	tosnóidh **M**
tosóidh siad	toiseochaidh **U**
tosófar	

1sg tosnód, 2sg tosnóir **M** 1pl tosóidh muid **C**
toiseochaidh mé/muid etc. **U** rel. a thosós/a thoiseochas

110 tosaigh begin tosú tosaithe

an modh coinníollach the conditional mood

thosóinn	ní thosódh
thosófá	an dtosódh?
thosódh sé/sí	go dtosódh
thosóimis	nach dtosódh
thosódh sibh	thosnódh **M**
thosóidís	thoiseochadh **U**
thosófaí	

1sg thoiseochainn, *3sg* thoiseochadh sé/siad *etc.* **U**
1pl thosódh muid **C**

an aimsir ghnáthchaite the imperfect tense

thosaínn	ní thosaíodh
thosaíteá	an dtosaíodh?
thosaíodh sé/sí	go dtosaíodh
thosaímis	nach dtosaíodh
thosaíodh sibh	thosnaíodh **M**
thosaídís	thoisíodh **U**
thosaítí	

1pl thosaíodh muid **C** *3pl* thoisíodh siad **U**
Ba ghnách liom toiseacht *etc.* **U**

an modh ordaitheach the imperative mood / an foshuiteach láithreach the present subjunctive

an modh ordaitheach the imperative mood	an foshuiteach láithreach the present subjunctive
tosaím	go dtosaí mé
tosaigh	go dtosaí tú
tosaíodh sé/sí	go dtosaí sé/sí
tosaímis	go dtosaímid
tosaígí	go dtosaí sibh
tosaídís	go dtosaí siad
tosaítear	go dtosaítear
ná tosaigh	nár thosaí

3pl toisíodh siad **U**

1pl go dtosaí muid **C**
go dtoisí **U**, go dtosnaí **M**

111 **trácht** mention **trácht   tráchta**

an aimsir chaite	the past tense
thrácht mé	níor thrácht
thrácht tú	ar thrácht?
thrácht sé/sí	gur thrácht
thráchtamar	nár thrácht
thrácht sibh	níor tráchtadh
thrácht siad	ar tráchtadh?
tráchtadh	gur/nár tráchtadh

1sg (do) thráchtas, *2sg* (do) thráchtais, *2pl* (do) thráchtabhair **M**
1pl thrácht muid **CU** *3pl* (do) thráchtadar **MC**

an aimsir láithreach	the present tense
tráchtaim	ní thráchtann
tráchtann tú	an dtráchtann?
tráchtann sé/sí	go dtráchtann
tráchtaimid	nach dtráchtann
tráchtann sibh	
tráchtann siad	
tráchtar	

1pl tráchtann muid **CU** *3pl* tráchtaid (siad) **M** *rel.* a thráchtas

an aimsir fháistineach	the future tense
tráchtfaidh mé	ní thráchtfaidh
tráchtfaidh tú	an dtráchtfaidh?
tráchtfaidh sé/sí	go dtráchtfaidh
tráchtfaimid	nach dtráchtfaidh
tráchtfaidh sibh	
tráchtfaidh siad	
tráchtfar	

1sg tráchtfad, *2sg* tráchtfair **M** tráchtfaidh muid **CU**
rel. a thráchtfas

111 **trácht** mention **trácht tráchta**

an modh coinníollach the conditional mood

thráchtfainn	ní thráchtfadh
thráchtfá	an dtráchtfadh?
thráchtfadh sé/sí	go dtráchtfadh
thráchtfaimis	nach dtráchtfadh
thráchtfadh sibh	
thráchtfaidís	
thráchtfaí	

1pl thráchtfadh muid **C** *3pl* thráchtfadh siad **U**

an aimsir ghnáthchaite　the imperfect tense

thráchtainn	ní thráchtadh
thráchtá	an dtráchtadh?
thráchtadh sé/sí	go dtráchtadh
thráchtaimis	nach dtráchtadh
thráchtadh sibh	
thráchtaidís	
thráchtaí	

1pl thráchtadh muid **C** *3pl* thráchtadh siad **U**
Ba ghnách liom trácht **U**

an modh ordaitheach the imperative mood / an foshuiteach láithreach the present subjunctive

an modh ordaitheach the imperative mood	an foshuiteach láithreach the present subjunctive
tráchtaim	go dtráchta mé
trácht	go dtráchta tú
tráchtadh sé/sí	go dtráchta sé/sí
tráchtaimis	go dtráchtaimid
tráchtaigí	go dtráchta sibh
tráchtaidís	go dtráchta siad
tráchtar	go dtráchtar
ná trácht	nár thráchta

3pl tráchtadh siad **U**　　*1pl* go dtráchta muid **CU**

112 triomaigh dry   triomú   triomaithe

an aimsir chaite   the past tense

thriomaigh mé	níor thriomaigh
thriomaigh tú	ar thriomaigh?
thriomaigh sé/sí	gur thriomaigh
thriomaíomar	nár thriomaigh
thriomaigh sibh	níor triomaíodh
thriomaigh siad	ar triomaíodh?
triomaíodh	gur/nár triomaíodh

1sg (do) thriomaíos, *2sg* (do) thriomaís, *2pl* (do) thriomaíobhair **M**
1pl thriomaigh muid **UC** *3pl* thriomaíodar **MC**

an aimsir láithreach   the present tense

triomaím	ní thriomaíonn
triomaíonn tú	an dtriomaíonn?
triomaíonn sé/sí	go dtriomaíonn
triomaímid	nach dtriomaíonn
triomaíonn sibh	
triomaíonn siad	
triomaítear	

1pl triomaíonn muid **C** *3pl* triomaíd (siad) **M**
triomaim, triomann sé/muid **U** *rel*. a thriomaíos

an aimsir fháistineach   the future tense

triomóidh mé	ní thriomóidh
triomóidh tú	an dtriomóidh?
triomóidh sé/sí	go dtriomóidh
triomóimid	nach dtriomóidh
triomóidh sibh	
triomóidh siad	triomóchaidh **U**
triomófar	

1sg triomód, *2sg* triomóir **M** *1pl* triomóidh muid **C**
triomóchaidh mé/muid *etc*. **U** *rel*. a thriomós/a thriomóchas

112 **triomaigh** dry **triomú triomaithe**

an modh coinníollach	**the conditional mood**
thriomóinn	ní thriomódh
thriomófá	an dtriomódh?
thriomódh sé/sí	go dtriomódh
thriomóimis	nach dtriomódh
thriomódh sibh	
thriomóidís	thriomóchadh **U**
thriomófaí	

1sg thriomóchainn, 3sg thriomóchadh sé/siad *etc.* **U**
1pl thriomódh muid **C**

an aimsir ghnáthchaite	**the imperfect tense**
thriomaínn	ní thriomaíodh
thriomaíteá	an dtriomaíodh?
thriomaíodh sé/sí	go dtriomaíodh
thriomaímis	nach dtriomaíodh
thriomaíodh sibh	
thriomaídís	
thriomaítí	

1pl thriomaíodh muid **C** 3pl thriomaíodh siad **U**
Ba ghnách liom triomú *etc.* **U**

an modh ordaitheach **the imperative mood**	**an foshuiteach láithreach** **the present subjunctive**
triomaím	go dtriomaí mé
triomaigh	go dtriomaí tú
triomaíodh sé/sí	go dtriomaí sé/sí
triomaímis	go dtriomaímid
triomaígí	go dtriomaí sibh
triomaídís	go dtriomaí siad
triomaítear	go dtriomaítear
ná triomaigh	nár thriomaí

3pl triomaíodh siad **U**   1pl go dtriomaí muid **CU**

113 **tuig** understand **tuiscint tuigthe**

an aimsir chaite   the past tense

an aimsir chaite	the past tense
thuig mé	níor thuig
thuig tú	ar thuig?
thuig sé/sí	gur thuig
thuigeamar	nár thuig
thuig sibh	níor tuigeadh
thuig siad	ar tuigeadh?
tuigeadh	gur/nár tuigeadh

1sg (do) thuigeas, *2sg* (do) thuigis, *2pl* (do) thuigeabhair **M**
1pl thuig muid **CU** *3pl* (do) thuigeadar **MC**

an aimsir láithreach   the present tense

an aimsir láithreach	the present tense
tuigim	ní thuigeann
tuigeann tú	an dtuigeann?
tuigeann sé/sí	go dtuigeann
tuigimid	nach dtuigeann
tuigeann sibh	
tuigeann siad	
tuigtear	

1pl tuigeann muid **CU** *3pl* tuigid (siad) **M** *rel.* a thuigeas

an aimsir fháistineach   the future tense

an aimsir fháistineach	the future tense
tuigfidh mé	ní thuigfidh
tuigfidh tú	an dtuigfidh?
tuigfidh sé/sí	go dtuigfidh
tuigfimid	nach dtuigfidh
tuigfidh sibh	
tuigfidh siad	
tuigfear	

1sg tuigfead, *2sg* tuigfir **M** tuigfidh muid **CU** *rel.* a thuigfeas

113 **tuig** understand **tuiscint** **tuigthe**

an modh coinníollach
the conditional mood

thuigfinn	ní thuigfeadh
thuigfeá	an dtuigfeadh?
thuigfeadh sé/sí	go dtuigfeadh
thuigfimis	nach dtuigfeadh
thuigfeadh sibh	
thuigfidís	
thuigfí	

1pl thuigfeadh muid **C** *3pl* thuigfeadh siad **U**

an aimsir ghnáthchaite
the imperfect tense

thuiginn	ní thuigeadh
thuigteá	an dtuigeadh?
thuigeadh sé/sí	go dtuigeadh
thuigimis	nach dtuigeadh
thuigeadh sibh	
thuigidís	
thuigtí	

1pl thuigeadh muid **C** *3pl* thuigeadh siad **U**
Ba ghnách liom tuigbheáil *etc.* **U**

an modh ordaitheach
the imperative mood

an foshuiteach láithreach
the present subjunctive

tuigim	go dtuige mé
tuig	go dtuige tú
tuigeadh sé/sí	go dtuige sé/sí
tuigimis	go dtuigimid
tuigigí	go dtuige sibh
tuigidís	go dtuige siad
tuigtear	go dtuigtear
ná tuig	nár thuige

3pl tuigeadh siad **U**

1pl go dtuige muid **CU**

114 **tuirsigh** tire **tuirsiú** **tuirsithe**

an aimsir chaite	**the past tense**
thuirsigh mé	níor thuirsigh
thuirsigh tú	ar thuirsigh?
thuirsigh sé/sí	gur thuirsigh
thuirsíomar	nár thuirsigh
thuirsigh sibh	níor tuirsíodh
thuirsigh siad	ar tuirsíodh?
tuirsíodh	gur/nár tuirsíodh

1sg (do) thuirsíos, 2sg (do) thuirsís, 2pl (do) thuirsíobhair **M**
1pl thuirsigh muid **UC** 3pl thuirsíodar **MC**

an aimsir láithreach	**the present tense**
tuirsím	ní thuirsíonn
tuirsíonn tú	an dtuirsíonn?
tuirsíonn sé/sí	go dtuirsíonn
tuirsímid	nach dtuirsíonn
tuirsíonn sibh	
tuirsíonn siad	
tuirsítear	

1pl tuirsíonn muid **C** 3pl tuirsíd (siad) **M**
tuirsim, tuirseann sé/muid **U** rel. a thuirsíos

an aimsir fháistineach	**the future tense**
tuirseoidh mé	ní thuirseoidh
tuirseoidh tú	an dtuirseoidh?
tuirseoidh sé/sí	go dtuirseoidh
tuirseoimid	nach dtuirseoidh
tuirseoidh sibh	
tuirseoidh siad	tuirseochaidh **U**
tuirseofar	

1sg tuirseod, 2sg tuirseoir **M** 1pl tuirseoidh muid **C**
tuirseochaidh mé/muid *etc.* **U** rel. a thuirseos/a thuirseochas

114 tuirsigh tire   tuirsiú   tuirsithe

an modh coinníollach	the conditional mood
thuirseoinn	ní thuirseodh
thuirseofá	an dtuirseodh?
thuirseodh sé/sí	go dtuirseodh
thuirseoimis	nach dtuirseodh
thuirseodh sibh	
thuirseoidís	thuirseochadh **U**
thuirseofaí	

1sg thuirseochainn, 3sg thuirseochadh sé, siad etc. **U**
1pl thuirseodh muid **C**

an aimsir ghnáthchaite	the imperfect tense
thuirsínn	ní thuirsíodh
thuirsíteá	an dtuirsíodh?
thuirsíodh sé/sí	go dtuirsíodh
thuirsímis	nach dtuirsíodh
thuirsíodh sibh	
thuirsídís	
thuirsítí	

1pl thuirsíodh muid **C**, 3pl thuirsíodh siad **U**
Ba ghnách liom tuirsiú etc. **U**

an modh ordaitheach the imperative mood	an foshuiteach láithreach the present subjunctive
tuirsím	go dtuirsí mé
tuirsigh	go dtuirsí tú
tuirsíodh sé/sí	go dtuirsí sé/sí
tuirsímis	go dtuirsímid
tuirsígí	go dtuirsí sibh
tuirsídís	go dtuirsí siad
tuirsítear	go dtuirsítear
ná tuirsigh	nár thuirsí

3pl tuirsíodh siad **U**

1pl go dtuirsí muid **CU**

115 ullmaigh prepare ullmhú ullmhaithe

an aimsir chaite	the past tense
d'ullmhaigh mé	níor ullmhaigh
d'ullmhaigh tú	ar ullmhaigh?
d'ullmhaigh sé/sí	gur ullmhaigh
d'ullmhaíomar	nár ullmhaigh
d'ullmhaigh sibh	níor ullmhaíodh/níor hu.
d'ullmhaigh siad	ar ullmhaíodh?
ullmhaíodh/hullmhaíodh	gur/nár ullmhaíodh

1sg d(h)'ullmhaíos, 2sg d(h)'ullmhaís, 2pl d(h)'ullmhaíobhair **M**
1pl d'ullmhaigh muid **UC** 3pl d'ullmhaíodar **MC**

an aimsir láithreach	the present tense
ullmhaím	ní ullmhaíonn
ullmhaíonn tú	an ullmhaíonn?
ullmhaíonn sé/sí	go n-ullmhaíonn
ullmhaímid	nach n-ullmhaíonn
ullmhaíonn sibh	
ullmhaíonn siad	
ullmhaítear	

1pl ullmhaíonn muid **C** 3pl ullmhaíd (siad) **M**
ullmhaim, ullmhann sé/muid etc. **U** rel. a ullmhaíos

an aimsir fháistineach	the future tense
ullmhóidh mé	ní ullmhóidh
ullmhóidh tú	an ullmhóidh?
ullmhóidh sé/sí	go n-ullmhóidh
ullmhóimid	nach n-ullmhóidh
ullmhóidh sibh	
ullmhóidh siad	ullmhóchaidh **U**
ullmhófar	

1sg ullmhód, 2sg ullmhóir **M** 1pl ullmhóidh muid **C**
ullmhóchaidh mé/muid etc. **U** rel. a ullmhós/a ullmhóchas

115 ullmaigh prepare   ullmhú   ullmhaithe

an modh coinníollach
d'ullmhóinn
d'ullmhófá
d'ullmhódh sé/sí
d'ullmhóimis
d'ullmhódh sibh
d'ullmhóidís
d'ullmhófaí

the conditional mood
ní ullmhódh
an ullmhódh?
go n-ullmhódh
nach n-ullmhódh

d'ullmhóchadh **U**

1sg d'ullmhóchainn, *3sg* d'ullmhóchadh sé/siad *etc.* **U**
1pl d'ullmhódh muid **C**

an aimsir ghnáthchaite
d'ullmhaínn
d'ullmhaíteá
d'ullmhaíodh sé/sí
d'ullmhaímis
d'ullmhaíodh sibh
d'ullmhaídís
d'ullmhaítí

the imperfect tense
ní ullmhaíodh
an ullmhaíodh?
go n-ullmhaíodh
nach n-ullmhaíodh

1pl d'ullmhaíodh muid **C** *3pl* d'ullmhaíodh siad **U**
Ba ghnách liom ullmhú *etc.* **U**

an modh ordaitheach
the imperative mood
ullmhaím
ullmhaigh
ullmhaíodh sé/sí
ullmhaímis
ullmhaígí
ullmhaídís
ullmhaítear
  ná hullmhaigh

an foshuiteach láithreach
the present subjunctive
go n-ullmhaí mé
go n-ullmhaí tú
go n-ullmhaí sé/sí
go n-ullmhaímid
go n-ullmhaí sibh
go n-ullmhaí siad
go n-ullmhaítear
  nár ullmhaí

3pl ullmhaíodh siad **U**

1pl go n-ullmhaí muid

Aguisín A

San aguisín seo beidh seans ag an fhoghlaimeoir barúil a bheith aige/aici den chiall atá leis na foirmeacha difriúla den bhriathar a chuirtear ar fáil sna táblaí.

54 glan clean — glanadh   glanta

an aimsir chaite	the past tense
ghlan mé	n'or ghlan (sé)
ghlan tú	ar ghlan (sé)?
ghlan sé/sí	gur ghlan (sé)
ghlanamar	nár ghlan (sé)
ghlan sibh	n'or glanadh (sé)
ghlan siad	ar glanadh (sé)?
glanfadh (é)	gur/nár glanadh (sé)?

1sg (do) ghlanas, *2sg* (do) ghlanais, *2pl* (do) ghlanabhair **Cœige Mumhan**
1pl ghlan muid **Cœige Chonnacht, Cœige Uladh** *3pl* (do) ghlanadar **MC**

an aimsir láithreach	the present tense
glanaim	n' ghlanann (sé)
glanann tú	an nglanann (sé)?
glanann sé/sí	go nglanann (sé)
glanaimid	nach nglanann (sé)
glanann sibh	
glanann siad	
glantar (é)	

1pl glanann muid **CU** *3pl* glanaid (siad) **M** *rel.* a ghlanas

an aimsir fháistineach	the future tense
glanfaidh mé	ní ghlanfaidh (sé)
glanfaidh tú	an ní glanfaidh (sé)?
glanfaidh sé/sí	go nglanfaidh (sé)
glanfaimid	nach nglanfaidh (sé)
glanfaidh sibh	
glanfaidh siad	
glanfar (é)	

1sg glanfad, *2sg* glanfair **M** glanfaidh muid **CU** *rel.* a ghlanfas

Appendix A

This appendix allows the learner to form some idea of the meanings of the various parts of the verb which are provided in the tables.

54 glan clean   **glanadh** to clean   **glanta** cleaned

an aimsir chaite

I cleaned
you (*sg.*) cleaned
he/she cleaned
we cleaned
you (*pl.*) cleaned
they cleaned
(it) was cleaned

the past tense

(he) did not clean
did (he) clean?
that (he) cleaned
that (he) did not clean
(it) was. not cleaned
was (it) cleaned?
that (it) was/(not) cleaned

1sg I cleaned, *2sg* you cleaned, *2pl* you cleaned **Munster**
1pl we cleaned **Connaught**, **Ulster** *3pl* they cleaned **MC**

an aimsir láithreach

I clean (he)
you (*sg.*) clean
he/she cleans
we clean
you (*pl.*) clean
they clean
(it) is cleaned

the present tense

does not clean
does (he) clean?
that (he) cleans
that (he) does not clean

1pl we clean **CU** *3pl* they clean **M** *rel* who/which cleans

an aimsir fháistineach

I shall/will clean
you (*sg.*) will clean
he/she will clean
we shall/will clean
you (*pl.*) will clean
they will clean
(it) will be cleaned

the future tense

(he) will not clean
will (he) clean?
that (he) will clean
that (he) will not clean

1sg I shall clean, *2sg* you will clean **M** we shall clean **CU** *rel.* who/which will clean

241

Aguisín A

54 glan clean

an modh coinníollach
ghlanfainn
ghlanfá
ghlanfadh sé/sí
ghlanfaimis
ghlanfadh sibh
ghlanfaidís
ghlanfaí (é)

glanadh   glanta

the conditional mood
ní ghlanfadh (sé)
an nglanfadh (sé)?
go nglanfadh (sé)
nach nglanfadh (sé)

1pl ghlanfadh muid **C** *3pl* ghlanfadh siad **U**

an aimsir ghnáthchaite
ghlanainn
ghlantá
ghlanadh sé/sí
ghlanaimis
ghlanadh sibh
ghlanaidís
ghlantaí (é)

the imperfect tense
ní ghlanadh (sé)
an nglanadh (sé)?
go nglanadh (sé)
nach nglanadh (sé)

1pl ghlanadh muid **C** *3pl* ghlanadh siad **U**
Ba ghnách liom glanadh *etc.* **U**

an modh ordaitheach
the imperative mood
glanaim
glan
glanadh sé/sí
glanaimis
glanaigí
glanaidís
glantar (é)
  ná glan

3pl glanadh siad **U**

an foshuiteach láithreach
the present subjunctive
go nglana mé
go nglana tú
go nglana sé/sí
go nglanaimid
go nglana sibh
go nglana siad
go nglantar (é)
  nár ghlana (sé)

1pl go nglana muid **CU**

Appendix A

54 glan clean   **glanadh** to clean   **glanta** cleaned

an modh coinníollach	**the conditional mood**
I would clean	(he) would not clean
you (*sg.*) would clean	would (he) clean?
he/she would clean	that (he) would clean
we would clean	that (he) would not clean
you (*pl.*) would clean	
they would clean	
(it) would be cleaned	

1pl we would clean **C** *3pl* they would clean **U**

an aimsir ghnáthchaite	**the imperfect tense**
I used to clean	(he) did not used to clean
you (*sg.*) used to clean	did (he) used to clean?
he/she used to clean	that (he) used to clean
we used to clean	that (he) did not used to clean
you (*pl.*) used to clean	
they used to clean	
(it) used to be cleaned	

1pl we used to clean **C** *3pl* they used to clean **U**
It was customary for me to clean *etc.* **U**

an modh ordaitheach **imperative mood**	**an foshuiteach láithreach the** **the present subjunctive**
let me clean	may I clean
clean (*sg.*)	may you (*sg.*) clean
let him/her clean	may he/she clean
let us clean	may we clean
clean (*pl.*)	may you ((*pl.*) clean
let them clean	may they clean
let (it) be cleaned	may (it) be cleaned
do not clean	may (he) not clean

3pl let them clean **U**   *1pl* may we clean **CU**

AN tINNÉACS

§1 Treoir don léitheoir

Sa leabhar seo réimnítear 115 briathar (nó 'eochairbhriathar') ina n-iomláine
.i. 11 briathar mírialta, 103 sampla de phríomhaicmí na mbriathra rialta – agus
roinnt samplaí den chopail. Tá uimhir ag siúl le gach briathar atá sna táblaí agus ní
gá don léitheoir ach dhul go dtí an tábla cuí leis an bhriathar áirithe sin a fheiceáil.

Le cois tháblaí na mbriathra do 115 eochairbhriathar, tá timpeall 3300 briathar
eile san innéacs agus, i gcolún a cúig, ceanglaítear na briathra seo le
heochairbhriathar atá le fáil sna táblaí.

§2 Leagtar an t-innéacs amach mar a leanas:

gas/fréamh	Béarla	ainm briathartha	aidiacht bhr.	briathar gaolta
cíor	comb, examine	cíoradh	cíortha	19

Ciallaíonn an méid thuas go bhfuil an briathar *cíor* ar aon dul leis an bhriathar
cas agus go bhfeidhmneoidh *cas* mar mhúnla ag *cíor*. Má amharctar ar *cas* sna
táblaí beidh go leor eolais ag an léitheoir le *cíor* a réimniú ach *cíor* (nó *chíor, gcíor*)
a chur in áit *cas* (nó *chas, gcas*) i ngach aimsir agus modh.

Colún 1 Tugtar gas (nó fréamh) an bhriathair sa chéad cholún, .i. an 2ú pearsa
uimhir uatha den mhodh ordaitheach. Tá an fhoirm seo mar bhunchloch do
réimniú na mbriathra rialta sa Ghaeilge (fch **réimnithe na mbriathra rialta
§§3-12** thíos).

Colún 2 Tugtar míniú i mBéarla ar gach briathar sa cholún seo.

Colún 3 Tugtar an t-ainm briathartha anseo. Tá dhá fhoirm ar leith de gach
briathar atá fíorthábhachtach ag foghlaimeoir .i. gas an bhriathair agus an
t-ainm briathartha. Tiocfaidh an léitheoir ar an dá phíosa eolais sin go héascaí
san innéacs seo – rud atá ina bhuntáiste mhór – agus ba cheart breathnú ar an
ghné seo mar chuid bhunúsach d'úsáid an leabhair seo.

Níorbh fhéidir an briathar a rangú de réir fhoirm an ainm briathartha (ó tharla
an oiread sin mírialtachta agus éagsúlachta ag baint leis an fhoirm áirithe seo)
ach tá baint lárnach ag an ainm briathartha le struchtúr na Gaeilge. Baintear
ollúsáid as an ainm briathartha mar infinideach agus thig aimsirí áirithe foirfe
agus timchainteacha mar seo a lua, mar shamplaí:

THE INDEX

§1 Reader's guide

In this book 115 verbs (or 'key verbs') are conjugated in full, i.e. the 11 irregular verbs, 103 examples of the main categories of regular verb – plus samples of the copula. Each verb given in the tables is numbered and the reader need only go to the relevant table to see that particular verb. In addition to the 115 verb tables for the key verbs, approximately 3300 other verbs are listed in the index and in column 5 of the index, all of these verbs are associated with a key verb.

§2 The index is set out as follows:

stem/root	English	verbal noun	verbal adjective	verb type
cíor	comb, examine	cíoradh	cíortha	19

The above tells us that the verb *cíor* belongs to the same category (or 'conjugation') as *cas* and that *cas* will serve as a model for *cíor*. If the table containing *cas* is consulted there will be enough information there to enable the reader to conjugate *cíor* by simply placing *cíor* (or *chíor, gcíor*) for *cas* (or *chas, gcas*) in every tense and mood.

Column 1 The stem of the verb is provided in the first column, i.e. the 2ⁿᵈ person singular of the imperative mood. This form serves as a building block for the conjugation of the verb in modern Irish (see **conjugations of the regular verb**, **§§3-12** below).

Column 2 An English meaning is provided for each verb in this column.

Column 3 The verbal noun is given here. It is crucial for the learner to know two verbal forms in particular, i.e. the stem and the verbal noun. The learner has easy access to these two pieces of information in the index (a great plus – and this aspect should be regarded as a fundamental use to be made of this book).

The verb could not be categorised according to the verbal noun (given the great irregularity and variety associated with it) but the verbal noun is central to the structure of Irish. It is widely used as an infinitive and certain perfect, and other periphrastic or compound, tenses (such as the following) can be cited as examples:

Tá sé (díreach) i ndiaidh an teach a ghlanadh.
He has (only) just cleaned the house.
Tá sé (díreach) tar éis an teach a ghlanadh.
He has (only) just cleaned the house.
Tá sé ar tí an teach a ghlanadh.
He is about to clean the house.
Tá sé ag brath an teach a ghlanadh.
He intends to clean the house.
Tá sé chun an teach a ghlanadh.
He intends to clean the house.

Colún 4 Tugtar an aidiacht bhriathartha anseo. Tá baint lárnach ag an fhoirm seo leis an fhoirfe sa Ghaeilge, le húsáid an bhriathair *bí* +an aidiacht bhriathartha + *ag*, mar shampla:

Tá sé déanta agam.	'I have done it.'
Bhí sé déanta agam.	'I had done it.'

Colún 5 Más eochairbhriathar atá ann tabharfar uimhir an bhriathair áirithe sin sna táblaí, m.sh. *cas* **19**, *suigh* **97** srl. Murab eochairbhriathar atá ann, tabharfar ainm eochairbhriathair a bheidh mar bhunmhúnla ag an bhriathar áirithe sin, m.sh. *cas* do *cíor* (**§2** thuas).

§3 an chéad agus an dara réimniú den bhriathar
Tá dhá phríomhréimiú (nó dhá phríomhghrúpa) den bhriathar rialta .i. an chéad réimniú (**§5**) agus an dara réimniú (**§8**).

§4 'leathan le leathan' agus 'caol le caol'
Baistear gutaí 'leathana' ar *a*, *o*, *u* (.i. na gutaí cúil) agus gutaí 'caola' ar *e* agus i (.i. na gutaí tosaigh).

Más é *a*, *o* nó *u* an guta deiridh sa ghas (i mbriathra a bhaineann leis an chéad réimniú), baistear **gas leathan** ar an ghas sin (m.sh. **cas** 'twist', **díol** 'sell' nó **cum** 'compose').

Más é *i* an guta deiridh sa ghas, baistear **gas caol** air sin (m.sh. **caill** 'lose', **lig** 'let').

Comhlíonann na foircinn **-ann**, **-faidh**, **-fadh** srl. an riail 'leathan le leathan' (*a*, *o*, *u* taobh le *a*, *o*, *u*), m.sh.

ca**sann**	ca**sfaidh**	cha**sfadh**
dí**olann**	dí**olfaidh**	dhí**olfadh**
dú**nann**	dú**nfaidh**	dhú**nfadh**
twists	will twist	would twist
sells	will sell	would sell
closes	will close	would close

Tá sé (díreach) i ndiaidh an teach a ghlanadh.
He has (only) just cleaned the house.
Tá sé (díreach) tar éis an teach a ghlanadh.
He has (only) just cleaned the house.
Tá sé ar tí an teach a ghlanadh.
He is about to clean the house.
Tá sé ag brath an teach a ghlanadh.
He intends to clean the house.
Tá sé chun an teach a ghlanadh.
He intends to clean the house.

Column 4 The verbal adjective (or past participle) is given here. This form is central to the formation of the perfect tenses, in the combination the verb *bí* 'be' + verbal adjective + the preposition *ag* 'at', as in:

Tá sé déanta agam.	'I have done it.'
Bhí sé déanta agam.	'I had done it.'

Column 5 If a verb is a key verb, the number at which it occurs in the tables is given, e.g. *cas* **19**, *suigh* **97** etc. If it is not a key verb, the name of the verb which will serve as a basic model for that particular verb will be given, e.g. *cas* for *cíor* (§2 above).

§3 the first and second conjugation of the verb

There are two main conjugations (or categories) of regular verb in Irish, i.e. the first conjugation (§5) and the second conjugation (§8).

§4 'broad with broad' and 'slender with slender'

The (back) vowels *a, o, u* are described as 'broad' vowels and the (front) vowels *e* and *i* as 'slender'.

If *a, o* or *u* is the final vowel in the stem (for verbs belonging to the 1st conjugation), this is called a **broad stem** (e.g. **cas** 'twist', **díol** 'sell' or **cum** 'compose').

If *i* is the final vowel, this is called a **slender stem** (e.g. **caill** 'lose', **lig** 'let').

The suffixes **-ann**, **-faidh**, **-fadh** etc. maintain the rule 'broad with broad' (i.e. *a, o, u* beside *a, o, u*), e.g.

casann	**casfaidh**	**chasfadh**
díolann	**díolfaidh**	**dhíolfadh**
dúnann	**dúnfaidh**	**dhúnfadh**
twists	will twist	would twist
sells	will sell	would sell
closes	will close	would close

Comhlíonann na foircinn **-eann**, **-fidh**, **-feadh** srl. an riail 'caol le caol' .i.
(*e*, *i* taobh le *e*, *i*), m.sh.

cailleann	caillfidh	chaillfeadh
ligeann	ligfidh	ligfeadh
loses	will lose	would lose
lets	will let	would let

Is ag brath ar an ghuta deiridh sa 'ghas ghearr' atá leithne agus caoile na mbriathra
as an 2ú réimniú agus na mbriathra coimrithe, fch §§8-10 (agus §§11-12).

§5 an chéad réimniú, leathan agus caol

Bunús na mbriathra rialta a bhfuil gas aonsiollach acu baineann siad leis an
chéad réimniú, m.sh. **bog** 'move', nó **bris** 'break'. Sa leabhar seo toghadh na
briathra a leanas mar shamplaí den chéad réimniú leathan agus caol:

an chéad	*réimniú leathan*	*an chéad*	*réimniú caol*
amharc	look	**bain**	take, win
at	swell	**bris**	break
bog	move	**caill**	lose
cas	twist	**caith**	throw
díol	sell	**cuir**	put
dún	close	**druid**	close
fág	leave	**éist**	listen
fan	wait	**fill/pill**	return
fás	grow	**géill**	yield
fliuch	wet	**lig**	let
glan	clean	**mill**	destroy
iarr	ask	**oil**	rear
las	light	**rith**	run
meath	decay	**roinn**	divide
mol	praise	**scaoil**	loosen
ól	drink	**sín**	stretch
pós	marry	**tiomáin**	drive
scríobh	write	**tit**	fall
seas	stand	**tuig**	understand
teann	tighten		
tóg	lift		
trácht	mention		

Nóta: Cé go bhfuil gas caol ag na briathra **siúil** 'walk' agus **taispeáin** 'show' (**shiúil**
'walked', **thaispeáin** 'showed'), leathnaítear gas na mbriathra seo nuair a chuirtear
foircinn leo: m.sh.

The suffixes **-eann**, **-fidh**, **-feadh** maintain the rule 'slender with slender' (.i.e. *e*, *i* beside *e*, *i*), e.g.

cailleann	caillfidh	chaillfeadh
ligeann	ligfidh	ligfeadh
loses	will lose	would lose
lets	will let	would let

The way to determine broad or slender stems for 2ⁿᵈ conjugation (and syncopated) verbs is based on the last vowel in the 'short' stems, see §§8-10 (and §11-12).

§5 the first conjugation, broad and slender
Most verbs with a single syllable in the stem belong to the first conjugation, e.g. **bog** 'move', or **bris** 'break'. The following verbs have been selected as examples of 1ˢᵗ conjugation broad and slender:

first conjugation broad		*first conjugation slender*	
amharc	look	**bain**	take, win
at	swell	**bris**	break
bog	move	**caill**	lose
cas	twist	**caith**	throw
díol	sell	**cuir**	put
dún	close	**druid**	close
fág	leave	**éist**	listen
fan	wait	**fill/pill**	return
fás	grow	**géill**	yield
fliuch	wet	**lig**	let
glan	clean	**mill**	destroy
iarr	ask	**oil**	rear
las	light	**rith**	run
meath	decay	**roinn**	divide
mol	praise	**scaoil**	loosen
ól	drink	**sín**	stretch
pós	marry	**tiomáin**	drive
scríobh	write	**tit**	fall
seas	stand	**tuig**	understand
teann	tighten		
tóg	lift		
trácht	mention		

Note: Although the verbs **siúil** 'walk' and **taispeáin** 'show' have slender stems (**shiúil** 'walked', **thaispeáin** 'showed'), the stems are broadened when suffixes are added, e.g.

siúlann 'walks'	siúlfaidh 'will walk'
taispeánann 'shows'	taispeánfaidh 'will show'

§6 An chéad réimniú leathan

Réimnítear **bog** 'move' mar a leanas sna haimsirí agus sna modhanna seo nuair a chuirtear foirceann leis:

láithreach	bog**ann** sé	he moves
fáistineach	bog**faidh** sé	he will move
coinníollach	**bh**og**fadh** sé	he would move
gnáthchaite	**bh**og**adh** sé	he used to move
ordaitheach	bog**adh** sé	let him move
foshuiteach láithr.	go mbog**a** sé	may he move

§7 1ᵘ réimniú caol Réimnítear **bris** 'break' mar:

láithreach	bris**eann** sé	he breaks
fáistineach	bris**fidh** sé	he will break
coinníollach	**bh**ris**feadh** sé	he would break
gnáthchaite	**bh**ris**eadh** sé	he used to break
ordaitheach	bris**eadh** sé	let him break
foshuiteach láithr.	go mbris**e** sé	may he break

§8 an dara réimniú

Is iad na briathra déshiollacha (nó ilsiollacha) a chríochnaíonn in **-igh** an aicme is coitianta sa dara réimniú, m.sh. **ceannaigh** 'buy' nó **coinnigh** 'keep'. Sa leabhar seo toghadh na briathra a leanas mar shamplaí den dara réimniú leathan agus caol:

an dara réimniú leathan *-aigh*			an dara réimniú caol *-igh*		
gas fada	gas gearr		gas fada	gas gearr	
athraigh	**athr-**	change	**bailigh**	**bail-**	collect
beannaigh	**beann-**	bless	**coinnigh**	**coinn-**	keep
ceannaigh	**ceann-**	buy	**cruinnigh**	**cruinn-**	gather
dathaigh	**dath-**	colour	**dírigh**	**dír-**	straighten
eagraigh	**eagr-**	organise	**dúisigh**	**dúis-**	awaken
fiafraigh	**fiafr-**	ask	**éirigh**	**éir-**	get up
ionsaigh	**ions-**	attack	**foilsigh**	**foils-**	publish
maraigh	**mar-**	kill	**imigh**	**im-**	leave
mionnaigh	**mionn-**	swear	**mínigh**	**mín-**	explain
neartaigh	**neart-**	strengthen	**sínigh**	**sín-**	sign
ordaigh	**ord-**	order	**smaoinigh**	**smaoin-**	think
scanraigh	**scanr-**	frighten	**tuirsigh**	**tuirs-**	tire
socraigh	**socr-**	arrange			
tosaigh	**tos-**	begin			
triomaigh	**triom-**	dry			
ullmhaigh	**ullmh-**	prepare			

siúlann 'walks'	siúlfaidh 'will walk'
taispeánann 'shows'	taispeánfaidh 'will show'

§6 1st conjugation broad

The verb **bog** 'move' is conjugated as below when suffixes are added for the various tenses and moods:

present	bog**ann** sé	he moves
future	bog**faidh** sé	he will move
conditional	bh**og**fadh sé	he would move
imperfect	bh**og**adh sé	he used to move
imperative	bog**adh** sé	let him move
present subjunctive	go mbog**a** sé	may he move

§7 1st conjugation slender; *bris* is conjugated:

present	bris**eann** sé	he breaks
future	bris**fidh** sé	he will break
conditional	bhris**feadh** sé	he would break
imperfect	bhris**eadh** sé he	used to break
imperative	bris**eadh** sé	let him break
present subjunctive	go mbris**e** sé	may he break

§8 the second conjugation

Verbs of two syllables (or more) which end in **-igh** are the most common type belonging to the second conjugation, e.g. **ceannaigh** 'buy' or **coinnigh** 'keep'. The following have been chosen as examples of second conjugation verbs, broad and slender:

2nd conjugation broad, *-aigh*			2nd conjugation slender, *-igh*		
long stem	*short stem*		*long stem*	*short stem*	
athraigh	athr-	change	bailigh	bail-	collect
beannaigh	beann-	bless	coinnigh	coinn-	keep
ceannaigh	ceann-	buy	cruinnigh	cruinn-	gather
dathaigh	dath-	colour	dírigh	dír-	straighten
eagraigh	eagr-	organise	dúisigh	dúis-	awaken
fiafraigh	fiafr-	ask	éirigh	éir-	get up
ionsaigh	ions-	attack	foilsigh	foils-	publish
maraigh	mar-	kill	imigh	im-	leave
mionnaigh	mionn-	swear	mínigh	mín-	explain
neartaigh	neart-	strengthen	sínigh	sín-	sign
ordaigh	ord-	order	smaoinigh	smaoin-	think
scanraigh	scanr-	frighten	tuirsigh	tuirs-	tire
socraigh	socr-	arrange			
tosaigh	tos-	begin			
triomaigh	triom-	dry			
ullmhaigh	ullmh-	prepare			

§9 gas 'fada' agus gas 'gearr'

Is féidir breathnú ar an dara réimniú mar bhriathra a bhfuil dhá ghas (nó dhá fhréamh) acu, .i. gas fada agus gas gearr. Is ionann **an gas fada** agus an dara pearsa uimhir uatha den mhodh ordaitheach, m.sh. **ceannaigh** 'buy', **coinnigh** 'keep'. Muna gcuirtear foirceann leis an bhriathar, fanann an gas fada, m.sh. **cheannaigh sé** 'he bought' agus **choinnigh sí** 'she kept'. Má chuirtear foirceann leis na briathra seo, cailltear an **-aigh** nó an **-igh** ag an deireadh agus cuirtear an foirceann leis an ghas ghiorraithe, .i. **ceann-** agus **coinn-** (§8 thuas).

§10 2ú réimniú leathan

Réimnítear briathra ar nós **ceannaigh** 'buy' mar a leanas nuair a chuirtear foirceann leo:

láithreach	ceann**aíonn** sé	he buys	
fáistineach	ceann**óidh** sé	he will buy	ceann**óchaidh** sé U
coinníollach	**cheann**ódh sé	he would buy	cheann**óchadh** sé U
gnáthchaite	**cheann**aíodh sé	he used to buy	
ordaitheach	ceann**aíodh** sé	let him buy	
foshuiteach láithr.	go gceann**aí** sé	may he buy	

2ú réimniú caol

Réimnítear **coinnigh** 'keep' mar a leanas:

láithreach	coinn**íonn** sé	he keeps	
fáistineach	coinn**eoidh** sé	he will keep	coinn**eochaidh** sé U
coinníollach	**choinn**eodh sé	he would keep	choinn**eochadh** sé U
gnáthchaite	**choinn**íodh sé	he used to keep	
ordaitheach	coinn**íodh** sé	let him keep	
foshuiteach láithr.	go gcoinn**í** sé	may he keep	

§11 na briathra coimrithe

Baistear briathar coimrithe ar bhriathar a bhfuil níos mó ná siolla amháin sa ghas dar críoch **-il**, **-in**, **-ir** nó **-is**. Toghadh na briathra a leanas mar shamplaí de na briathra coimrithe (leathan agus caol):

briathra coimrithe an dara réimniú leathan			briathra coimrithe an dara réimniú caol		
gas fada	gas gearr		gas fada	gas gearr	
ceangail	**ceangl-**	tie	**aithin**	**aithn-**	recognise
codail	**codl-**	sleep	**imir**	**imr-**	play
freagair	**freagr-**	answer	**inis**	**ins-**	tell
iompair	**iompr-**	carry	**taitin**	**taitn-**	shine
labhair	**labhr-**	speak			
múscail	**múscl-**	awaken			
oscail	**oscl-**	open			
seachain	**seachn-**	avoid			
tagair	**tagr-**	refer			

§9 long stem and short stem

Verbs of the second conjugation can be regarded as having two stems, a long stem and a short stem. **The long stem** is the same as the second singular of the imperative mood, e.g. **ceannaigh** 'buy', **coinnigh** 'keep'. If a suffix is not added then the stem remains long, e.g. **cheannaigh sé** 'he bought' and **choinnigh sí** 'she kept'. If a suffix is added to these verbs, the **-aigh**, or **-igh**, is lost at the end and a suffix is added to the short stem, i.e. **ceann-** and **coinn-** (§8 above).

§10 2nd conjugation broad The verb **ceannaigh** 'buy' is conjugated as below when suffixes are added:

present	ceann**aíonn** sé	he buys	
future	ceann**óidh** sé	he will buy	ceann**óchaidh** sé U
conditional	**ch**eann**ódh** sé	he would buy	**ch**eann**óchadh** sé U
imperfect	**ch**eann**aíodh** sé	he used to buy	
imperative	ceann**aíodh** sé	let him buy	
present subjunctive	go gceann**aí** sé	may he buy	

2nd conjugation slender

The verb **coinnigh** 'keep' is conjugated as follows:

present	coinn**íonn** sé	he keeps	
future	coinn**eoidh** sé	he will keep	coinn**eochaidh** sé U
conditional	**ch**oinn**eodh** sé	he would keep	**ch**oinn**eochadh** sé U
imperfect	**ch**oinn**íodh** sé	he used to keep	
imperative	coinn**íodh** sé	let him keep	
present subjunctive	go gcoinn**í** sé	may he keep	

§11 the syncopated verbs **Verbs** of more than one syllable ending in **-il**, **-in**, **-ir** or **-is** are mostly 'syncopated verbs'. In this book the following verbs have been selected as examples of syncopated verbs (broad and slender):

syncopated verbs			syncopated verbs		
second conjugation broad			second conjugation slender		
long stem	*short stem*		*long stem*	*short stem*	
ceangail	**ceangl-**	tie	**aithin**	**aithn-**	recognise
codail	**codl-**	sleep	**imir**	**imr-**	play
freagair	**freagr-**	answer	**inis**	**ins-**	tell
iompair	**iompr-**	carry	**taitin**	**taitn-**	shine
labhair	**labhr-**	speak			
múscail	**múscl-**	awaken			
oscail	**oscl-**	open			
seachain	**seachn-**	avoid			
tagair	**tagr-**	refer			

Arís eile, úsáidtear an gas fada nuair nach gcuirtear foirceann leis an ghas, m.sh. **ceangail** 'tie' (**cheangail sé** 'he tied') agus **imir** 'play' (**d'imir sé** 'he played'). Má chuirtear foirceann leo, cailltear (nó 'coimrítear') an ai nó **an i** ag deireadh an ghais fhada (.i. **ceangl-** agus **imr-**). Réimnítear na briathra seo mar a leanas:

§12 briathar coimrithe leathan, *ceangail* 'tie'

láithreach	ceangl**aíonn** sé	he ties	
fáistineach	ceangl**óidh** sé	he will tie	ceangl**óchaidh** sé U
coinníollach	cheangl**ódh** sé	he would tie	cheangl**óchadh** sé U
gnáthchaite	cheangl**aíodh** sé	he used to tie	
ordaitheach	ceangl**aíodh** sé	let him tie	
foshuiteach láithr.	go gceangl**aí** sé	may he tie	

briathar coimrithe caol, *imir* 'play'

láithreach	imr**íonn** sé	he plays	
fáistineach	imr**eoidh** sé	he will play	imr**eochaidh** sé U
coinníollach	**d'**imr**eodh** sé	he would play	**d'**imr**eochadh** sé U
gnáthchaite	**d'**imr**íodh** sé	he used to play	
ordaitheach	imr**íodh** sé	let him play	
foshuiteach láithr.	go n-imr**í** sé	may he play	

§13 Nóta: Ní choimrítear na heochairbhriathra a leanas (sa Chaighdeán): **aithris** 'recite' (**3**), **foghlaim** 'learn' (**49**), **freastail** 'attend' (**52**), **taistil** 'travel' (**101**), agus **tarraing** 'pull' (**104**).

§14 aonsiollaigh in *-igh* **agus an chéad réimniú**
Tá roinnt eochairbhriathra a bhfuil siolla amháin sa ghas agus a chríochnaíonn in **-igh**. Tá rialacha difriúla ag baint le cuid de na briathra seo.

| **báigh** 'drown' (**7**) | **brúigh** 'bruise' (**16**) | **cruaigh** 'harden' (**26**) |
| | **dóigh** 'burn' (**33**) | **feoigh** 'decay' (**45**) |

Bíonn siad leathan nuair a chuirtear foirceann dar tús – **f-** leo agus caol nuair a chuirtear foirceann dar tús – **t-** leo – mar a fheicfear ó na foirmeacha den tsaorbhriathar san aimsir láithreach sa dara colún den tábla thíos agus san aidiacht bhriathartha, **báite**.

láithreach	*saorbhriathar*	*fáistineach*	*coinníollach*	*gnáthchaite*
bánn	**báitear**	**báfaidh**	**bháfadh**	**bhádh brúnn**
brúitear	**brúfaidh**	**bhrúfadh**	**bhrúdh**	**cruann**
cruaitear	**cruafaidh**	**chruafadh**	**chruadh**	**dónn dóitear**
dófaidh	**dhófadh**	**dhódh**	**feonn**	**feoitear**
feofaidh	**d'fheofadh**	**d'fheodh**		

Once again the long stem is used when no suffix is added to the stem, e.g. **ceangail** 'tie' (**cheangail sé** 'he tied') and **imir** 'play' (**d'imir sé** 'he played'). If a suffix is added, the **ai** or **i** at the end of the long stem is lost (or 'syncopated'), hence **ceangl-** and **imr-** as short stems. These verbs are conjugated as follows:

§12 syncopated verb, broad stem, *ceangail* 'tie'

present	ceangl**aíonn** sé	he ties	
future	ceangl**óidh** sé	he will tie	ceangl**óchaidh** sé *U*
conditional	**ch**eangl**ódh** sé	he would tie	**ch**eangl**óchadh** sé *U*
imperfect	**ch**eangl**aíodh** sé	he used to tie	
imperative	ceangl**aíodh** sé	let him tie	
present subjunctive	go gceangl**aí** sé	may he tie	

syncopated verb, slender stem, *imir* 'play'

present	imr**íonn** sé	he plays	
future	imr**eoidh** sé	he will play	imr**eochaidh** sé *U*
conditional	**d'**imr**eodh** sé	he would play	**d'**imr**eochadh** sé *U*
imperfect	**d'**imr**íodh** sé	he used to play	
imperative	imr**íodh** sé	let him play	
present subjunctive	go n-imr**í** sé	may he play	

§13 Note: The following key verbs are not syncopated (in Standard Irish): **aithris** 'recite' (**3**), **foghlaim** 'learn' (**49**), **freastail** 'attend' (**52**), **taistil** 'travel' (**101**), and **tarraing** 'pull' (**104**).

§14 monosyllables in -*igh* and the first conjugation
Some key verbs have only one syllable and end in **-igh**. Different rules apply to these verbs.

báigh 'drown' (**7**)	**brúigh** 'bruise' (**16**)	**cruaigh** 'harden' (**26**)
	dóigh 'burn' (**33**)	**feoigh** 'decay' (**45**)

They are broad when a suffix beginning in **– f-** is added and slender when a suffix beginning in **– t-** is added – as may be seen from the present autonomous in the 2nd column of the table below, or in the verbal adjective **báite** 'drowned':

present	*pres. auton.*	*future*	*conditional*	*imperfect*
bánn	**báitear**	**báfaidh**	**bháfadh**	**bhádh**
brúnn	**brúitear**	**brúfaidh**	**bhrúfadh**	**bhrúdh**
cruann	**cruaitear**	**cruafaidh**	**chruafadh**	**chruadh**
dónn	**dóitear**	**dófaidh**	**dhófadh**	**dhódh**
feonn	**feoitear**	**feofaidh**	**d'fheofadh**	**d'fheodh**

§15 nigh 'wash' **(76)**, **suigh** 'sit' **(97)** – mar aon le briathra mar **luigh** 'lie', **guigh** 'pray', **bligh** 'milk': Tugtar faoi deara gur **i** atá ann roimh – *t*-, msh **nite** 'washed' – chan ionann agus **cloíte** 'deafeated' **< cloígh**.

láithreach	fáistineach	coinníollach	gnáthchaite	ordaitheach
níonn	nífidh	nífeadh	níodh	níodh
suíonn	suífidh	shuífeadh	shuíodh	suíodh

§16 léigh 'read' **(66)** – mar aon le **pléigh** 'discuss', **spréigh** 'spread', **téigh** 'warm':

láithreach	saorbhriathar	fáistineach	coinníollach	gnáthchaite	ordaitheach
léann	léitear	léifidh	léifeadh	léadh	léadh

§17 pacáil 'pack' **(81)**, **sábháil** 'save' **(85)**, **stampáil** 'stamp' **(96)**: Tugtar faoi deara go mbíonn an gas caol roimh – *t*- (cosúil le §14 thuas), msh. **pácáiltear** 'is packed', **pácáilte** 'packed' srl.

láithreach	fáistineach	coinníollach	gnáthchaite	ordaitheach
pacálann	pacálfaidh	phacálfadh	phacáladh	pacáladh

§18 caitear srl.
Nuair a chuirtear foirceann dar tús **t**- le briathar ar bith a bhfuil **-th** nó **-t** ag deireadh an ghais, scríobhtar –**tht**- agus –**tt**- mar –**t**-:

caitear 'is worn' (in áit **caithtear**)
d'éisteá 'you used to listen' (in áit **d'éistteá**)

Ba cheart don léitheoir breathnú sna táblaí ar na briathra: **at** 'swell' **(5)**, **caith** 'throw' **(18)**, **éist** 'listen' **(39)**, **meath** 'decay' **(69)**, **trácht** 'mention' **(111)**.

§19 na briathra mírialta
Is iad seo a leanas na príomhbhriathra mírialta:

abair	say	(1)	faigh	get	(41)
beir	bear	(11)	feic	see	(44)
bí	be	(12)	ith	eat	(63)
cluin/	hear	(23)	tabhair	give	(98)
clois			tar	come	(103)
déan	do, make	(30)	téigh	go	(106)

§15 **nigh** 'wash' **(76)**, **suigh** 'sit' **(97)** – as well as verbs such as **luigh** 'lie', **guigh** 'pray', **bligh** 'milk'. Note that *i* is always short before – *t*- in these verbs, e.g. **nite** 'washed' (unlike **cloígh** 'defeat', v. adj. **cloíte**):

present	future	conditional	imperfect	imperative
níonn	nífidh	nífeadh	níodh	níodh
suíonn	suífidh	shuífeadh	shuíodh	suíodh

§16 **léigh** 'read' **(66)**-as well as **pléigh** 'discuss', **spréigh** 'spread', **téigh** 'warm':

present	pres. auton.	future	conditional	imperfect	imperative
léann	léitear	léifidh	léifeadh	léadh	léadh

§17 **pacáil** 'pack' **(81)**, **sábháil** 'save' **(85)**, **stampáil** 'stamp' **(96)**. Note that the stem stays slender before – *t* (as in §14 above), e.g. **pácáiltear** 'is packed', **pácáilte** 'packed' etc.

present	future	conditional	imperfect	imperative
pacálann	pacálfaidh	phacálfadh	phacáladh	pacáladh

§18 *caitear* etc
When a suffix beginning in **t**- is added to any verb whose stem ends in **-th** or **-t**, then – **tht**- and – **tt**- are written as single – **t**- e.g.

caitear 'is worn' (instead of áit **caithtear**)
d'éisteá 'you used to listen' (instead of áit **d'éistteá**)

The reader should check in the tables for the verbs: **at** 'swell' **(5)**, **caith** 'throw' **(18)**, **éist** 'listen' **(39)**, **meath** 'decay' **(69)**, **trácht** 'mention' **(111)**.

§19 the irregular verbs
The following are the main irregular verbs:

abair	say	(1)	**faigh**	get	(41)
beir	bear	(11)	**feic**	see	(44)
bí	be	(12)	**ith**	eat	(63)
cluin/	hear	(23)	**tabhair**	give	(98)
clois			**tar**	come	(103)
déan	do, make	(30)	**téigh**	go	(106)

§20 foirmeacha coibhnesta in -s sa láithreach agus san fháistineach (foirmeacha neamhspleácha amháin)

I gCúige Uladh agus i gConnachta úsáidtear samplaí d'fhoirmeacha speisialta coibhnesta a chríochnaíonn in -s san aimsir láithreach agus san fháistineach:

an fear a bhriseann CO, M	the man who breaks	an fear a bhriseas
		(… a bhriseanns C)
an fear a bhrisfidh	the man who will break	an fear a bhrisfeas

§21 na claochluithe tosaigh

Déantar na briathra a réimniú sa ghníomhach agus sa tsaorbhriathar. Comh maith leis sin, tugtar samplaí de na briathra i ndiaidh na bhfoirmeacha de na míreanna is coitianta a thagann rompu:

níor, ar, gur, nár	san aimsir chaite
ní, an, go, nach	san aimsir láithreach, fháistineach, ghnáthchaite, sa mhodh
	choinníollach agus san aimsir chaite do roinnt briathra mírialta
ná	sa mhodh ordaitheach (agus ná do nach i gCúige Mumhan)
go, nár	sa mhodh fhoshuiteach, aimsir láithreach

Tugtar na foirmeacha seo le treoir a thabhairt maidir leis an chlaochlú chuí tosaigh ar cóir a úsáid i ndiaidh gach foirme, gné a bhíonn go minic ina constaic ag an fhoghlaimeoir – mura mbí an t-eolas seo in easnamh ar fad air. Táthar ag súil go gcuideoidh a leithéid de chur i láthair leis an fhoghlaimeoir theacht isteach ar chóras na gclaochluithe tosaigh ar bhealach níos éascaí ar an ábhar go bhfuil séimhiú, urú agus h roimh ghuta de dhlúth agus d'inneach i ngréasán na Gaeilge.

§22 séimhiú, urú agus h roimh ghuta

Seo achoimre ar na hathruithe a tharlaíonn i gcás na gclaochluithe tosaigh – fad agus a bhaineann siad le réimniú na mbriathra de:

	bunfhoirm	foirm chaochlaithe
séimhiú	b, c, d, f, g, m, p, s, t	bh, ch, dh, fh, gh, mh, ph, sh, th
urú	b, c, d, f,g, p, t	mb, gc, nd, bhf, ng, bp, dt
	a, e, i, o,u	n-a, n-e, n-i, n-o, n-u
h roimh ghuta	a, e, i, o, u	ha, he, hi, ho, hu

§20 relative forms in -s in the present and future (independent forms only)

Examples are given, in the present and future, of the special relative forms which end in -s, forms which regularly occur in Ulster and Connaught:

an fear a bhriseann CO, M	the man who breaks	**an fear a bhriseas**
		(... a bhriseanns C)
an fear a bhrisfidh	the man who will break	**an fear a bhrisfeas**

§21 the initial mutations

The verbs are conjugated in the active and the autonomous (or impersonal/ passive). In addition, examples are given of the verb after some of the most common forms of preverbal particles such as:

níor, ar, gur, nár	past tense
ní, an, go, nach	the present, future, imperfect tenses, the conditional mood and in the past tense of some irregulars
ná	the imperative mood (plus **ná** for **nach** in Munster)
go, nár	in the present subjunctive

These preverbal forms are provided to help and advise as to the appropriate initial mutation (or change at the start of the word) which should be used after each particle, a feature which can often dumbfound the learner. It is hoped that such a presentation will help the learner familiarise him/herself with the system of initial mutations in a convenient way, given the fact that aspiration, eclipsis and *h* before a vowel are integral parts of Irish grammar.

§22 aspiration, eclipsis and *h* before a vowel

The following is a résumé of the changes which occur as a result of the mutations – as far as the verbal system is concerned:

	primary form of initial	mutated form of initial
aspiration	*b, c, d, f, g, m, p, s,t*	*bh, ch, dh, fh, gh, mh, ph, sh, th*
eclipsis	*b, c, d, f,g, p, t*	*mb, gc, nd, bhf, ng, bp, dt*
	a, e, i, o,u	*n-a, n-e, n-i, n-o, n-u*
***h* before vowel**	*a, e, i, o, u*	*ha, he, hi, ho, hu*

§23 túslitreacha nach gclaochlaítear

Tá roinnt consan ann nach gclaochlaítear in am ar bith:

h-, l-, n, r-	*hata leathan*, *néata*, *righin*
sc-, sm-, sp-, st-	*Scread an smaolach agus stad an spealadóir.*

na claochluithe tosaigh sa ghníomhach de ghnáthbhriathra

§24 séimhiú Leanann séimhiú na míreanna a leanas:

níor, ar, gur, nár	aimsir chaite (sa ghníomhach amháin)
ní	gach aimsir agus modh (ach *faigh* agus *deir*)
nár	an modh foshuiteach, aimsir láithreach.

§25 urú Leanann urú na míreanna a leanas:

an, go, nach	gach aimsir agus modh

§26 h roimh ghuta Cuirtear h roimh ghutha i ndiaidh

ná	sa mhodh ordaitheach
	(agus ná do nach sa Mumhain).

§27 na claochluithe tosaigh sa tsaorbhriathar

Sa Chaighdeán Oifigiúil ní leanann aon chlaochlú tosaigh **níor**, **ar**, **gur** agus **nár** i saorbhriathar na haimsire caite. Sna canúintí ní thig aon athrú ar chonsan ach cuirtear **h** roimh ghuta:

gníomhach *active*		**saorbhriathar** *autonomous*	
		CO, U, C, M	
thóg sé	he lifted	**Tógadh é.**	It was lifted.
níor thóg sé	he did not lift	**Níor tógadh é.**	It was not lifted.
ar thóg sé?	did he lift?	**Ar tógadh é?**	Was it lifted?
gur thóg sé	that he lifted	**... gur tógadh é.**	... that it was lifted.
nár thóg sé	that he did not lift	**... nár tógadh é.**	... that it was not lifted.
gníomhach *active*		**saorbhriathar** *autonomous*	
		CO	
d'ól sé	he drank	**Óladh é.**	It was drunk.
níor ól sé	he did not drink	**Níor óladh é.**	It was not drunk.
ar ól sé?	did he drink?	**Ar óladh é?**	Was it drunk?
gur ól sé	that he drank	**gur óladh é.**	that it was drunk.
nár ól sé	that he did not drink	**nár óladh é.**	that it was not drunk.

Ach **hóladh é. Níor hóladh é. Ar hóladh é?**
... **gur/nár hóladh** srl. *M,C,U.*

§23 initials which never change

Some consonants never undergo any changes at the start of words:

h-, l-, n, r-	*He likes* **n**oodles *and,* **r**ice.
sc-, sm-, sp-, st-	*Scallions* **sm**ell **sp**icy *in* **st**ew.

initial mutations of ordinary verbs in the active

§24 aspiration occurs after the following particles:

níor, ar, gur, nár	past tense (active only)
ní	every tense and mood (except *faigh* and *deir*)
nár	present subjunctive.

§25 eclipsis occurs after the following particles:

an, go, nach	every tense and mood

§26 *h* before vowel occurs after

ná	in the imperative mood
	(and **ná**, for **nach**, in Munster).

§27 initial mutations in the autonomous

In the Official Standard no mutation occurs after **níor**, **ar**, **gur** and **nár** in the past tense of the autonomous (impersonal/passive). In the dialects consonants are not affected but **h** is placed before vowels:

gníomhach *active*		saorbhriathar *autonomous*	
		CO, U, C, M	
thóg sé	he lifted	Tógadh é.	It was lifted.
níor thóg sé	he did not lift	Níor tógadh é.	It was not lifted.
ar thóg sé?	did he lift?	Ar tógadh é?	Was it lifted?
gur thóg sé	that he lifted	... gur tógadh é.	... that it was lifted.
nár thóg sé	that he did not lift	... nár tógadh é.	... that it was not lifted.
gníomhach *active*		saorbhriathar *autonomous*	
		CO	
d'ól sé	he drank	Óladh é.	It was drunk.
níor ól sé	he did not drink	Níor óladh é.	It was not drunk.
ar ól sé?	did he drink?	Ar óladh é?	Was it drunk?
gur ól sé	that he drank	gur óladh é.	that it was drunk.
nár ól sé	that he did not drink	nár óladh é.	that it was not drunk.

Yet h**Ó**ladh é. Níor h**ó**ladh. Ar h**ó**ladh?
... gur/nár h**ó**ladh *etc. M, C, U.*

§28 Sna haimsirí agus sna modhanna eile is iondúil gurb ionann an caochlú tosaigh a leanann an gníomhach agus an saorbhriathar sa Chaighdeán agus i gCúige Uladh. I gCúige Mumhan agus i gConnachtaibh is féidir sin a bheith amhlaidh, nó is féidir gan séimhiú (agus fiú *h* roimh ghuta a bheith ann) san fhoirm neamhspleách den tsaorbhriathar sa mhodh choinníollach agus san aimsir ghnáthchaite, agus i ndiaidh **ní** (i ngach aimsir agus modh).

CO, U		M
bhrisfí	would be broken	**(do) brisfí**
bhristí	used to be broken	**(do) bristí**
d'ólfaí	would be drunk	**(do) hólfaí**
d'óltaí	used to be drunk	**(do) hóltaí**
ní bhristear	is not broken	**ní bristear**

§29 crostagairtí agus na caochluithe tosaigh
Leagtar an t-innéacs (i gcolún 1) amach in ord na haibítre síos fríd, ó thús go deireadh. I gcolún 5 luaitear an briathar **coinnigh** 'keep' (**25**) leis na briathra **ceistigh** 'question', **cinntigh** 'certify' srl. de thairbhe go mbaineann siad triúr leis an 2ú réimniú chaol agus go mbeidh idir fhoircinn (**-íodh, -eoidh, -eodh** srl.) agus chaochluithe tosaigh (**c-, ch-, gc-**) ar aon dul le chéile.

Déantar seo do thromlach mhór na gcásanna ach níorbh fhéidir cloí leis an choinbhinsiún seo i ngach uile chás, agus tugadh tús aite do chrostagairt do bhriathar a mbeadh na foircinn mar an gcéanna i gcásanna mar:

eiseachaid 'extradite'
crostagairt **siúil** de thairbhe go leathnaítear an gas nuair a tháitear foirceann agus gur **eiseachadann** 'extradites', **eiseachadfaidh** 'will extradite', **d'eiseachadfadh** 'would
extradite' srl. atá ann, ar aon dul le **siúil** 'walk' (**93**) ach **siúlann** 'walks', **siúlfaidh** 'will walk', **shiúlfadh** 'would walk' srl.

athphléigh 'rediscuss'
crostagairt **léigh** 'read' (**66**) de thairbhe go mbeidh na foircinn mar **athphléann** 'rediscusses', **athphléifidh** 'will rediscuss', **d'athphléifeadh** 'would rediscuss' srl., ar aon dul le **léann, léifidh** agus **léifeadh**.

§30 I gcásanna briathra dar tús guta (nó *f-*, seachas *fl-*) a bhfuil crostagairt do bhriathar dar tús consain ag dul leo, moltar don fhoghlameoir na caochluithe tosaigh a chinntiú i dtábla briathair a thosaíonn le guta (nó *f-*) – cuimhnítear fosta go mbeidh na caochluithe (.i. *d', h* nó *n-*) mar an gcéanna do gach ceann de na cúig gutaí (*a, e, i, o, u*).

§28 In the other tenses and moods the mutations are the same for the active and autonomous forms of the verb in the Standard and in Ulster Irish. In Connaught and Munster this may be the case, or **h** can be placed before a vowel (and consonants unaspirated) in the independent form of the autonomous in the conditional and imperfect, and after **ní** (all moods and tenses):

CO, U		M
bhrisfí	would be broken	**(do) brisfí**
bhristí	used to be broken	**(do) bristí**
d'ólfaí	would be drunk	**(do) hólfaí**
d'óltaí	used to be drunk	**(do) hóltaí**
ní bhristear	is not broken	**ní bristear**

§29 cross-referencing and initial mutations

Column 1 of the index is laid out alphabetically. In column 5 the verbs **ceistigh** 'question', **cinntigh** 'certify' etc. are referred to **coinnigh** 'keep' (**25**) as all three verbs belong to the 2nd conjugation slender which means that both the suffixes (**-íodh, -eoidh, -eodh** etc.) and the initial mutations (**c-, ch-, gc-**) will be identical.

This is done for the vast majority of cases but this convention could not be followed throughout and priority had to given to verbs whose suffixes would have been the same, as in the following:

eiseachaid 'extradite'
cross-reference **siúil** as the stem is broadened when a suffix is added, hence **eiseachadann** 'extradites', **eiseachadfaidh** 'will extradite', **d'eiseachadfadh** 'would extradite' etc., similar to **siúil** (**93**) 'walk', yet **siúlann** 'walks', **siúlfaidh** 'will walk', **shiúlfadh** 'would walk' etc.

athphléigh 'rediscuss'
cross-reference **léigh** 'read' (**66**) as the suffixes, such as **athphléann** 'rediscusses', **athphléifidh** 'will rediscuss', **d'athphléifeadh** 'would redicsuss' etc., are indentical to **léann**, **léifidh** and **léifeadh**.

§30 In the cases of verbs beginning in a vowel (or *f*-, except *fl*-) which are cross-referred to a verb which begins with a consonant, the learner should check the initial mutations in the table of a verb beginning with a vowel (or *f*-) – it should also be remembered that the mutations for vowels will be the same for all five vowels (*a, e, i, o, u*).

§31 I gcás briathra dar tús **h-**, **l-**, **n-**, **r-**, **sc-**, **sm-**, **sp-** agus **st-** déantar crostagairtí do bhriathra a bhfuil na foircinn chéanna acu agus a bhfuil an túslitir acu nach n-athraítear de bharr caochlaithe, m.sh. **las** 'light' (**65**) mar mhúnla ag briathra as an 1ú réimniú leathan a thosaíonn le **r-** (**réab** 'tear', **róst** 'roast' srl.). Ní bhíonn aon chaochlú ach oiread i gcás na ndornán briathra a thosaíonn le v- nó x-.
I gcás **p-**, moltar don fhoghlaimeoir na foircinn a leanstan ón chrostagairt (m.sh. na foircinn do **ceannaigh** 'buy' 21 i gcás an bhriathair **plódaigh** 'throng') ach na caochluithe tosaigh a chinntiú ón bhriathar **pós** 'marry' (**82**).

§32 na caochluithe tosaigh don chopail

Tá difríocht idir na caochluithe tosaigh a bhíonn i gceist do ghnáthbhriathra agus don chopail (**is**, 13). Cuireann **ní** séimhiú ar ghnáthbhriathra ach ní bhíonn aon athrú ar chonsan i ndiaidh **ní** na copaile. Cuireann **an** agus **nach** urú ar ghnáthbhriathra ach ní bhíonn aon athru ina ndiaidh sa chopail:

an chopáil

ní$^{\varnothing}$/ní^h	**Ní bád é.**	It is not a boat.
an$^{\varnothing}$	**An bád é?**	Is it a boat?
gur$^{\varnothing}$	**Deir sé gur bád é.**	He says that it is a boat.
nach$^{\varnothing}$	**Deir sé nach bád é.**	He says that it is not a boat.

gnáthbhriathra

ní^{smh}	**ní bhriseann**	does not break
an^{urú}	**an mbriseann sé?**	does (it) break?
go^{urú}	**Deir sé go mbriseann sé.**	He says that he breaks.
nach^{urú}	**Deir sé nach mbriseann sé.**	He says that he does not break.

§33 briathra a bhfuil níos mó ná réimniú amháin acu

Tarlaíonn, anois agus arís, go mbíonn leaganacha malartacha ag briathra. Sna cásanna seo déantar tagairt d'eochairbhriathra difriúla:

clampaigh	*clamp*	… clampaithe	ceannaigh
/clampáil		… /clampáilte	/pacáil

§34 mionsamplaí de bhriathra nach bhfuil réimniú iomlán curtha ar fáil dóibh

Tá mionaicmí de bhriathra nach réimnítear ina n-iomláine, ach sna cásanna seo cuirtear leaganacha den chaite, den láithreach agus den fháistineach ar fáil san innéacs. Thig leis an léitheoir na foirmeacha den choinníollach, den ghnáthchaite (agus de na modhanna eile) a sholáthar ó liosta na bhfoirceann atá ar fáil ar leathanach 247, msh.:

§31 In the case of verbs beginning with **h-**, **l-**, **n-**, **r-**, **sc-**, **sm-**, **sp-** and **st-** these are cross-referred to verbs whose suffixes are identical and whose initial consonants are never mutated, e.g. **las** 'light' (**65**) also serves as a model for the 1ˢᵗ conjugation broad for a verb beginning in **r-** (**réab** 'tear', **róst** 'roast' etc.). In the case of the few verbs beginning in *v-* or *x-* no mutations occur. In the case of **p-**, it is recommended that the learner follow the suffixes from the cross-reference (e.g. **ceannaigh** 'buy' **21**, in the case of the verb **plódaigh** 'throng') but verifies the initial mutations from the verb **pós** 'marry' (**82**).

§32 the initial mutations for the copula

There is a difference between the initial mutations for ordinary verbs and the copula (**is**, 13). **Ní** aspirates ordinary verbs but consonants are not changed following **ní** of the copula. **An** and **nach** eclipse ordinary verbs but there is no change for the copula:

the copula

ní^ø/ní^h	Ní bád é.	It is not a boat.
an^ø	An bád é?	Is it a boat?
gur^ø	Deir sé gur bád é.	He says that it is a boat.
nach^ø	Deir sé nach bád é.	He says that it is not a boat.

ordinary verbs

ní^{asp.}	ní bhriseann	does not break
an^{ecl.}	an mbriseann sé?	does (it) break?
go^{ecl.}	Deir sé go mbriseann sé.	He says that he breaks.
nach^{ecl.}	Deir sé nach mbriseann sé.	He says that he does not break.

§33 verbs with more than one conjugation

It happens, from time to time, that verbs have variant forms. In such cases, references are provided to a different key verb for each variant:

clampaigh	*clamp*	... clampaithe	ceannaigh
/clampáil		... /clampáilte	/pacáil

§34 minority verbs for which a full paradigm has not been provided

Some classes of verbs, small in number, are not conjugated in full, but in such cases forms of the past, present and future are provided. The reader can supply the conditional, imperfect (and other forms) by consulting the suffixes listed on page 247, e.g.

gas/fréamh	Béarla	aimsir chaite	aimsir láithreach
adhain	kindle	d'adhain	adhnann

aimsir fháisteanach	ainm briathartha	aidiacht bhr.
adhnfaidh	adhaint	adhainte

Is briathra coimrithe atá i gceist anseo ach amháin go gcuirtear foirceann an chéad réimnithe leo. Seo samplaí eile:

adhair 'adore, worship' (*adhrann*), *athadhain* 'rekindle' (*athadhnann*), *damhain* 'tame, subdue' (*damhnann*), *díoghail* 'avenge' (*díoghlann*), *dionghaibh* 'ward off' (*diongbhann*), *imdheaghail* 'defend' (*imdheaghlann*), *ionnail* 'wash, bathe' (*ionlann*), *sleabhac* 'droop, fade' (*sleabhcann*), *spadhar* 'enrage' (*spadhrann*), *toghail* 'sack, destroy' (*toghlann*), *torchair* 'fall, lay low' (*torchrann*).

Samplaí caola:
fuighill 'utter, pronounce' (*fuighleann*), *imdheighil* 'distinguish' (*imdheighleann*), *saighid* 'incite, provoke' (*saighdeann*), *tafainn* 'bark' (*taifneann*).

Tá roinnt samplaí eile ann nach gcoimrítear ach a gcuirtear foircinn an dara réimniú leo: *lorg* 'search for' (*lorgaíonn*), *súraic* 'suck (down)' (*súraicíonn*) agus *gogail* 'gobble, cackle' – a leathnaítear – (*gogalaíonn*).

§35 briathra a bhfuil gasanna an-fhada acu

Nuair a bhíonn gas an-fhada ag briathar giorraítear san innéacs é sa dóigh is go bhfanfaidh sé taobh istigh den cholún, m.sh. *craobhscaoil* 'broadcast':

gas		ainm briathartha	aid. bhriathartha	briathar gaolta
craobhscaoil	*broadcast*	craobhscaoileadh	craobhscaoilte	cuir

stem/root	English	past tense	present tense
adhain	*kindle*	*d'adhain*	**adhnann**

future tense	verbal noun	verbal adjective
adhnfaidh	**adhaint**	**adhainte**

These verbs are syncopated verbs except that suffixes for the 1st conjugation are added. Further examples include:
adhair 'adore, worship' (*adhrann*), *athadhain* 'rekindle' (*athadhnann*), *damhain* 'tame, subdue' (*damhnann*), *díoghail* 'avenge' (*díoghlann*), *dionghaibh* 'ward off' (*diongbhann*), *imdheaghail* 'defend' (*imdheaghlann*), *ionnail* 'wash, bathe' (*ionlann*), *sleabhac* 'droop, fade' (*sleabhcann*), *spadhar* 'enrage' (*spadhrann*), *toghail* 'sack, destroy' (*toghlann*), *torchair* 'fall, lay low' (*torchrann*).

Examples of slender verbs:
fuighill 'utter, pronounce' (*fuighleann*), *imdheighil* 'distinguish' (*imdheighleann*), *saighid* 'incite, provoke' (*saighdeann*), *tafainn* 'bark' (*taifneann*).

A few examples occur of verbs which are not syncopated and which have second conjugation suffixes: *lorg* 'search for' (*lorgaíonn*), *súraic* 'suck (down)' (*súraicíonn*) and *gogail* 'gobble, cackle' – which is broadened – (*gogalaíonn*).

§35 verbs with long stems
When a verb has an exceedingly long stem it may be shortened in the index to maintain column width, e.g. *craobhscaoil* 'broadcast':

stem		verbal noun	verbal adjective	verb type
craobhscaoil	*broadcast*	**craobhscaoileadh**	**craobhscaoilte**	**cuir**

INNÉACS/INDEX

gas/fréamh stem/root	Béarla English	ainm briathartha verbal noun	aidiacht bhr. verbal adjective	briathar gaolta verb type
aistarraing	*withdraw*	aistarraingt	aistarraingthe	77
aistrigh	*move, translate*	aistriú	aistrithe	38
aitheasc	*address (court)*	aitheasc	aitheasctha	93
aithin	***recognize***	**aithint**	**aitheanta**	**2**
aithisigh	*slur, defame*	aithisiú	aithisithe	38
aithris	***recite***	**aithris**	**aithriste**	**3**
áitigh	*occupy*	áitiú	áitithe	38
áitrigh	*inhabit*	áitriú	áitrithe	38
allasaigh	*sweat (metal)*	allasú	allasaithe	6
allmhairigh	*import*	allmhairiú	allmhairithe	38
alp	*devour*	alpadh	alptha	78
alt	*articulate*	alt	alta	5
altaigh	*give thanks*	altú	altaithe	6
altramaigh	*foster*	altramú	altramaithe	6
amharc	***look***	**amharc**	**amharctha**	**4**
amhastraigh	*bark*	amhastrach amhastráil	amhastraithe	6
amplaigh	*be greedy for*	amplú	amplaithe	6
anailísigh	*analyze*	anailísiú	anailísithe	38
análaigh	*breathe*	análú	análaithe	6
anbhainnigh	*enfeeble*	anbhainniú	anbhainnithe	38
anluchtaigh	*overload*	anluchtú	anluchtaithe	6
annáil	*record*	annáladh	annálta	81
ansmachtaigh	*bully*	ansmachtú	ansmachtaithe	6
aoirigh	*sheperd, herd*	aoireacht	aoireachta	38
aol	*whitewash*	aoladh	aolta	78
aoldathaigh	*whitewash*	aoldathú	aoldathaithe	6
aom	*attract*	aomadh	aomtha	78
aonraigh	*isolate*	aonrú	aonraithe	6
aontaigh	*agree, unite*	aontú	aontaithe	6
aor	*satirize*	aoradh, aor	aortha	78
aosaigh	*(come of) age*	aosú	aosaithe	6
aothaigh	*pass crisis*	aothú	aothaithe	6
árachaigh	*insure*	árachú	árachaithe	6
ardaigh	*raise, ascend*	ardú	ardaithe	6
arg	*destroy, pilage*	argain	argtha	78
argóin	*argue*	argóint	argóinte	93
armáil	*arm*	armáil	armáilte	81
armónaigh	*harmonize*	armónú	armónaithe	6
ársaigh	*grow old*	ársú	ársaithe	6
ársaigh	*tell*	ársaí	ársaithe	6
asáitigh	*dislodge*	asáitiú	asáitithe	38
asanálaigh	*exhale*	asanálú	asanálaithe	6
asbheir	*deduce*	asbheirt	asbheirte	77
ascain	*proceed, go to*	ascnamh	ascnaithe	61
ascalaigh	*oscillate*	ascalú	ascalaithe	6
aslaigh	*induce*	aslach	aslaithe	6
aslonnaigh	*evacuate*	aslonnú	aslonnaithe	6
astaigh	*emit*	astú	astaithe	6
asúigh	*absorb, aspirate*	asú	asúite	16
at	***swell***	**at**	**ata**	**5**
atáirg	*reproduce*	atáirgeadh	atáirgthe	77
ataispeáin	*reappear*	ataispeáint	ataispeánta	100 + 2
atarlaigh	*recur*	atarlú	atarlaithe	6
atarraing	*attract*	atarraingt	atarraingthe	104 + 2
atáthaigh	*reweld, coalesce*	atáthú	atáite	6
atéigh	*reheat*	atéamh	atéite	66 + 2
ateilg	*recast*	ateilgean	ateilgthe	77
athachtaigh	*re-enact*	athachtú	athachtaithe	6
athadhain	*rekindle*	athadhaint	athadhainte	Ich 264 / 7
athadhlaic	*reinter*	athadhlacadh	athadhlactha	93 + 4
athaimsigh	*rediscover*	athaimsiú	athaimsithe	38
athainmnigh	*rename*	athainmniú	athainmnithe	38
atháitigh	*reoccupy*	atháitiú	atháitithe	38
athallmhairigh	*reimport*	athallmhairiú	athallmhairithe	38
athaontaigh	*reunite*	athaontú	athaontaithe	6
atharmáil	*rearm*	atharmáil	atharmáilte	81
athbheoigh	*revive*	athbheochan	athbheochanta	45
athbhreithnigh	*review, revise*	athbhreithniú	athbhreithnithe	38
athbhris	*break again*	athbhriseadh	athbhriste	77 + 15
athbhuail	*beat again*	athbhualadh	athbhuailte	77
athbhunaigh	*re-establish*	athbhunú	athbhunaithe	6
athchas	*turn again*	athchasadh	athchasta	78 + 19
athcheangail	*refasten*	athcheangal	athcheangailte	80 + 20

gas/fréamh stem/root	Béarla English	ainm briathartha verbal noun	aidiacht bhr. verbal adjective	briathar gaolta verb type
athcheannaigh	repurchase	athcheannach	athcheannaithe	6 + 21
	reappoint	athcheapadh	athcheaptha	78
athcheartaigh	revise, re-amend	athcheartú	athcheartaithe	6
athcheistigh	re-examine	athcheistiú	athcheistithe	38
athchlampaigh	reclamp	athchlampú	athchlampaithe	6
athchlóigh	reprint	athchló	athchlóite	33
athchlúdaigh	re-cover	athchlúdach	athchlúdaithe	6
athchnuchair	refoot	athchnuchairt	athchnuchartha	61
athchogain	ruminate	athchogaint	athchoganta	61
athchóipeáil	recopy	athchóipeáil	athchóipeáilte	81
athchóirigh	rearrange	athchóiriú	athchóirithe	38
athchomhair	re-count	athchomhaireamh	athchomhairthe	77
athchomhairligh	dissuade	athchomhairliú	athchomhairlithe	38
athchorpraigh	re-incorporate	athchorprú	athchorpraithe	6
athchraol	retransmit	athchraoladh	athchraolta	78
athchruaigh	reharden	athchruachan	athchruaite	26
athchrúigh	remilk	athchrú	athchrúite	16 + 78
athchruinnigh	reassemble	athchruinniú	athchruinnithe	38
athchruthaigh	reshape	athchruthú	athchruthaithe	6
athchuir	replant, remand	athchur	athchurtha	77 + 28
athchum	reconstruct	athchumadh	athchumtha	78
athdháil	redistribute	athdháileadh	athdháilte	77
athdhathaigh	re-dye, repaint	athdhathú	athdhathaithe	6
athdhéan	redo, remake	athdhéanamh	athdhéanta	78
athdhearbhaigh	re-affirm	athdhearbhú	athdhearbhaithe	6
athdheilbhigh	reshape	athdheilbhiú	athdheilbhithe	38
athdheimhnigh	reassure	athdheimhniú	athdheimhnithe	38
athdheisigh	remand, reset	athdheisiú	athdheisithe	38
athdhílsigh	revest	athdhílsiú	athdhílsithe	38
athdhíol	resell	athdhíol	athdhíolta	78 + 31
athdhíon	re-roof	athdhíonadh	athdhíonta	78 + 31
athdhúisigh	reawake	athdhúiseacht	athdhúisithe	38
atheagraigh	rearrange, edit	atheagrú	atheagraithe	6
athéirigh	rise again	athéirí	athéirithe	38
atheisigh	reissue	atheisiúint	atheisithe	38
athéist	rehear	athéisteacht	athéiste	39
athfhaghair	retemper metal	athfhaghairt	athfhaghartha	61
athfheidhmigh	refunction	athfheidhmiú	athfheidhmithe	38
athfheistigh	recloth, fit	athfheistiú	athfheistithe	38
athfhill	recur, refold	athfhilleadh	athfhillte	77 + 47
athfhoilsigh	republish	athfhoilsiú	athfhoilsithe	38
athfhostaigh	re-employ	athfhostú	athfhostaithe	6
athfhuaimnigh	resound	athfhuaimniú	athfhuaimnithe	38
athghabh	retake, recover	athghabháil	athghafa	78
athghair	recall, repeal	athghairm	athghairthe	77
athghéaraigh	resharpen	athghéarú	athghéaraithe	6
athghéill	resubmit	athghéilleadh	athghéillte	77 + 53
athghin	regenerate	athghiniúint	athghinte	77
athghlan	reclean	athghlanadh	athghlanta	78 + 54
athghlaoigh	recall	athghlaoch	athghlaoite	45
athghléas	refit	athghléasadh	athghléasta	78
athghnóthaigh	regain	athghnóthú	athghnóthaithe	6
athghoin	rewound	athghoin	athghonta	77
athghor	reheat	athghoradh	athghortha	78
athghreamaigh	refasten	athghreamú	athghreamaithe	6
athghríosaigh	rekindle	athghríosú	athghríosaithe	6
athghróig	refoot turf	athghróigeadh	athghróigthe	77
athghrúpáil	regroup	athghrúpáil	athghrúpáilte	81
athimir	replay	athimirt	athimeartha	59
athinis	retell	athinsint /-inse	athinste	60
athiompaigh	turn back	athiompú	athiompaithe	6
athiontráil	re-enter	athiontráil	athiontráilte	81
athlas	relight, inflame	athlasadh	athlasta	78
athleag	re-lay	athleagan	athleagtha	78
athleáigh	remelt	athleá	athleáite	7
athleasaigh	reamend	athleasú	athleasaithe	6
athléigh	reread	athléamh	athléite	66 + 78
athléirigh	revive	athléiriú	athléirithe	38
athlíneáil	reline	athlíneáil	athlíneáilte	81
athlíon	refill	athlíonadh	athlíonta	78
athliostáil	re-enlist	athliostáil	athliostáilte	81
athluaigh	reiterate	athlua	athluaite	fuaigh
athluchtaigh	reload, recharge	athluchtú	athluchtaithe	6
athmhaisigh	redecorate	athmhaisiú	athmhaisithe	38

gas/fréamh stem/root	Béarla English	ainm briathartha verbal noun	aidiacht bhr. verbal adjective	briathar gaolta verb type
athmhúnlaigh	remould	athmhúnlú	athmhúnlaithe	6
athmhúscail	reawake	athmhúscailt	athmhúscailte	80, 74
athnasc	reclasp	athnascadh	athnasctha	78
athneartaigh	reinforce	athneartú	athneartaithe	6
athnuaigh	renew	athnuachan	athnuaite	fuaigh
athonnmhairigh	re-export	athonnmhairiú	athonnmhairithe	38
athordaigh	re-order	athordú	athordaithe	6
athoscail	reopen	athoscailt	athoscailte	80
athphéinteáil	repaint	athphéinteáil	athphéinteáilte	81
athphlandáil	replant	athphlandáil	athphlandáilte	81
athphléigh	rediscuss	athphlé	athphléite	66+78
athphós	remarry	athphósadh	athphósta	78+43
athphreab	rebound	athphreabadh	athphreabtha	78
athphriontáil	reprint	athphriontáil	athphriontáilte	81
athraigh	**change**	**athrú**	**athraithe**	**6**
athraon	refract	athraonadh	athraonta	78
athreoigh	regelate	athreo	athreoite	45
athriar	readminister	athriar	athriartha	78
athrígh	dethrone	athrí	athríthe	22
athroinn	reapportion	athroinnt	athroinnte	77+84
athrómhair	redig	athrómhar	athrómhartha	61
athscag	refilter	athscagadh	athscagtha	78
athscinn	recoil	athscinneadh	athscinnte	77
athscríobh	rewrite	athscríobh	athscríofa	78+88
athscrúdaigh	re-examine	athscrúdú	athscrúdaithe	6
athshamhlaigh	imagine afresh	athshamhlú	athshamhlaithe	6
athshaothraigh	recultivate	athshaothrú	athshaothraithe	6
athsheachaid	replevy, relay	athsheachadadh	athsheachadta	93+78
athsheol	readdress	athsheoladh	athsheolta	78
athshlánaigh	rehabilitate	athshlánú	athshlánaithe	6
athshluaistrigh	reshovel	athshluaistriú	athshluaistrithe	38
athshnaidhm	reknot	a.shnaidhmeadh	athshnaidhmthe	77
athshocraigh	rearrange	athshocrú	athshocraithe	6
athsholáthraigh	replenish	athsholáthar	athsholáthraithe	6
athshon	resonate	athshonadh	athshonta	78
athshuaith	remix/shuffle	athshuaitheadh	athshuaite	18
athshúigh	reabsorb	athshú	athshúite	16+78
athspreag	reincite	athspreagadh	athspreagtha	78
athspréigh	respread	athspré	athspréite	66+78
athstóraigh	re-store	athstórú	athstóraithe	6
atíolaic	rebestow	atíolacadh	atíolactha	93+78
ationóil	reconvene	ationól	ationólta	93+78
atit	relapse	atitim	atite	39+108
atóg	rebuild, retake	atógáil	atógtha	78
atogh	re-elect	atoghadh	atofa	78
atosaigh	recommence	atosú	atosaithe	6+110
atrácht	retread	atráchtadh	atráchta	111+78
atreabh	replough	atreabhadh	atreafa	78
atriail	retry	atriail	atriailte	77
babhláil	bowl	babhláil	babhláilte	81
babhtáil	exhange, swop	babhtáil	babhtáilte	81
bac	hinder	bacadh	bactha	14
bácáil	bake	bácáil	bácáilte	81
bachlaigh	bud	bachlú	bachlaithe	10
badráil	bother	badráil	badráilte	81
bagair	threaten	bagairt	bagartha	20
baghcatáil	boycott	baghcatáil	baghcatáilte	81
baiceáil	back	baiceáil	baiceáilte	81
baig	bag, heap	baigeadh	baigthe	15
báigh	**drown**	**bá**	**báite**	**7**
bailc	pour down	balcann	balctha	93
bailigh	**gather, collect**	**bailiú**	**bailithe**	**8**
bain	**cut, take, win**	**baint**	**bainte**	**9**
baist	baptize, name	baisteadh	baiste	108
báistigh	rain	báisteach	báistithe	8
balbhaigh	silence	balbhú	balbhaithe	10
ballastaigh	ballast	ballastú	ballastaithe	10
ballbhasc	maim	ballbhascadh	ballbhasctha	14
balsamaigh	embalm	balsamú	balsamaithe	10
bánaigh	desert, whiten	bánú	bánaithe	10
bancáil	bank	bancáil	bancáilte	81
bannaigh	bail	bannú	bannaithe	10
baoiteáil	bait	baoiteáil	baoiteáilte	81
barántaigh	warrant	barántú	barántaithe	10

gas/fréamh stem/root	Béarla English	ainm briathartha verbal noun	aidiacht bhr. verbal adjective	briathar gaolta verb type
barr¹	top	barradh	barrtha	14
barr²	hinder	barradh	barrtha	14
barrchaolaigh	taper	barrchaolú	barrchaolaithe	10
barrdhóigh	singe	barrdhó	barrdhóite	33
barriompaigh	turn about	barriompú	barriompaithe	10
barrloisc	singe	barrloscadh	barrloiscthe	15
barúil	think	barúil	barúlta	93
básaigh	die	bású	básaithe	10
basc	bash	bascadh	basctha	14
baslaigh	baste beat	baslú	baslaithe	10
batáil	pole	batáil	batáilte	81
batráil	batter	batráil	batráilte	81
beachtaigh	correct	beachtú	beachtaithe	10
beagaigh	diminish	beagú	beagaithe	10
bealaigh	grease	bealú	bealaithe	10
béalraigh	(spread) gossip	béalrú	béalraithe	10
beangaigh	graft	beangú	beangaithe	10
beannaigh	**bless**	**beannú**	**beannaithe**	**10**
bearnaigh	breach	bearnú	bearnaithe	10
bearr	clip, trim, cut	bearradh	bearrtha	14
beartaigh	cast, decide	beartú	beartaithe	10
beathaigh	feed, nourish	beathú	beathaithe	10
beibheal	bevel	beibhealadh	beibhealta	14
béic	yell, shout	béiceadh U ag béicfigh	béicthe	15
beir	**bear, carry**	**breith**	**beirthe**	**11**
beirigh	boil	beiriú	beirithe	8
beoghearr	vivisect	beoghearradh	beoghearrtha	14
beoghoin	wound	beoghoin	beoghonta	93 cf goin
beoigh	animate	beochan	beoite	45
beophian	tantalize	beophianadh	beophianta	14
bí	**be**	**bheith**	-	**12**
biathaigh	feed	biathú	biathaithe	10
bíog	chirp	bíogadh	bíogtha	14
bior-róst	spitroast	bior-róstadh	bior-rósta	14
bioraigh	sharpen	biorú	bioraithe	10
biotúmanaigh	bituminize	biotúmanú	biotúmanaithe	10
bisigh	improve	bisiú	bisithe	8
bladair	cajole	bladar	bladartha	20
bladhair	shout, bellow	bladhradh	bladhartha	20
bladhm	flame, flare up	bladhmadh	bladhmtha	14
blais	taste	blaiseadh	blaiste	15
blaistigh	season (food)	blaistiú	blaistithe	8
blaosc	puff, inflate	blaoscadh	blaosctha	14
blaoscrúisc	scalp	blaoscrúscadh	blaoscrúiscthe	15
blásaigh	bloom phot.	blású	blásaithe	10
bláthaigh	blossom, bloom	bláthú	bláthaithe	10
bláthnaigh	beautify, smooth	bláthnú	bláthnaithe	10
bleaisteáil	bleech	bleaisteáil	bleaisteáilte	81
bligh	milk	blí	blite	76
blocáil	block	blocáil	blocáilte	81
blogh	shatter	bloghadh	bloghta	14
blosc	crack, explode	bloscadh	blosctha	14
bobáil	bob, trim	bobáil	bobáilte	81
bocáil	toss	bocáil	bocáilte	81
bochtaigh	impoverish	bochtú	bochtaithe	10
bocsáil	box	bocsáil	bocsáilte	81
bodhair	deafen	bodhradh	bodhartha	20
bodhraigh	deafen	bodhrú	bodhraithe	10
bog	**move**	**bogadh**	**bogtha**	**14**
bogaigéadaigh	acidulate	bogaigéadú	bogaigéadaithe	10
boilscigh	bulge, inflate	boilsciú	boilscithe	8
bolaigh	smell, scent	bolú	bolaithe	10
bolcáinigh	vulcanize	bolcáiniú	bolcáinithe	8
bolg	bulge	bolgadh	bolgtha	14
boltáil	bolt	boltáil	boltáilte	81
boltanaigh	smell, scent	boltanú	boltanaithe	10
bombardaigh	bombard	bombardú	bombardaithe	10
bonnaigh	walk, trot	bonnú	bonnaithe	10
borbaigh	get angry	borbú	borbaithe	10
bordáil	board	bordáil	bordáilte	81
borr	swell, increase	borradh	borrtha	14
brácáil	harrow	brácáil	brácáilte	81
bradaigh	steal, pilfer	bradú	bradaithe	10

gas/fréamh stem/root	Béarla English	ainm briathartha verbal noun	aidiacht bhr. verbal adjective	briathar gaolta verb type
braich	*malt*	brachadh	brachta	93
braigeáil	*brag*	braigeáil	braigeáilte	81
braith	*feel, perceive*	brath	braite	18
brandáil	*brand*	brandáil	brandáilte	81
brásáil	*embrace*	brásáil	brásáilte	81
breab	*bribe*	breabadh	breabtha	14
breabhsaigh	*perk up*	breabhsú	breabhsaithe	10
breac	*speckle*	breacadh	breactha	14
bréadaigh	*braid*	bréadú	bréadaithe	10
bréag	*cajole, coax*	bréagadh	bréagtha	14
bréagnaigh	*contradict*	bréagnú	bréagnaithe	10
bréan	*pollute, putrify*	bréanadh	bréanta	14
breáthaigh	*beautify*	breáthú	breáthaithe	10
breathnaigh	*look, observe*	breathnú	breathnaithe	10
bréid	*patch*	bréideadh	bréidte	15
breisigh	*increase, add to*	breisiú	breisithe	8
breithnigh	*adjudge*	breithniú	breithnithe	8
bréitseáil	*breach, vomit*	bréitseáil	bréitseáilte	81
breoigh	*sicken, enfeeble*	breo	breoite	45
breoslaigh	*fuel*	breoslú	breoslaithe	10
briog	*prick, provoke*	briogadh	briogtha	14
brionnaigh	*forge*	brionnú	brionnaithe	10
brioscaigh	*crisp*	brioscú	brioscaithe	10
bris	**break**	**briseadh**	**briste**	**15**
broc	*mess up*	brocadh	broctha	14
broic (le)	*tolerate*	broiceadh	broicthe	15
broicéadaigh	*brocade*	broicéadú	broicéadaithe	10
broid	*prod, nudge*	broideadh	broidte	15
bróidnigh	*embroider*	bróidniú	bróidnithe	8
broim	*fart*	bromadh	bromtha	93
bróitseáil	*broach*	bróitseáil	bróitseáilte	81
brón	*greive*	brónadh	brónta	14
bronn, pronn U	*grant, bestow*	bronnadh	bronnta	14
brostaigh	*hasten, urge*	brostú	brostaithe	10
brúcht	*belch, burp*	brúchtadh	brúchta	111
brúidigh	*brutalize*	brúidiú	brúidithe	8
brúigh	**press**	**brú**	**brúite**	**16**
bruíon	*fight, quarrel*	bruíon	bruíonta	14
brúisc	*crush, crunch*	brúscadh	brúiscthe	15
bruiseáil	*brush*	bruiseáil	bruiseáilte	81
bruith	*boil*	bruith	bruite	18
bruithnigh	*smelt*	bruithniú	bruithnithe	8
buac	*lixiviate*	buacadh	buactha	14
buaigh	*win*	buachan	buaite	26
buail	*hit, beat, strike*	bualadh	buailte	15
buain	*reap*	buain	buainte	93
buair	*grieve, vex*	buaireamh	buartha	15
bualtaigh	*smear dung on*	bualtú	bualtaithe	10
buamáil	*bomb*	buamáil	buamáilte	81
buanaigh	*perpetuate*	buanú	buanaithe	10
búcláil	*buckle*	búcláil	búcláilte	81
buidéalaigh	*bottle*	buidéalú	buidéalaithe	10
buígh	*yellow, tan*	buíochan	buíte	22
buinnigh	*shoot up, gush*	buinniú	buinnithe	8
buíochasaigh	*thank*	buíochasú	buíochasaithe	10
búir	*bellow, roar*	búireach	búirthe	15
buiséad	*budget*	buiséadadh	buiséadta	14
bunaigh	*establish*	bunú	bunaithe	10
burdáil	*beat, trounce*	burdáil	burdáilte	81
burláil	*bundle*	burláil	burláilte	81
cabáil	*out-argue*	cabáil	cabáilte	81
cabhair	*help*	cabhradh	cabhartha	24
cabhraigh	*help*	cabhrú	cabhraithe	21
cáblaigh	*cable*	cáblú	cáblaithe	21
cac	*shit, excrete*	cac	cactha	19
cácáil	*caulk*	cácáil	cácáilte	81
cadhail	*coil, pile*	caidhleadh	caidhilte	102
caibeáil	*'kib', dibble*	caibeáil	caibeáilte	81
caidéalaigh	*pump out*	caidéalú	caidéalaithe	21
caidrigh	*befriend*	caidriú	caidrithe	25
caígh	*weep, lament*	caí	caíte	22
caighdeánaigh	*standardise*	caighdeánú	caighdeánaithe	21
cailcigh	*calcify*	cailciú	cailcithe	25
cailcínigh	*calcine*	cailcíniú	cailcínithe	25

gas/fréamh stem/root	Béarla English	ainm briathartha verbal noun	aidiacht bhr. verbal adjective	briathar gaolta verb type
cailg	*bite, sting*	cailgeadh	cailgthe	17
cáiligh	*qualify*	cáiliú	cáilithe	25
caill	*lose*	**cailleadh**	**caillte**	**17**
cáin	*fine, condemn*	cáineadh	cáinte	17
cainníochtaigh	*quantify*	cainníochtú	cainníochtaithe	21
cáinsigh	*scold*	cáinsiú	cáinsithe	25
caintigh	*speak, address*	caintiú	caintithe	25
caipitligh	*capitalize*	caipitliú	caipitlithe	25
cairéalaigh	*quarry*	cairéalú	cairéalaithe	21
cairtfhostaigh	*charter*	cairtfhostú	cairtfhostaithe	21
caisligh	*castle (chess)*	caisliú	caislithe	25
caisnigh	*frizz, curl*	caisniú	caisnithe	25
caith	*wear, spend, throw*	**caitheamh**	**caite**	**18**
cáith	*winnow, spray*	cáitheadh	cáite	18
cáithigh	*belittle, revile*	cáithiú	cáithithe	25
caithreáil	*tangle*	caithreáil	caithreáilte	81
caithréimigh	*triumph*	caithréimiú	caithréimithe	25
caithrigh	*reach puberty*	caithriú	caithrithe	25
caiticeasmaigh	*catechize*	caiticeasmú	caiticeasmaithe	21
calabraigh	*calibrate*	calabrú	calabraithe	21
calaigh	*berth*	calú	calaithe	21
calc	*caulk, cake*	calcadh	calctha	19
calmaigh	*strengthen*	calmú	calmaithe	21
cam	*bend, distort*	camadh	camtha	19
camhraigh	*become tainted*	camhrú	camhraithe	21
campáil	*camp*	campáil	campáilte	81
can	*sing, chant*	canadh	canta	19
cánáil	*cane*	cánáil	cánáilte	81
canálaigh	*canalize*	canálú	canálaithe	21
cancraigh	*vex, annoy*	cancrú	cancraithe	21
cannaigh	*can*	cannú	cannaithe	21
canónaigh	*canonize*	canónú	canónaithe	21
cantáil	*grab, devour*	cantáil	cantáilte	81
caoch	*dazzle, wink*	caochadh	caochta	19
caochfháithimigh	*slip-hem*	c.fháithimiú	c.fháithimithe	25
caoin	*cry, keen,*	caoineadh	caointe	28
caoithigh	*suit*	caoithiú	caoithithe	25
caolaigh	*slenderize*	caolú	caolaithe	21
caomhnaigh	*preserve*	caomhnú	caomhnaithe	21
car	*love*	carthain	cartha	19
caradaigh	*befriend*	caradú	caradaithe	21
carbólaigh	*carbolize*	carbólú	carbólaithe	21
carbónaigh	*carbonize*	carbónú	carbónaithe	21
carbraigh	*carbuerate*	carbrú	carbraithe	21
carcraigh	*incarerate*	carcrú	carcraithe	21
cardáil	*card, discuss*	cardáil	cardáilte	81
carn	*heap, pile*	carnadh	carntha	19
cart	*tan, clear out*	cartadh	carta	111
cas	*twist, wind*	**casadh**	**casta**	**19**
cásaigh	*deplore*	cású	cásaithe	21
cásáil	*encase, case*	cásáil	cásáilte	81
casaoid	*complain*	casaoid	casaoidte	28
casiompaigh	*retrograde*	casiompú	casiompaithe	21
casmhúnlaigh	*spin*	casmhúnlú	casmhúnlaithe	21
catalaigh	*catalyze*	catalú	catalaithe	21
cathaigh	*battle, tempt*	cathú	cathaithe	21
ceadaigh	*permit, allow*	ceadú	ceadaithe	21
céadcheap	*invent, rough-hew*	céadcheapadh	céadcheaptha	19
céadfaigh	*sense*	céadfú	céadfaithe	21
ceadúnaigh	*license*	ceadúnú	ceadúnaithe	21
cealaigh	*cancel*	cealú	cealaithe	21
cealg	*beguile, lull*	cealgadh	cealgtha	19
ceangail	*tie, bind*	**ceangal**	**ceangailte**	**20**
ceannaigh	*buy*	**ceannach**	**ceannaithe**	**21**
céannaigh	*identify*	céannú	céannaithe	21
ceannchogain	*nibble, gnaw*	ceannchogaint	ceannchoganta	20
ceansaigh	*appease, control*	ceansú	ceansaithe	21
ceantáil	*auction*	ceantáil	ceantáilte	81
ceap	*invent, think*	ceapadh	ceaptha	19
cearnaigh	*square*	cearnú	cearnaithe	21
ceartaigh	*correct*	ceartú	ceartaithe	21
céas	*crucify, torment*	céasadh	céasta	19
céaslaigh	*paddle (boat)*	céaslú	céaslaithe	21
ceasnaigh	*complain*	ceasnú	ceasnaithe	21

gas/fréamh stem/root	Béarla English	ainm briathartha verbal noun	aidiacht bhr. verbal adjective	briathar gaolta verb type
ceil	hide, conceal	ceilt	ceilte	28
ceiliúir	warble, sing, celebrate	ceiliúradh	ceiliúrtha	93
céimnigh	step, graduate	céimniú	céimnithe	25
ceirtleáil	wind into ball	ceirtleáil	ceirtleáilte	81
ceis	grumble	ceasacht	ceiste	28
ceistigh	question	ceistiú	ceistithe	25
ciallaigh	mean, signify	ciallú	ciallaithe	21
ciap	harass, annoy	ciapadh	ciaptha	19
ciar	wax	ciaradh	ciartha	81
ciceáil	kick	ciceáil	ciceáilte	81
cigil	tickle	cigilt	cigilte	102
cimigh	make captive	cimiú	cimithe	25
cin	spring, descend	cineadh	cinte	28
cineach	devolve jur	cineachadh	cineachta	19
cinn	decide, decree	cinneadh	cinnte	28
cinn	step, surpass	cinneadh	cinnte	28
cinnir	lead by the head	cinnireacht	cinneartha	59 + 102
cinntigh	make certain	cinntiú	cinntithe	25
ciondáil	ration	ciondáil	ciondáilte	81
cionroinn	apportion	cionroinnt	cionroinnte	28
ciontaigh	blame, accuse	ciontú	ciontaithe	21
cíor	comb, examine	cíoradh	cíortha	19
ciorclaigh	(en)circle	ciorclú	ciorclaithe	21
cíorláil	comb, rummage	cíorláil	cíorláilte	81
ciorraigh	cut, hack, maim	ciorrú	ciorraithe	21
cíosaigh	(pay) rent (for)	cíosú	cíosaithe	21
cis	stand on, restrain	ciseadh	ciste	28
cistigh	encyst	cistiú	cistithe	25
ciúáil	queue	ciúáil	ciúáilte	81
ciúbaigh	cube	ciúbú	ciúbaithe	21
ciúnaigh	calm, quieten	ciúnú	ciúnaithe	21
clab	devour	clabadh	clabtha	19
clabhtáil	clout	clabhtáil	clabhtáilte	81
cladáil	heap	cladáil	cladáilte	81
clag	clack, clatter	clagadh	clagtha	19
claidh	dig	claidhe	claidhte	28
clamhair	pull hair / skin off	clamhairt	clamhartha	20
clampaigh / clampáil	clamp	clampú / clampáil	clampaithe / clampáilte	21/81
clannaigh	procreate, plant	clannú	clannaithe	21
claochlaigh	mutate	claochlú	claochlaithe	21
claon	incline, slant	claonadh	claonta	19
claonmharaigh	mortify	claonmharú	claonmharaithe	21
cláraigh	regestir, enrol	clárú	cláraithe	21
clasaigh	channel, trench	clasú	clasaithe	21
clasaigh	coax	clasú	clasaithe	21
clasánaigh	gully (soil)	clasánú	clasánaithe	21
cleacht	practise	cleachtadh	cleachta	111
cleitigh	preen, fledge	cleitiú	cleitithe	25
cliath	harrow	cliathadh	cliata	69
cliceáil	click	cliceáil	cliceáilte	81
climir	strip milch cow	climirt	climeartha	102 + 59
cling	clink, tinkle	clingeadh	clingthe	28
clíomaigh	acclimatize	clíomú	clíomaithe	21
clip	prick, tease	clipeadh	clipthe	28
clis	jump, start(le)	cliseadh	cliste	28
clíth	copulate	clítheadh	clite	18 + 76
clóbhuail	type	clóbhualadh	clóbhuailte	buail + 17
cloch	stone	clochadh	clochta	19
clochraigh	petrify	clochrú	clochraithe	21
cló-eagraigh	compose	cló-eagrú	cló-eagraithe	21
clog	blister	clogadh	clogtha	19
clóigh	tame	cló	clóite	33
clóigh	print	cló	clóite	33
cloígh	*defeat*	**cloí**	**cloíte**	**22**
cloígh	cleave, adhere	cloí	cloíte	22
clóirínigh	chlorinate	clóiríniú	clóirínithe	25
clois = cluin	*hear*	**cloisteáil**	**cloiste**	**23**
clóscríobh	type(write)	clóscríobh	clóscríofa	19
clothaigh	praise, extol	clothú	clothaithe	21
clúdaigh	cover	clúdach	clúdaithe	21
cluich	chase, harry	cluicheadh	cluichte	28
cluicheáil	pilfer, steal	cluicheáil	cluicheáilte	81
cluimhrigh	pluck, spruce up	cluimhriú	cluimhrithe	25
cluin = clois	*hear*	**cluinstean**	**cluinte**	**23**

gas/fréamh stem/root	Béarla English	ainm briathartha verbal noun	aidiacht bhr. verbal adjective	briathar gaolta verb type
clúmhill	slander	clúmhilleadh	clúmhillte	28 + 70
clutharaigh	shelter	clutharú	clutharaithe	21
cnádaigh	smoulder	cnádú	cnádaithe	21
cnag	knock, strike	cnagadh	cnagtha	19
cnagbheirigh	parboil	cnagbheiriú	cnagbheirithe	25
cnagbhruith	parboil	cnagbhruith	cnagbhruite	18
cnaigh	gnaw, corrode	cnaí	cnaíte	22
cnámhaigh	ossify	cnámhú	cnámhaithe	21
cnámhair	suck	cnáimhreadh	cnámhartha	20
cnámhghoin	wound (to bone)	cnámhghoin	cnámhghonta	28
cnap	heap, knock	cnapadh	cnaptha	19
cnead	pant, groan	cneadach	cneadta	19
cneáigh	wound	cneá	cneáite	7
cneasaigh	cicatrize, heal	cneasú	cneasaithe	21
cniog	rap, blow, stir	cniogadh	cniogtha	19
cniotáil	knit	cniotáil	cniotáilte	81
cnuáil	lag	cnuáil	cnuáilte	81
cnuasaigh	collect, gather	cnuasach	cnuasaithe	21
cnuchair	foot (turf)	cnuchairt	cnuchartha	20
cobhsaigh	stabilize	cobhsú	cobhsaithe	21
coc	cock (hay)	cocadh	coctha	19
cocáil	cock, point	cocáil	cocáilte	81
cócaráil	cook	cócaráil	cócaráilte	81
cochlaigh	enlose, cuddle	cochlú	cochlaithe	21
códaigh	codify	códú	códaithe	21
codail	**sleep**	**codladh**	**codalta**	**24**
codánaigh	fractionate	codánú	codánaithe	21
codhnaigh	master, control	codhnú	codhnaithe	21
cogain	chew, gnaw	cogaint	coganta	24
cogairsigh	marshal	cogairsiú	cogairsithe	25
coibhseanaigh	confess	coibhseanú	coibhseanaithe	21
coiceáil	goffer	coiceáil	coiceáilte	81
coigeartaigh	rectify, adjust	coigeartú	coigeartaithe	21
coigil	spare, rake fire	coigilt	coigilte	102
coigistigh	confiscate	coigistiú	coigistithe	25
coiligh	tread (cock)	coiliú	coilithe	25
coilínigh	colonize	coilíniú	coilínithe	25
coill	geld, despoil	coilleadh	coillte	17
coilltigh	afforest	coilltiú	coilltithe	25
coimeád	keep, observe	coimeád	coimeádta	19
cóimeáil	assemble	cóimeáil	cóimeáilte	81
coimhéad	watch over	coimhéad	coimhéadta	19
cóimheas	compare, collate	cóimheas	cóimheasta	19
cóimheasc	coalesce	cóimheascadh	cóimheasctha	19
cóimhiotalaigh	alloy	cóimhiotalú	cóimhiotalaithe	21
coimhthigh	estrange	coimhthiú	coimhthithe	25
coimpir	conceive	coimpeart	coimpeartha	102
coimrigh	sum up	coimriú	coimrithe	25
coinbhéartaigh	convert	coinbhéartú	coinbhéartaithe	21
coinbhéirsigh	converge	coinbhéirsiú	coinbhéirsithe	25
coincheap	conceive	coincheapadh	coincheaptha	19
coincréitigh	concrete	coincréitiú	coincréitithe	25
cóineartaigh	confirm	cóineartú	cóineartaithe	21
coinnealbháigh	excommunicate	coinnealbhá	coinnealbháite	7
coinnigh	**keep, maintain**	**coinneáil**	**coinnithe**	**25**
coinscríobh	conscript	coinscríobh	coinscríofa	19 + 88
coinsínigh	consign	coinsíniú	coinsínithe	25 + 92
coip	ferment, froth	coipeadh	coipthe	28
cóipeáil	copy	cóipeáil	cóipeáilte	81
cóipeáil	cope	cóipeáil	cóipeáilte	81
coir	tire, exhaust	cor	cortha	17
coirb	corrupt	coirbeadh	coirbthe	17
coirbéal	corbel	coirbéaladh	coirbéalta	19
cóireáil	treat (med.)	cóireáil	cóireáilte	81
coirigh	accuse	coiriú	coirithe	25
cóirigh	repair, arrange	cóiriú	cóirithe	25
coirnigh	tonsure	coirniú	coirnithe	25
coirtigh	tan, coat	coirtiú	coirtithe	25
coisc	prevent, restrain	cosc	coiscthe	28
coisigh	walk, go on foot	coisíocht	coisithe	25
coisric	bless	coisreacan	coisricthe	17
comáil	tie together	comáil	comáilte	81
comardaigh	equate	comardú	comardaithe	21
comhaill	fulfill, perform	comhall	comhallta	93

gas/fréamh stem/root	Béarla English	ainm briathartha verbal noun	aidiacht bhr. verbal adjective	briathar gaolta verb type
comhair	count, calculate	comhaireamh	comhairthe	24
comhairligh	advise, counsel	comhairliú	comhairlithe	25
cómhalartaigh	reciprocate	cómhalartú	cómhalartaithe	21
comhaontaigh	unite, agree	comhaontú	comhaontaithe	21
comhardaigh	equalise, balance	comhardú	comhardaithe	21
comharthaigh	signify, designate	comharthú	comharthaithe	21
comhathraigh	vary	comhathrú	comhathraithe	21
comhbhailigh	aggregate	comhbhailiú	comhbhailithe	25 + 8
comhbheartaigh	concert	comhbheartú	comhbheartaithe	21
comhbhrúigh	compress	comhbhrú	comhbhrúite	16
comhbhuail	strike in unison	comhbhualadh	comhbhuailte	28
comhcheangail	bind, join	comhcheangal	comhcheangailte	20
comhchlaon	converge	comhchlaonadh	comhchlaonta	19
comhchoirigh	recriminate	comhchoiriú	comhchoirithe	25
comhchruinnigh	assemble	comhchruinniú	comhchruinnithe	25
comhchuingigh	conjugate (biol.)	comhchuingiú	comhchuingithe	25
comhdaigh	file	comhdú	comhdaithe	21
comhdhéan	make up	comhdhéanamh	comhdhéanta	19
comhdhearbhaigh	corroborate	comhdhearbhú	c.dhearbhaithe	21
comhdhlúthaigh	press, compact	comhdhlúthú	comhdhlúthaithe	21
comhéignigh	coerce	comhéigniú	comhéignithe	25
comhfhadaigh	justify (typ.)	comhfhadú	comhfhadaithe	21
comhfháisc	compress	comhfháscadh	comhfháiscthe	28
comhfhortaigh	console	comhfhortú	comhfhortaithe	21
comhfhreagair	correspond	comhfhreagairt	comhfhreagartha	20
comhghaolaigh	correlate	comhghaolú	comhghaolaithe	21
comhghlasáil	interlock	comhghlasáil	comhghlasáilte	81
comhghléas	tune in	comhghléasadh	comhghléasta	19
comhghreamaigh	cohere	comhghreamú	c.ghreamaithe	21
comhghríosaigh	incite, agitate	comhghríosú	c.ghríosaithe	21
comhlánaigh	complete	comhlánú	comhlánaithe	21
comhleáigh	fuse (metall.)	comhleá	comhleáite	7
comhlínigh	collimate	comhlíniú	comhlínithe	25
comhlíon	fulfill	comhlíonadh	comhlíonta	19
comhoibrigh	co-operate	comhoibriú	comhoibrithe	25
comhoiriúnaigh	harmonize	comhoiriúnú	comhoiriúnaithe	21
comhordanaigh	co-ordinate	comhordú	comhordaithe	21
comhordanáidigh	co-ordinate	comhordanáidiú	c.ordanáidithe	25
comhraic	encounter	comhrac	comhraicthe	28/25
comhréitigh	compromise	comhréiteach	comhréitithe	25
comhrialaigh	regulate	comhrialú	comhrialaithe	21
comhrianaigh	contour	comhrianú	comhrianaithe	21
comhshamhlaigh	assimilate	comhshamhlú	c.shamhlaithe	21
comhshínigh	countersign	comhshíniú	comhshínithe	25
comhshnaidhm	intertwine	c.shnaidhmeadh	c.shnaidhmthe	28
comhshóigh	convert	comhshó	comhshóite	33
comhshuigh	compound	comhshuí	comhshuite	97
comhthacaigh	corroborate	comhthacú	comhthacaithe	21
comhtharlaigh	coincide	comhtharlú	comhtharlaithe	21
comhtharraing	pull in unison	comhtharraingt	c.tharrainagtha	104
comhtháthaigh	coalesce	comhtháthú	comhtháthaithe	21
comhthiomsaigh	associate	comhthiomsú	comhthiomsaithe	21
comhthit	coincide	comhthitim	comhthite	108
comhthiúin	tune	comhthiúnadh	comhthiúnta	93
comhthogh	co-opt	comhthoghadh	comhthofa	19
comóir	convene	comóradh	comórtha	93
comthaigh	associate	comthú	comthaithe	21
cónaigh	dwell, reside	cónaí	cónaithe	21
conáil	perish, freeze	conáil	conáilte	81
cónaisc	connect	cónascadh	cónasctha	28
conclúidigh	conclude	conclúidiú	conclúidithe	25
conducht	conduct	conduchtadh	conduchta	111
conlaigh	glean, gather	conlú	conlaithe	21
connaigh	accustom	connú	connaithe	21
conraigh	contract	conrú	conraithe	21
consaigh	miss	consú	consaithe	21
conspóid	argue, dispute	conspóid	conspóidte	28
construáil	construe	construáil	construáilte	81
cor	turn	coradh	cortha	19
corb	corrupt, deprave	corbadh	corbtha	19
corcáil	cork	corcáil	corcáilte	81
corcraigh	(die) purple	corcrú	corcraithe	21
cordaigh	cord	cordú	cordaithe	21
corn	roll, coil	cornadh	corntha	19

gas/fréamh stem/root	Béarla English	ainm briathartha verbal noun	aidiacht bhr. verbal adjective	briathar gaolta verb type
corónaigh	crown	corónú	corónaithe	21
corpraigh	incorporate	corprú	corpraithe	21
corracaigh	coo	corracú	corracaithe	21
corraigh	move, stir	corrú	corraithe	21
cosain	defend, cost	cosaint	cosanta	24
coscair	cut up, thaw	coscairt	coscartha	24
costáil	cost	costáil	costáilte	81
cóstáil	coast	cóstáil	cóstáilte	81
cosúlaigh	liken	cosúlú	cosúlaithe	21
cothaigh	feed, sustain	cothú	cothaithe	21
cothromaigh	level, equalize	cothromú	cothromaithe	21
crág	chelate	crágadh	crágtha	19
crágáil	claw, paw	crágáil	crágáilte	81
craiceáil	crack	craiceáil	craiceáilte	81
cráigh	vex, torment	crá	cráite	7
cráin	suck	cráineadh	cráinte	28
cráindóigh	smoulder	cráindó	cráindóite	33
crampáil	cramp	crampáil	crampáilte	81
crandaigh	stunt	crandú	crandaithe	21
cranraigh	beome knotty	cranrú	cranraithe	21
craobhaigh	branch, expand	craobhú	craobhaithe	21
craobhscaoil	broadcast	c.scaoileadh	craobhscaoilte	28
craol	announce	craoladh	craolta	19
craosfholc	gargle	craosfholcadh	craosfholctha	19
crap	contract, shrink	crapadh	craptha	19
craplaigh	fetter, cripple	craplú	craplaithe	21
creach	plunder, raid	creachadh	creachta	19
créachtaigh	gash, wound	créachtú	créachtaithe	21
créam	cremate	créamadh	créamtha	19
crean	obtain, bestow	creanadh	creanta	19
creath	tremble	creathadh	creata	69
creathnaigh	termble, quake	creathnú	creathnaithe	21
creid	believe	creidiúint	creidte	28
creidiúnaigh	accredit	creidiúnú	creidiúnaithe	21
creim	gnaw, corrode	creimeadh	creimthe	28
creimneáil	tack, baste	creimneáil	creimneáilte	81
creimseáil	nibble	creimseáil	creimseáilte	81
cré-umhaigh	bronze	cré-umhú	cré-umhaithe	21
criathraigh	sieve, winnow	criathrú	criathraithe	21
crinn	contend with	crinneadh	crinnte	28
críochaigh	demarcate	críochú	críochaithe	21
críochnaigh	finish, complete	críochnú	críochnaithe	21
críon	age, wither	críonadh	críonta	19
crioslaigh	girdle, enclose	crioslú	crioslaithe	21
criostalaigh	crsytallize	criostalú	criostalaithe	21
crith	tremble, shake	crith	crite	18
crithlonraigh	shimmer	crithlonrú	crithlonraithe	21
croch	hang	crochadh	crochta	19
cróiseáil	crochet	cróiseáil	cróiseáilte	81
croith	shake	croitheadh	croite	18
crom	bend	cromadh	cromtha	19
crómchneasaigh	chrome-plate	crómchneasú	crómchneasaithe	21
crómleasaigh	chrome-tan	crómleasú	crómleasaithe	21
cronaigh /crothnaigh U	miss	cronú /crothnú	cronaithe /crothnaithe	21
crónaigh	tan, darken	crónú	crónaithe	21
cros	cross, forbid	crosadh	crosta	19
crosáil	cross	crosáil	crosáilte	81
croscheistigh	cross-question	croscheistiú	croscheistithe	25
crosghrean	cross-hatch	crosghreanadh	crosghreanta	19
crosphóraigh	cross-breed	crosphórú	crosphóraithe	21
cros-síolraigh	intercross	cros-síolrú	cros-síolraithe	21
cros-toirchigh	cross-fertilize	cros-toirchiú	cros-toirchithe	25
cruach	stack, pile	cruachadh	cruachta	19
cruaigh	**harden**	**cruachan**	**cruaite**	**26**
cruan	enamel	cruanadh	cruanta	19
cruashádráil	hard-solder	cruashádráil	cruashádráilte	81
crúbáil	claw, paw	crúbáil	crúbáilte	81
crúcáil	hook, clutch	crúcáil	crúcáilte	81
crúigh	milk	crú	crúite	16
crúigh	shoe a horse	crú	crúite	16
cruinnigh	**gather, collect**	**cruinniú**	**cruinnithe**	**27**
crústaigh	pelt	crústú	crústaithe	21
crústáil	drub, belabour	crústáil	crústáilte	81
cruthaigh	create, prove	cruthú	cruthaithe	21

278

gas/fréamh stem/root	Béarla English	ainm briathartha verbal noun	aidiacht bhr. verbal adjective	briathar gaolta verb type
cuach	bundle, wrap	cuachadh	cuachta	19
cuaileáil	coil	cuaileáil	cuaileáilte	81
cuailligh	stud	cuailliú	cuaillithe	25
cuar	curve	cuaradh	cuartha	19
cuardaigh Std	search	cuardach	cuardaithe	21
= cuartaigh U	search	cuartú	cuartaithe	21
cúb	coop, bend	cúbadh	cúbtha	19
cúbláil	juggle	cúbláil	cúbláilte	81
cuibhrigh	bind, fetter	cuibhriú	cuibhrithe	25
cuideachtaigh	bring together	cuideachtú	cuideachtaithe	21
cuidigh	associate, help	cuidiú	cuidithe	25
cúigleáil	cheat, embezzle	cúigleáil	cúigleáilte	81
cuileáil	discard, reject	cuileáil	cuileáilte	81
cuilteáil	quilt	cuilteáil	cuilteáilte	81
cuimhnigh	remember	cuimhniú	cuimhnithe	25
cuimil	rub	cuimilt	cuimilte	102
cuimsigh	comprehend	cuimsiú	cuimsithe	25
cuingigh	yoke, pair	cuingiú	cuingithe	25
cuingrigh	yoke, pair	cuingriú	cuingrithe	25
cúinneáil	corner	cúinneáil	cúinneáilte	81
cuir	**put, sow**	**cur**	**curtha**	**28**
cúisigh	accuse, charge	cúisiú	cúisithe	25
cuisligh	flow, pipe	cuisliú	cuislithe	25
cuisnigh	refrigerate	cuisniú	cuisnithe	25
cúitigh	compensate	cúiteamh	cúitithe	25
cúlaigh	reverse, retreat	cúlú	cúlaithe	21
cúláil	back	cúláil	cúláilte	81
cúlcheadaigh	connive	cúlcheadú	cúlcheadaithe	21
cúlchlóigh	perfect (typ.)	cúlchló	cúlchlóite	33
cúléist	eaves-drop	cúléisteacht	cúléiste	39
cúlghair	revoke	cúlghairm	cúlghairthe	28
cúlghearr	back-bite	cúlghearradh	cúlghearrtha	19
cúliompaigh	turn back	cúliompú	cúliompaithe	21
cúlsleamhnaigh	backslide	cúlsleamhnú	cúlsleamhnaithe	21
cúltort	back-fire	cúltortadh	cúltorta	111
cum	compose	cumadh	cumtha	19
cumaisc	mix, blend	cumascadh	cumaiscthe	93
cumasaigh	enable	cumasú	cumasaithe	21
cumhachtaigh	empower	cumhachtú	cumhachtaithe	21
cumhdaigh	cover, protect	cumhdach	cumhdaithe	21
cumhraigh	perfume	cumhrú	cumhraithe	21
cumhsanaigh	rest, repose	cumhsanú	cumhsanaithe	21
cumhscaigh	move, stir	cumhscú	cumhscaithe	21
cúnaigh	help	cúnamh	cúnaithe	21
cúnantaigh	covenant	cúnantú	cúnantaithe	21
cúngaigh	narrow	cúngú	cúngaithe	21
cuntais	count	cuntas	cuntaiste	93
cúpláil	couple, unite	cúpláil	cúpláilte	81
cúr	chastise, scourge	cúradh	cúrtha	19
cúrsaigh	reprimand	cúrsú	cúrsaithe	21
cúrsáil	cruise, course	cúrsáil	cúrsáilte	81
dáil	allot, bestow	dáil	dálta	34
daingnigh	fortify	daingniú	daingnithe	32
dall	blind, darken	dalladh	dallta	31
dallraigh	blind, dazzle	dallrú	dallraithe	29
damascaigh	damascene	damascú	damascaithe	29
dambáil	dam	dambáil	dambáilte	81
dámh	concede, allow	dámhachtain	dáfa	31
damhain	tame, subdue	damhnadh	damhainte	Ich 264 / 7
damhnaigh	materialize	damhnú	damhnaithe	29
damhsaigh	dance	damhsú	damhsaithe	29
damnaigh	damn	damnú	damnaithe	29
dánaigh	give, bestow	dánú	dánaithe	29
daoirsigh	raise price	daoirsiú	daoirsithe	32
daonnaigh	humanize	daonnú	daonnaithe	29
daor	enslave, condemn	daoradh	daortha	31
daorbhasc	maul severely	daorbhascadh	daorbhasctha	31
dátaigh / dátáil	date	dátú / dátáil	dátaithe / dátáilte	29/81
dath	allocate	dathadh	daite	69
dathaigh	**colour**	**dathú**	**daite**	**29**
deachaigh	decimate	deachú	deachaithe	29
deachair	differentiate	deachrú	deachraithe	24
deachtaigh	dictate, indite	deachtú	deachtaithe	29
deachúlaigh	decimilize	deachúlú	deachúlaithe	29

gas/fréamh stem/root	Béarla English	ainm briathartha verbal noun	aidiacht bhr. verbal adjective	briathar gaolta verb type
déadail	dare	déadladh	déadlaithe	24
déaduchtaigh	deduce	déaduchtú	déaduchtaithe	29
dealagáidigh	delegate	dealagáidiú	dealagáidithe	32
dealaigh	part, differentiate	dealú	dealaithe	29
dealbhaigh	impoverish	dealbhú	dealbhaithe	29
dealbhaigh	sculpt, fashion	dealbhú	dealbhaithe	29
dealraigh	shine, illuminate	dealramh	dealraithe	29
déan	**do, make**	**déanamh**	**déanta**	**30**
deann	colour, paint	deannadh	deannta	31
dear	design, draw	dearadh	deartha	31
dear	renounce	dearadh	deartha	31
dearbhaigh	confirm	dearbhú	dearbhaithe	29
dearbháil	test, check	dearbháil	dearbháilte	81
dearbhasc	affirm	dearbhascadh	dearbhasctha	31
dearc	look	dearcadh	dearctha	31
dearg	redden, light	deargadh	deargtha	31
dearlaic	grant, bestow	dearlacadh	dearlaicthe	93
dearmad	forget	dearmad	dearmadta	31
dearnáil	darn	dearnáil	dearnáilte	81
dearóiligh	debase	dearóiliú	dearóilithe	32
dearscnaigh	excel, transcend	dearscnú	dearscnaithe	29
deasaigh	dress, prepare	deasú	deasaithe	29
deasc	precipitate	deascadh	deasctha	31
deataigh	smoke	deatú	deataithe	29
deifnídigh	define	deifnídiú	deifnídithe	32
deifrigh	hurry, hasten	deifriú	deifrithe	32
deighil	separate	deighilt	deighilte	102
deil	turn on lathe	deileadh	deilte	34
deilbhigh	frame, fashion	deilbhiú	deilbhithe	32
déileáil	deal	déileáil	déileáilte	81
deimhneasc	aver (jur)	deimhneascadh	deimhneasctha	31
deimhnigh	certify, assure	deimhniú	deimhnithe	32
deisigh	mend, repair	deisiú	deisithe	32
deoch	immerse, cover	deochadh	deochta	31
deonaigh	grant	deonú	deonaithe	29
déroinn	bisect	déroinnt	déroinnte	34 + 84
dí-adhlaic	disinter, exhume	dí-adhlacadh	dí-adhlactha	93
dí-agair	non-suit (jur)	dí-agairt	dí-agartha	24
dí-armáil	disarm	dí-armáil	dí-armáilte	81
dí-eaglaisigh	secularize	dí-eaglaisiú	dí-eaglaisithe	32
dí-ocsaídigh	deoxidize	dí-ocsaídiú	dí-ocsaídithe	32
dí-ocsaiginigh	deoxygenate	dí-ocsaiginiú	dí-ocsaiginithe	32
dí-oighrigh	de-ice	dí-oighriú	dí-oighrithe	32
dí-shainoidhrigh	disentail	dí-shainoidhriú	dí-shainoidhrithe	32
diagaigh	deify	diagú	diagaithe	29
diailigh	dial	diailiú	diailithe	32
diall	incline, decline	dialladh	diallta	31
diamhaslaigh	blaspheme	diamhaslú	diamhaslaithe	29
diamhraigh	darken, obscure	diamhrú	diamhraithe	29
dianaigh	intensify	dianú	dianaithe	29
dianscaoil	decompose	dianscaoileadh	dianscaoilte	34
diansir	importune	diansireadh	diansirthe	34
diasraigh	glean	diasrú	diasraithe	29
díbh	dismiss	díbheadh	dífe	34
díbharraigh	disbarr	díbharrú	díbharraithe	29
dibhéirsigh	diverge	dibhéirsiú	dibhéirsithe	32
díbholaigh	deodorize	díbholú	díbholaithe	29
díbholg	deflate	díbholgadh	díbholgtha	31
díbhunaigh	disestablish	díbhunú	díbhunaithe	29
díbir	banish, exile	díbirt	díbeartha	102
díbligh	debilitate	díbliú	díblithe	32
dícháiligh	disqualify	dícháiliú	dícháilithe	32
dícharbónaigh	decarbonize	dícharbónú	dícharbónaithe	29
dícheadaigh	disallow	dícheadú	dícheadaithe	29
dícheangail	untie, detach	dícheangal	dícheangailte	20
dícheann	behead	dícheannadh	dícheannta	31
/ dícheannaigh	behead	/ dícheannú	/ dícheannaithe	/ 29
dícheil	conceal, secrete	dícheilt	dícheilte	34
díchnámhaigh	bone, fillet	díchnámhú	díchnámhaithe	29
díchódaigh	decode	díchódú	díchódaithe	29
díchóimeáil	dismantle	díchóimeáil	díchóimeáilte	81
díchoisric	deconsecrate	díchoisreacan	díchoisricthe	34
díchollaigh	disembody	díchollú	díchollaithe	29
díchónasc	diconnect	díchónascadh	díchónasctha	31

gas/fréamh stem/root	Béarla English	ainm briathartha verbal noun	aidiacht bhr. verbal adjective	briathar gaolta verb type
díchorn	unwind	díchornadh	díchornta	31
díchorónaigh	dethrone	díchorónú	díchorónaithe	29
díchreid	disbelieve	díchreidiúint	díchreidte	34
díchreidiúnaigh	discredit	díchreidiúnú	díchreidiúnaithe	29
díchruthaigh	disprove	díchruthú	díchruthaithe	29
díchuir	expel, eject	díchur	díchurtha	34, 28
díchum	deform, distort	díchumadh	díchumtha	31
dídhaoinigh	depopulate	dídhaoiniú	dídhaoinithe	32
dífháisc	decompress	dífháscadh	dífháiscthe	34
dífhéaraigh	depasture	dífhéarú	dífhéaraithe	29
dífhoraoisigh	deforest	dífhoraoisiú	dífhoraoisithe	32
dífhostaigh	disemploy	dífhostú	dífhostaithe	29
difreáil	differentiate	difreáil	difreáilte	81
difrigh	differ, dissent	difriú	difrithe	32
díghalraigh	disinfect	díghalrú	díghalraithe	29
díghreamaigh	unstick	díghreamú	díghreamaithe	29
díhiodráitigh	dehydrate	díhiodráitiú	díhiodráitithe	32
díláithrigh	displace	díláithriú	díláithrithe	32
díláraigh	decentralize	dílárú	díláraithe	29
díleáigh	dissolve, digest	díleá	díleáite	7
díligh	deluge	díliú	dílithe	32
dílódáil	unload	dílódáil	dílódáilte	81
dílsigh	vest, pledge	dílsiú	dílsithe	32
díluacháil	devalue	díluacháil	díluacháilte	81
díluchtaigh	discharge, unload	díluchtú	díluchtaithe	29
dímhaighnéadaigh	demagnetize	dímhaighnéadú	dimhaigh	29
dímhignigh	condemn	dímhigniú	-néadaithe	32
dímhíleataigh	demilitarize	dímhíleatú	dímhignithe	29
dímhol	dispraise	dímholadh	dímhíleataithe	31 + 73
dímhonaigh	demonetize	dímhonú	dímholta	29
dínádúraigh	denature	dínádúrú	dímhonaithe	29
dínáisiúnaigh	denationalize	dínáisiúnú	dínádúraithe	29
dínasc	disconnect	dínascadh	dínáisiúnaithe	31
díneartaigh	enfeeble	díneartú	-	29
ding	dint, wedge	dingeadh	dínasctha	34
ding	wedge	dingeadh	díneartaithe	34
dínítriginigh	denitrify	dínítriginiú	dingthe	32
díobh	extinguish	díobhadh	dingthe	31
díobháil	injure, harm	díobháil	dínítriginithe	81
díochlaon	decline	díochlaonadh	díofa	31
diogáil	dock, trim	diogáil	díobháilte	81
díoghail	avenge, punish	díoghail	díochlaonta	Ich 264/7
díol	**sell**	**díol**	díoghailte	**31**
díolaim	compile, glean	díolaim	**díolta**	49/34
díolmhaigh	exempt	díolmhú	díolaimthe	29
díolmhainigh	free, exempt	díolmhainiú	díolmhaithe	32
diomail	waste, squander	diomailt	díolmhainithe	24
díon	protect, shelter	díonadh	diomailte	31
diongaibh	ward off, repel	diongbháil	díonta	Ich 264/7
díorthaigh	derive	díorthú	diongbháilte	29
diosc	disect	dioscadh	díorthaithe	31
díosc	creak, grate	díoscadh	diosctha	31
díoscarnaigh	creak, grind	díoscarnach	díosctha	29
díospóid	dispute	díospóid	díoscarnaithe	34
díotáil	indict	díotáil	díospóidte	81
díotáil	progress	díotáil	díotáilte	81
díotchúisigh	arraign	díotchúisiú	díotáilte	32
díothaigh	destroy	díothú	díotchúisíthe	29
dipeáil	dip	dipeáil	díothaithe	81
díphacáil	unpack	díphacáil	dipeáilte	81
dípholaraigh	depolarize	dípholarú	díphacáilte	29
díraon	diffract	díraonadh	dípholaraithe	31
dírátaigh	derate	dírátú	díraonta	29
díréitigh	disarrange	díréitiú	dírátaithe	32
díreoigh	defrost	díreo	díréitithe	45
dírigh	**straighten**	**díriú**	díreoite	**32**
díscaoil	unloose, disperse	díscaoileadh	**dirithe**	34
díscigh	dry up, drain	dísciú	díscaoilte	32
díscoir	unloose	díscor	díscithe	34
díscríobh	write off	díscríobh	díscortha	31 + 88
díshamhlaigh	dissimilate	díshamhlú	díscríofa	29
díshealbhaigh	dispossess, evict	díshealbhú	díshamhlaithe	29
díshioc	defrost	díshioc	díshealbhaithe	31
díshlóg	demobilize	díshlógadh	díshioctha	31
			díshlógtha	

gas/fréamh stem/root	Béarla English	ainm briathartha verbal noun	aidiacht bhr. verbal adjective	briathar gaolta verb type
díshraith	derate	díshraitheadh	díshraite	18
díshrian	decontrol	díshrianadh	díshrianta	31
dísigh	pair	dísiú	dísithe	32
dísligh	dice	dísliú	díslithe	32
díspeag	despise, belittle	díspeagadh	díspeagtha	31
díthiomsaigh	dissociate	díthiomsú	díthiomsaithe	29
dithneasaigh	hasten, hurry	dithneasú	dithneasaithe	29
díthochrais	unwind	díthochras	díthochraiste	34
díthruailligh	decontaminate	díthruailliú	díthruaillithe	32
diúg	drain, suck	diúgadh	diúgtha	31
diúl	suck	diúl	diúlta	31
diúltaigh / diúlt	refuse	diúltú / diúltadh	diúltaithe / diúlta	29 / 111
diúraic	cast, project	diúracadh	diúractha	93
diurnaigh	drain, swallow	diurnú	diurnaithe	29
/diurn/ diurnáil		diurnadh/diurnáil	diurnta/diurnáithe	/ 31 / 81
diúscair	dispose of	diúscairt	diúscartha	24
dlaoithigh	tress (hair)	dlaoithiú	dlaoithithe	32
dligh	be entitled to	dlí	dlite	76
dlisteanaigh	legitimate	dlisteanú	dlisteanaithe	29
dluigh	cleave, divide	dluí	dluite	97
dlúthaigh	compact	dlúthú	dlúthaithe	29
dochraigh	harm, prejudice	dochrú	dochraithe	29
docht	tighten, bind	dochtadh	dochta	111
dóibeáil	daub	dóibeáil	dóibeáilte	81
doicheallaigh	be unwilling	doicheallú	doicheallaithe	29
dóigh	**burn**	**dó**	**dóite**	**33**
doilbh	form, fabricate	doilbheadh	doilfe	34
doiléirigh	darken	doiléiriú	doiléirithe	32
doimhnigh	obscure	doimhniú	doimhnithe	32
doir	bull	dor	dortha	34
doirt	spill, pour	doirteadh	doirte	108
dol	loop, net	doladh	dolta	31
domheanmnaigh	dispirit	domheanmnú	domheanmnaithe	29
donaigh	aggravate	donú	donaithe	29
donnaigh	brown, tan	donnú	donnaithe	29
dópáil	dope	dópáil	dópáilte	81
dorchaigh	darken	dorchú	dorchaithe	29
dord	hum, buzz	dordadh	dordta	31
dornáil	fist, box	dornáil	dornáilte	81
draenáil	(dig) drain	draenáil	draenáilte	81
drámaigh	dramatize	drámú	drámaithe	29
dramhail	trample	dramhailt	dramhailte	24
drann	grin, snarl	drannadh	drannta	31
drantaigh	snarl, growl	drantú	drantaithe	29
draoibeáil	besplatter	draoibeáil	draoibeáilte	81
dreach	make up	dreachadh	dreachta	31
dréachtaigh	draft	dréachtú	dréachtaithe	29
dreap	climb	dreapadh	dreaptha	31
dreasaigh	incite, urge on	dreasú	dreasaithe	29
dreideáil	dredge	dreideáil	dreideáilte	81
dréim	climb, ascend	dréim	dréimthe	34
dreoigh	decompose	dreo	dreoite	45
driog ⚥	distil	driogadh	driogtha	31
drithligh	sparkle, glitter	drithliú	drithlithe	32
droimscríobh	endorse	droimscríobh	droimscríofa	31 + 88
drugáil	drug	drugáil	drugáilte	81
druid	**close, shut**	**druidim (drud)**	**druidte**	**34**
druileáil	drill	druileáil	druileáilte	81
duaithnigh	obscure	duaithniú	duaithnithe	32
dual	twine, braid	dualadh	dualta	31
dúbail	double	dúbailt	dúbailte	24
dubhaigh	blacken, darken	dúchan	dubhaithe	29
dúbláil	second distil	dúbláil	dúbláilte	81
duilligh	foliate	duilliú	duillithe	32
dúisigh	**(a)wake, arouse**	**dúiseacht**	**dúisithe**	**35**
dúlaigh	desire	dúlú	dúlaithe	29
dúloisc	char	dúloscadh	dúloiscthe	34
dúmhál	blackmail	dúmháladh	dúmhálta	31
dumpáil	dump	dumpáil	dumpáilte	81
dún	**close, shut**	**dúnadh**	**dúnta**	**36**
dúnmharaigh	murder	dúnmharú	dúnmharaithe	29 + 68
durdáil	coo	durdáil	durdáilte	81
dustáil	dust	dustáil	dustáilte	81
eachtraigh	set forth	eachtrú	eachtraithe	37

gas/fréamh stem/root	Béarla English	ainm briathartha verbal noun	aidiacht bhr. verbal adjective	briathar gaolta verb type
eachtraigh	relate, narrate	eachtraí	eachtraithe	37
éadaigh	clothe	éadú	éadaithe	37
eadarbhuasaigh	flutter, soar	eadarbhuasú	eadarbhuasaithe	37
éadlúthaigh	rarefy	éadlúthú	éadlúthaithe	37
eadóirsigh	naturalize	eadóirsiú	eadóirsithe	38
eadránaigh	arbitrate	eadránú	eadránaithe	37
éadromaigh	lighten	éadromú	éadromaithe	37
éaduchtaigh	educe	éaduchtú	éaduchtaithe	37
éag	die (out)	éag/éagadh	éagtha	78
éagaoin	moan, lament	éagaoineadh	éagaointe	77
eaglaigh	fear	eaglú	eaglaithe	37
eagnaigh	grow wise	eagnú	eagnaithe	37
éagnaigh	complain	éagnach	éagnaithe	37
éagóirigh / éagóir	wrong	éagóiriú / éagóireadh	éagóirithe / éagóirthe	38 / 77
éagothromaigh	unbalance	éagothromú	éagothromaithe	37
eagraigh	**organize**	**eagrú**	**eagraithe**	**37**
éagsúlaigh	diversify	éagsúlú	éagsúlaithe	37
éagumasaigh	incapicitate	éagumasú	éagumasaithe	37
éalaigh	escape, elude	éalú	éalaithe	37
eamhnaigh	double, sprout	eamhnú	eamhnaithe	37
eangaigh	notch, indent	eangú	eangaithe	37
éar	refuse	éaradh	éartha	78
earb	(en)trust	earbadh	earbtha	78
earcaigh	recruit	earcú	earcaithe	37
earrachaigh	vernalize	earrachú	earrachaithe	37
easáitigh	displace	easáitiú	easáitithe	38
easanálaigh	exhale	easanálú	easanálaithe	37
easaontaigh	disagree	easaontú	easaontaithe	37
easbhrúigh	thrust out	easbhrú	easbhrúite	16
éascaigh	facilitate	éascú	éascaithe	37
eascainigh	curse, swear	eascainí	eascainithe	38
eascair	spring, sprout	eascairt	eascartha	61
eascoiteannaigh	ostracize	eascoiteannú	eascoiteannaithe	37
easlánaigh	become sick	easlánú	easlánaithe	37
easmail	reproach, abuse	easmailt	easmailte	93
easonóraigh	dishonour	easonórú	easonóraithe	37
easpórtáil	export	easpórtáil	easpórtáilte	81
easraigh	litter, strew	easrú	easraithe	37
eibligh	emulsify	eibliú	eiblithe	38
éidigh	dress, clothe	éidiú	éidithe	38
éigh	cry out, scream	éamh	éite	66
éigiontaigh	acquit, absolve	éigiontú	éigiontaithe	37
éignigh	compel, violate	éigniú	éignithe	38
éiligh	claim, complain	éileamh	éilithe	38
éilligh	corrupt, defile	éilliú	éillithe	38
éimigh	refuse, deny	éimiú	éimithe	38
éinirtigh	enfeeble	éinirtiú	éinirtithe	38
éirigh	**rise**	**éirí**	**éirithe**	**38**
éirnigh	dispense	éirniú	éirnithe	38
eis	exist	eiseadh	eiste	77
eisc	excise	eisceadh	eiscthe	77
eiscrigh	form ridges	eiscriú	eiscrithe	38
eiscríobh	escribe	eiscríobh	eiscríofa	🐟 78 + 88 🐟
eiseachaid	extradite	eiseachadadh	eiseachadta	93
eiseamláirigh	exemplify	eiseamláiriú	eiseamláirithe	38
eiséat	escheat	eiséatadh	eiséata	5
eisfhear	excrete	eisfhearadh	eisfheartha	78
eisiacht	eject	eisiachtain	eisiachta	5
eisiaigh	exclude	eisiamh	eisiata	26
eisigh	issue	eisiúint	eisithe	38
eisil	flow out	eisileadh	eisilte	77
eisleath	effuse	eisleathadh	eisleata	69
eislig	egest	eisligean	eisligthe	77
eispéirigh	experience	eispéiriú	eispéirithe	38
eisreachtaigh	proscribe, ban	eisreachtú	eisreachtaithe	37
eisréidh	disperse	eisréadh	eisréite	66
eisréimnigh	diverge	eisréimniú	eisréimnithe	38
éist	**listen**	**éisteacht**	**éiste**	**39**
eistearaigh	esterify	eistearú	eistearaithe	37
eistréat	estreat	eistréatadh	eistréata	5
eitigh	refuse	eiteach	eitithe	38
eitil	fly	eitilt	eitilte	59
eitrigh	furrow, groove	eitriú	eitrithe	38
eitseáil	etch	eitseáil	eitseáilte	81

gas/fréamh stem/root	Béarla English	ainm briathartha verbal noun	aidiacht bhr. verbal adjective	briathar gaolta verb type
fabhraigh	develop, form	fabhrú	fabhraithe	46
fabhraigh	favour	fabhrú	fabhraithe	46
fachtóirigh	factorize	fachtóiriú	fachtóirithe	50
fadaigh	kindle	fadú	fadaithe	46
fadaigh	lengthen	fadú	fadaithe	46
fadhbh	spoil, strip	fadhbhadh	faofa	43
fág	*leave*	**fágáil**	**fágtha**	**40**
faghair	fire, incite	faghairt	faghartha	51
faichill	be careful of	faichill	faichillte	47
faigh	*get*	**fáil**	**faighte**	**41**
failligh	neglect, omit	failliú	faillithe	50
failp	whip, strike	failpeadh	failpthe	47
fáiltigh	rejoice, welcome	fáiltiú	fáiltithe	50
fáinnigh	ring, encircle	fáinniú	fáinnithe	50
fair	watch, wake	faire	fairthe	47
fáir	roost	fáireadh	fáirthe	47
fairsingigh	widen, extend	fairsingiú	fairsingithe	50
fáisc	wring, squeeze	fáscadh	fáiscthe	47
faisnéis	recount, inquire	faisnéis	faisnéiste	47
fáistinigh	prophesy	fáistiniú	fáistinithe	50
fálaigh	fence, enclose	fálú	fálaithe	46
fallaingigh	drape	fallaingiú	fallaingithe	50
falsaigh	falsify	falsú	falsaithe	46
fan	*wait, stay*	**fanacht**	**fanta**	**42**
fánaigh	disperse	fánú	fánaithe	46
fannaigh	weaken	fannú	fannaithe	46
faobhraigh	sharpen, whet	faobhrú	faobhraithe	46
faoileáil	wheel, spin	faoileáil	faoileáilte	81
faoisc	shell, parboil	faoisceadh	faoiscthe	47
faomh	accept, agree to	faomhadh	faofa	43
faon / faonaigh	lay flat	faonadh / faonú	faonta / faonaithe	43 / 46
fás	*grow*	**fás**	**fásta**	**43**
fásaigh	lay watse, empty	fású	fásaithe	46
fáthmheas	diagnose	fáthmheas	fáthmheasta	43
feabhsaigh	improve	feabhsú	feabhsaithe	46
feac	bend	feac	feactha	43
féach	look, try	féachaint	féachta	43
féad	be able to	féadachtáil	féadta	43
feagánaigh	chase, hunt	feagánú	feagánaithe	46
feáigh	fathom	feá	feáite	7
feall	betray	fealladh	feallta	43
feallmharaigh	assassinate	feallmharú	feallmharaithe	46 + 68
feamnaigh	apply seaweed	feamnú	feamnaithe	46
feann	skin, flay	feannadh	feannta	43
fear	pour, grant	fearadh	feartha	43
fearastaigh	equip, furnish	fearastú	fearastaithe	46
feargaigh	anger, irritate	feargú	feargaithe	46
féastaigh	feast	féastú	féastaithe	46
feic	*see*	**feiscint /feiceáil U**	**feicthe**	**44**
féichiúnaigh	debit	féichiúnú	féichiúnaithe	46
feidhligh	endure	feidhliú	feidhlithe	50
feidhmigh	function, act	feidhmiú	feidhmithe	50
❤feighil ❤	watch, tend	feighil	feighilte	59
feil	suit	feiliúint	feilte	47
feiltigh	felt	feiltiú	feiltithe	50
féinphailnigh	self-polinate	féinphailniú	féinphailnithe	50
feir	house (carp.)	feireadh	feirthe	47
feistigh	adjust, moor	feistiú	feistithe	50
feith	observe, wait	feitheamh	feite	47 + 18
féithigh	calm, smooth	féithiú	féithithe	50
feochraigh	become angry	feochrú	feochraithe	46
feoigh	*wither*	**feo**	**feoite**	**45**
fiach	hunt, chase	fiach	fiachta	43
fiafraigh	*ask, inquire*	**fiafraí**	**fiafraithe**	**46**
fialaigh	veil, screen	fialú	fialaithe	46
fianaigh	attest, testify	fianú	fianaithe	46
fiar	slant, veer	fiaradh	fiartha	43
figh	weave	fí	fite	76
fill = pill U	*return, turn up*	**filleadh, pilleadh U**	**fillte, pillte U**	**47**
filléadaigh	fillet	filléadú	filléadaithe	46
fineáil	fine	fíneáil	fíneáilte	81
fínigh	decay	fíniú	fínithe	50
fionn	whiten	fionnadh	fionnta	43
fionn	ascertain	fionnadh	fionnta	43

gas/fréamh stem/root	Béarla English	ainm briathartha verbal noun	aidiacht bhr. verbal adjective	briathar gaolta verb type
fionnuaraigh	cool, freshen	fionnuarú	fionnuaraithe	46
fionraigh	wait, suspend	fionraí	fionraithe	46
fioraigh	figure, outline	fíorú	fioraithe	46
fíoraigh	verify	fíorú	fíoraithe	46
fíordheimhnigh	authenticate	fíordheimhniú	fíordheimhnithe	50
fiosaigh	know	fiosú	fiosaithe	46
fiosraigh	investigate	fiosrú	fiosraithe	46
fírinnigh	justify	fírinniú	fírinnithe	50
fithisigh	orbit	fithisiú	fithisithe	50
fiuch	boil	fiuchadh	fiuchta	43
fleadhaigh	feast, carouse	fleadhú	fleadhaithe	46
flípeáil	trounce	flípeáil	flípeáilte	81
fliuch	**wet**	**fliuchadh**	**fliuchta**	**48**
flosc	excite	floscadh	flosctha	48
fluairídigh	flouridate	fluairídiú	fluairídithe	48+50
flúirsigh	make abundant	flúirsiú	flúirsithe	48+50
fo-eagraigh	sub-edit	fo-eagrú	fo-eagraithe	46
fo-ghlac	subsume	fo-ghlacadh	fo-ghlactha	43
fo-ordaigh	subordinate	fo-ordú	fo-ordaithe	46+79
fo-rangaigh	subclassify	fo-rangú	fo-rangaithe	46
fóbair	fall upon, attack	fóbairt	fóbartha	80
fócasaigh	focus	fócasú	fócasaithe	46
fócht	ask, inquire	fóchtadh	fóchta	5
fódaigh	bank with sods	fódú	fódaithe	46
fodháil	distribute	fodháileadh	fodháilte	47
fofhostaigh	sub-employ	fofhostú	fofhostaithe	46
fógair	announce	fógairt	fógartha	51
foghlaigh	plunder	foghlú	foghlaithe	46
foghlaim	**learn, teach**	**foghlaim**	**foghlamtha**	**49**
foghraigh	pronounce	foghrú	foghraithe	46
foighnigh	have patience	foighneamh	foighnithe	50
foilseán	exhibit	foilseánadh	foilseánta	43
foilsigh	**publish**	**foilsiú**	**foilsithe**	**50**
fóin	serve, be of use	fónamh	fónta	93
foinsigh	spring forth	foinsiú	foinsithe	50
fóir	help, suit	fóirithint	fóirthe	47
foirb	knurl	foirbeadh	foirbthe	47
foirceann	terminate	foirceannadh	foirceanta	43
foirfigh	perfect, mature	foirfiú	foirfithe	50
foirgnigh	construct	foirgniú	foirgnithe	50
fóirigh	face, clamp	fóiriú	fóirithe	50
foirmigh	form, take shape	foirmiú	foirmithe	50
foithnigh	shelter	foithniú	foithnithe	50
fol	moult	foladh	folta	43
folaigh	hide conceal	folú	folaithe	46
folc	bath, wash	folcadh	folctha	43
folean	follow	foleanúint	foleanta	43
folig	sublet	foligean	foligthe	47+67
folíon	supplement	folíonadh	folíonta	43
follúnaigh	rule, sustain	follúnú	follúnaithe	46
folmhaigh	empty, evacuate	folmhú	folmhaithe	46
foloisc	scorch, singe	foloscadh	foloiscthe	47
fómhais	tax	fómhas	fómhasta	93
fonsaigh	hoop, gird	fonsú	fonsaithe	46
foráil	command, urge	foráil	foráilte	81
forasaigh	ground	forasú	forasaithe	46
forbair	develop	forbairt	forbartha	51
forbheirigh	boil over	forbheiriú	forbheirithe	50
forcáil	fork	forcáil	forcáilte	81
forchéimnigh	proceed	forchéimniú	forchéimnithe	50
forchlóigh	overprint	forchló	forchlóite	33
forchneasaigh	cicatrize	forchneasú	forchneasaithe	46
forchoimeád	reserve (jur)	forchoimeád	forchoimeádta	43
forchoimhéad	watch, guard	forchoimhéad	forchoimhéadta	43
forchuimil	rub together	forchuimilt	forchuimilte	59
fordhearg	redden	fordheargadh	fordheargtha	43
fordhing	press, thrust	fordhingeadh	fordhingthe	47
fordhóigh	scorch, singe	fordhó	fordhóite	33
fordhubhaigh	darken, obscure	fordhúchan	fordhubhaithe	46
foréignigh	force, compel	foréigniú	foréignithe	50
foréiligh	request	foréileamh	foréilithe	50
forfhill	overfold	forfhilleadh	forfhillte	47
forfhuaraigh	supercool	forfhuarú	forfhuaraithe	46
forghabh	seize, usurp	forghabháil	forghafa	43

gas/fréamh stem/root	Béarla English	ainm briathartha verbal noun	aidiacht bhr. verbal adjective	briathar gaolta verb type
forghair	convoke	forghairm	forghairthe	47
forghéill	forfeit	forghéilleadh	forghéillte	47 + 53
forghníomhaigh	execute (jur)	forghníomhú	forghníomhaithe	46
forghoin	wound severly	forghoin	forghonta	47
forghrádaigh	pro-grade	forghrádú	forghrádaithe	46
foriaigh	close, fasten	foriamh	foriata	45 + 7
forlámhaigh	dominate	forlámhú	forlámhaithe	46
forleag	overlay	forleagan	forleagtha	43
forléas	demise	forléasadh	forléasta	43
forleath	broadcast	forleathadh	forleata	69
forleathnaigh	extend, expand	forleathnú	forleathnaithe	46
forléirigh	construe	forléiriú	forléirithe	50
forlíon	overfill	forlíonadh	forlíonta	43
forloisc	enkindle, sear	forloscadh	forloiscthe	47
forluigh	overlap	forluí	forluite	97
formhéadaigh	magnify	formhéadú	formhéadaithe	46
formheas	approve	formheas	formheasta	43
formhol	extol, eulogize	formholadh	formholta	43
formhúch	smother, stifle	formhúchadh	formhúchta	43
formhuinigh	endorse	formhuiniú	formhuinithe	50
forógair	forewarn	forógairt	forógartha	51
foroinn	subdivide	foroinnt	foroinnte	47 + 84
forordaigh	pre-ordain	forordú	forordaithe	46 + 79
fórsáil	force	fórsáil	fórsáilte	79
forscaoil	loose, release	forscaoileadh	forscaoilte	47 + 87
forsceith	overflow	forsceitheadh	forsceite	47 + 18
forshuigh	super(im)pose	forshuí	forshuite	97
fortaigh	aid, succour	fortacht	fortaithe	46
forthacht	half-choke	forthachtadh	forthachta	5
forthairg	tender	forthairiscint	forthairgthe	47
forthéigh	super-heat	forthéamh	forthéite	66
foruaisligh	ennoble, exalt	foruaisliú	foruaislithe	50
forualaigh	overload	forualú	forualaithe	46
fosaigh	steady, stabilize	fosú	fosaithe	46
foscain	winnow	foscnamh	foscnafa	93 + 47
foscríobh	subscribe	foscríobhadh	foscríofa	43 + 88
fostaigh	employ	fostú	fostaithe	46
fothaigh	found/establish	fothú	fothaithe	46
fothainigh	shelter, screen	fothainiú	fothainithe	50
fothraig	bathe, dip	fothragadh	fothragtha	93 + 43
frainceáil	frank	frainceáil	frainceáilte	81
frámaigh	frame	frámú	frámaithe	46
frapáil	prop	frapáil	frapáilte	81
frasaigh	shower	frasú	frasaithe	46
freagair	**answer**	**freagairt**	**freagartha**	**51**
fréamhaigh	root	fréamhú	fréamhaithe	46
freang	wrench, contort	freangadh	freangtha	43
freasaigh	react	freasú	freasaithe	46
freaschuir	reverse	freaschur	freaschurtha	47 + 28
freastail	**attend**	**freastal**	**freastailte**	**52**
frioch	fry	friochadh	friochta	43
friotaigh	resist	friotú	friotaithe	46
friotháil	attend, minister	friotháil	friotháilte	81
frisnéis	refute, rebut	frisnéis	frisnéiste	47
fritháirigh	set off (book-k)	fritháireamh	fritháirithe	50
frithbheartaigh	counteract	frithbheartú	frithbheartaithe	46
frithbhuail	recoil	frithbhualadh	frithbhuailte	47
frithchaith	reflect	frithchaitheamh	frithchaite	43 + 18
frithéiligh	counter-claim	frithéileamh	frithéilithe	50
frithgheall	underwrite	frithghealladh	frithgheallta	43
frithghníomhaigh	react	frithghníomhú	f.ghníomhaithe	46
frithingigh	reciprocate	frithingiú	frithingithe	50
frithionsaigh	counter-attack	frithionsaí	frithionsaithe	46
frithmháirseáil	countermarch	frithmháirseáil	f.mháirseáilte	81
frithráigh	contradict	frithrá	frithráite	7
frithsheiptigh	anticepticize	frithsheiptiú	frithsheiptithe	50
frithsheol	reverse	frithsheoladh	frithsheolta	43
frithshuigh	set against	frithshuí	frithshuite	97
frithspréigh	reverberate	frithspré	frithspréite	66
fruiligh	engage, hire	fruiliú	fruilithe	50
fuadaigh	abduct, kidnap	fuadach	fuadaithe	46
fuaidrigh	stray, suspend	fuaidreamh	fuaidrithe	50
fuaigh	sew, bind	fuáil	fuaite	26
fuaimnigh	pronounce	fuaimniú	fuaimnithe	50

gas/fréamh stem/root	Béarla English	ainm briathartha verbal noun	aidiacht bhr. verbal adjective	briathar gaolta verb type
fuaraigh	cool, chill	fuarú	fuaraithe	46
fuascail	deliver, solve	fuascailt	fuascailte	51+80
fuathaigh	hate	fuathú	fuathaithe	46
fuighill	utter, pronounce	fuigheall	fuighillte	lch 264/7
fuiligh	(cause to) bleed	fuiliú	fuilithe	50
fuill	add to, increase	fuilleamh	fuillte	47
fuin	cook, knead	fuineadh	fuinte	47
fuin	set (of sun)	fuineadh	fuinte	47
fuinnmhigh	energize	fuinnmhiú	fuinnmhithe	50
fuipeáil	whip	fuipeáil	fuipeáilte	81
fuirigh	wait, delay	fuireach(t)	fuirithe	50
fuirs	harrow	fuirseadh	fuirste	47
/fuirsigh	harrow	fuirsiú	fuirsithe	/50
fulaing	suffer, endure	fulaingt	fulaingthe	49
gabh	take, accept	gabháil	gafa	54
gabhlaigh	fork, branch out	gabhlú	gabhlaithe	56
gad	take away	gad	gadta	54
Gaelaigh	Gaelicize	Gaelú	Gaelaithe	56
gág	crack, chap	gágadh	gágtha	54
gaibhnigh	forge	gaibhniú	gaibhnithe	55
gaibhnigh	impound	gaibhniú	gaibhnithe	55
gainnigh	scale (fish)	gainniú	gainnithe	55
gair	call, invoke	gairm	gairthe	53
gáir	shout, laugh	gáire	gáirthe	53
gairdigh	rejoice	gairdiú	gairdithe	55
gairidigh	shorten	gairidiú	gairidithe	55
gairnisigh	garnish	gairnisiú	gairnisithe	55
gais	gush	gaiseadh	gaiste	53
gaistigh	trap, ensare	gaistiú	gaistithe	55
galaigh	vapourize	galú	galaithe	56
galbhánaigh	galvanize	galbhánú	galbhánaithe	56
galldaigh	anglicize	galldú	galldaithe	56
gallúnaigh	saponify	gallúnú	gallúnaithe	56
galraigh	infect	galrú	galraithe	56
galstobh	braise	galstobhadh	galstofa	54
gannaigh	become scarce	gannú	gannaithe	56
gaothraigh	fan, flutter	gaothrú	gaothraithe	56
garbhaigh	roughen	garbhú	garbhaithe	56
garbhshnoigh	rough-hew	garbhshnoí	garbhshnoite	97
garbhtheilg	rough-cast	garbhtheilgean	garbhtheilgthe	53
gardáil	guard	gardáil	gardáilte	81
gargaigh	make harsh	gargú	gargaithe	56
gargraisigh	gargle	gargraisiú	gargraisithe	55
gásaigh / gásáil	gas	gású / gásáil	gásaithe / gásáilte	56/81
gathaigh / gatháil	gaff	gathú / gatháil	gathaithe / gatháilte	56/81
gathaigh	sting, radiate	gathú	gathaithe	56
geab	talk, chatter	geabadh	geabtha	54
geafáil	gaff	geafáil	geafáilte	81
géagaigh	branch out	géagú	géagaithe	56
geal	whiten	gealadh	gealta	54
geal-leasaigh	taw	geal-leasú	geal-leasaithe	56
geall	promise, pledge	gealladh	geallta	54
geallearb	pawn	geallearbadh	geallearbtha	54
geamhraigh	spring, sprout	geamhrú	geamhraithe	56
géaraigh	sharpen	géarú	géaraithe	56
gearán	complain	gearán	gearánta	54
gearr	cut, shorten	gearradh	gearrtha	54
gearrchiorcad	short-circuit	g.chiorcadadh	gearrchiorcadta	54
geil	graze	geilt	geilte	53
géill	**yield, submit**	**géilleadh, géillstean U**	**géillte**	**53**
géim	low, bellow	géimneach	géimthe	53
geimhligh	fetter, chane	geimhliú	geimhlithe	55
geimhrigh	hibernate	geimhriú	geimhrithe	55
géis	cry out, roar	géiseacht	géiste	53
geit	jump, start	geiteadh	geite	108
geoidligh	yodel	geoidliú	geoidlithe	55
gibir	dribble	gibreacht	gibeartha	102
gin	beget	giniúint	ginte	53
ginidigh	germinate	ginidiú	ginidithe	55
giob	pick, pluck	giobadh	giobtha	54
gíog	cheep, chirp	gíogadh	gíogtha	54
giolc	beat, cane	giolcadh	giolctha	54
giolc	tweet, chirp	giolcadh	giolctha	54
giollaigh	guide, tend	giollú	giollaithe	56

287

gas/fréamh stem/root	Béarla English	ainm briathartha verbal noun	aidiacht bhr. verbal adjective	briathar gaolta verb type
giorraigh	shorten	giorrú	giorraithe	56
giortaigh	shorten	giortú	giortaithe	56
giortáil	gird, tuck up	giortáil	giortáilte	81
giosáil	fizz, ferment	giosáil	giosáilte	81
giotaigh	break in bits	giotú	giotaithe	56
giúmaráil	humour	giúmaráil	giúmaráilte	81
glac	take, accept	glacadh	glactha	54
glaeigh	glue	glae	glaeite	7
glam	bark, howl	glamaíl	glamtha	54
glám	grab, clutch	glámadh, -máil	glámtha	54
glámh	satirize, revile	glámhadh	gláfa	54
glan	clean	glanadh	glanta	54
glaoigh	call	glaoch	glaoite	7
glasaigh	become green	glasú	glasaithe	56
glasáil	lock	glasáil	glasáilte	81
gleadhair	beat, pummel	gleadhradh	gleadhartha	20
glean	stick, adhere	gleanúint	gleanta	54
gléas	adjust, dress	gléasadh	gléasta	54
gléasaistrigh	transpose	gléasaistriú	gléasaistrithe	55
gléghlan	clarify	glég	gléghlanta	54
gleois	babble, chatter	gleoiseadh	gleoiste	53
glicrínigh	glycerinate	glicríniú	glicrínithe	55
gligleáil	clink	gligleáil	gligleáilte	81
glinneáil	wind	glinneáil	glinneáilte	81
glinnigh	fix, secure	glinniú	glinnithe	55
glinnigh	scrutinize	glinniú	glinnithe	55
gliúáil	glue	gliúáil	gliúáilte	81
gloinigh	vitrify, glaze	gloiniú	gloinithe	55
glóirigh	glorify	glóiriú	glóirithe	55
glónraigh	glaze	glónrú	glónraithe	56
glóraigh	voice, vocalize	glórú	glóraithe	56
glórmharaigh	glorify	glórmharú	glórmharaithe	56
glóthaigh	gel	glóthú	glóthaithe	56
gluais	move, proceed	gluaiseacht	gluaiste	53
glúinigh	branch out	glúiniú	glúinithe	55
gnáthaigh	frequent	gnáthú	gnáthaithe	56
gnéithigh	regain, mend	gnéithiú	gnéithithe	55
gníomhachtaigh	activate	gníomhachtú	gníomhachtaithe	56
gníomhaigh	act (agency)	gníomhú	gníomhaithe	56
gnóthaigh	earn, labour	gnóthú	gnóthaithe	56
gob	protrude	gobadh	gobtha	54
góchum	counterfeit	góchumadh	góchumtha	54
gófráil	goffer	gófráil	gófráilte	81
gogail	gobble, cackle	gogal	gogailte	Ich 264 / 7
goil	cry	gol	goilte	53
goiligh	gut (fish)	goiliú	goilithe	55
goill	greive, hurt	goilleadh	goillte	53
goin	wound, slay	goin	gonta	53
goin	win outright	goint	gointe	53
goirtigh	**salt, pickle**	**goirtiú**	**goirtithe**	**55**
gor	heat, warm, hatch	goradh	gortha	54
gormaigh	colour blue	gormú	gormaithe	56
gortaigh	**hurt, injure**	**gortú**	**gortaithe**	**56**
gortghlan	clear weeds	gortghlanadh	gortghlanta	54
gotháil	gesticulate	gotháil	gotháilte	81
grabáil	grab	grabáil	grabáilte	81
grábháil	engrave, grave	grábháil	grábháilte	81
grádaigh	grade	grádú	grádaithe	56
graf	sketch, graph	grafadh	graftha	54
graifnigh	ride (horse)	graifniú	graifnithe	55
gráigh	love	grá	gráite	7
gráinigh	hate, abhor	gráiniú	gráinithe	55
gráinnigh	grain, granulate	gráinniú	gráinnithe	55
gráinseáil	feed on grain	gráinseáil	gráinseáilte	81
gránaigh	granulate	gránú	gránaithe	56
grátáil	grate	grátáil	grátáilte	81
gread	thrash, drub	greadadh	greadta	54
greagnaigh	pave, stud	greagnú	greagnaithe	56
greamaigh	stick, attach	greamú	greamaithe	56
grean	engrave	greanadh	greanta	54
greannaigh	irritate, ruffle	greannú	greannaithe	56
gréasaigh	ornament	gréasú	gréasaithe	56
greasáil	beat, trounce	greasáil	greasáilte	81
gréisc	grease	gréisceadh	gréiscthe	53

gas/fréamh stem/root	Béarla English	ainm briathartha verbal noun	aidiacht bhr. verbal adjective	briathar gaolta verb type
grian	sun	grianadh	grianta	54
grianraigh	insolate	grianrú	grianraithe	56
grinnbhreathnaigh	scrutinize	grinnbhreathnú	grinnbhreathnaithe	56
grinndearc	scrutinize	grinndearcadh	grinndearctha	54
grinneall	sound, fathom	grinnealladh	grinneallta	54
grinnigh	scrutinize	grinniú	grinnithe	55
grinnscrúdaigh	scrutinize	grinnscrúdú	grinnscrúdaithe	56
griog	tease, annoy	griogadh	griogtha	54
grioll	broil, quarrel	griolladh	griollta	54
gríosaigh	fire, incite	gríosú	gríosaithe	56
gríosc / gríoscáil	broil, grill	gríoscadh / gríoscáil	gríosctha / gríoscáilte	54 / 81
griotháil	grunt	griotháil	griotháilte	81
grod	quicken, urge on	grodadh	grodta	54
grodloisc	deflagrate	grodloscadh	grodloiscthe	53
gróig = cróig U	foot (turf)	gróigeadh	gróigthe	53
gruamaigh	become gloomy	gruamú	gruamaithe	56
grúdaigh	brew	grúdú	grúdaithe	56
grúntáil	sound (naut.)	grúntáil	grúntáilte	81
grúpáil	group	grúpáil	grúpáilte	81
guailleáil	shoulder	guailleáil	guailleáilte	81
guairigh	bristle	guairiú	guairithe	55
gualaigh	char	gualú	gualaithe	56
guigh	pray	guí	guite	97
guilbnigh	peck	guilbniú	guilbnithe	55
guilmnigh	calumniate	guilmniú	guilmnithe	55
gúistigh	gouge	gúistiú	gúistithe	55
gumaigh	gum	gumú	gumaithe	56
guthaigh	voice, vocalize	guthú	guthaithe	56
haicleáil	hackle	haicleáil	haicleáilte	81
haigleáil	haggle	haigleáil	haigleáilte	81
hapáil	hop	hapáil	hapáilte	81
Heilléanaigh	Hellenize	Heilléanú	Heilléanaithe	75
hibridigh	hybridize	hibridiú	hibridithe	94
hidrealaigh	hydrolize	hidrealú	hidrealaithe	75
hidriginigh	hydrogenate	hidriginiú	hidriginithe	94
híleáil	heel	híleáil	híleáilte	81
hinigh	henna	hiniú	hinithe	94
hiodráitigh	hydrate	hiodráitiú	hiodráitithe	94
hiopnóisigh	hynotize	hiopnóisiú	hiopnóisithe	94
iacht	cry, groan	iachtadh	iachta	5
iadaigh	iodize	iadú	iadaithe	62
iadáitigh	iodate	iadáitiú	iadáitithe	58
iaigh	close, enclose	iamh	iata	26
ianaigh	ionize	ianú	ianaithe	62
iarchuir	defer, postpone	iarchur	iarchurtha	28 + 77
iardhátaigh	post-date	iardhátú	iardhátaithe	62
iarnaigh	put in irons	iarnú	iarnaithe	62
iarnáil	iron, smooth	iarnáil	iarnáilte	81
iarr	**ask, request**	**iarraidh**	**iarrtha**	**57**
iasc	fish	iascach	iasctha	57
ibh	drink	ibhe	ife	77
idéalaigh	idealize	idéalú	idéalaithe	62
ídigh	use (up)	ídiú	ídithe	58
idir-roinn	partition	idir-roinnt	idir-roinnte	77 + 84
idircheart	interpret, discuss	idircheartadh	idirchearta	77 + 5
idirchuir	interpose	idirchur	idirchurtha	77 + 28
idirdhealaigh	differentiate	idirdhealú	idirdhealaithe	62
idirdhuilligh	interleave	idirdhuilliú	idirdhuillithe	58
idirfhigh	interweave	idirfhí	idirfhite	77 + 76
idirghabh	intervene	idirghabháil	idirghafa	57
idirláimhsigh	intermeddle	idirláimhsiú	idirláimhsithe	58
idirleath	diffuse	idirleathadh	idirleata	69
idirlínigh	interline	idirlíniú	idirlínithe	58
idirmhalartaigh	interchange	idirmhalartú	idirmhalartaithe	62
idirscar	part, divorce	idirscaradh	idirscartha	57
idirscoir	interrupt	idirscor	idirscortha	77
idirshuigh	interpose	idirshuí	idirshuite	97
ilchóipeáil	manifold	ilchóipeáil	ilchóipeáilte	81
íligh	oil	íliú	ílithe	58
imaistrigh	transmigrate	imaistriú	imaistrithe	58
imchas	rotate	imchasadh	imchasta	57 + 19
imchéimnigh	circumvent	imchéimniú	imchéimnithe	58
imchlóigh	return, revert	imchló	imchlóite	33
imchlúdaigh	envelop	imchlúdú	imchlúdaithe	62

gas/fréamh stem/root	Béarla English	ainm briathartha verbal noun	aidiacht bhr. verbal adjective	briathar gaolta verb type
imchosain	defend	imchosaint	imchosanta	61
imchroith	sprinkle	imchroitheadh	imchroite	18
imdháil	distribute	imdháileadh	imdháilte	77
imdheaghail	defend, parry	imdheaghal	imdheaghailte	Ich 264/7
imdhealaigh	separate	imdhealú	imdhealaithe	62
imdhearg	cause to blush	imdheargadh	imdheargtha	57
imdheighil	distinguish	imdheighilt	imdheighilte	Ich 264/7
imdhíon	immunize	imdhíonadh	imdhíonta	57
imdhruid	encompass	imdhruidim	imdhruidte	77
imeaglaigh	intimidate	imeaglú	imeaglaithe	62
imeasc	integrate	imeascadh	imeasctha	57
imghabh	avoid, evade	imghabháil	imghafa	57
imghlan	cleanse, purify	imghlanadh	imghlanta	57+54
imigh	**go away, leave**	**imeacht**	**imithe/ar shiúl U**	**58**
imir	**play (game)**	**imirt**	**imeartha**	**59**
imirc	migrate	imirceadh	imircthe	77
imlínigh	outline	imlíniú	imlínithe	58
imloisc	singe	imloscadh	imloiscthe	77
imoibrigh	react (Chem.)	imoibriú	imoibrithe	58
imphléasc	collapse	imphléascadh	imphléasctha	57
impigh	beseech, entreat	impí	impithe	58
impleachtaigh	imply	impleachtú	impleachtaithe	62
imrothlaigh	revolve	imrothlú	imrothlaithe	62
imscaoil	scatter	imscaoileadh	imscaoilte	77+87
imscar	spread about	imscaradh	imscartha	57
imscríobh	circumscribe	imscríobh	imscríofa	57+88
imscrúdaigh	investigate	imscrúdú	imscrúdaithe	62
imshocraigh	compound	imshocrú	imshocraithe	62+95
imshuigh	encompass	imshuí	imshuite	97
imthairg	bid	imthairiscint	imthairgthe	77
imtharraing	gravitate	imtharraingt	imtharraingthe	104
imtheorannaigh	intern	imtheorannú	imtheorannaithe	62
imthnúth	covet, envy	imthnúthadh	imthnútha	69
imthreascair	wrestle, contend	imthreascairt	imthreascartha	61
inbhéartaigh	invert	inbhéartú	inbhéartaithe	62
inchreach	reprove, rebuke	inchreachadh	inchreachta	57
indibhidigh	individuate	indibhidiú	indibhidithe	58
ineirgigh	energize	ineirgiú	ineirgithe	58
infeirigh	infer	infeiriú	infeirithe	58
infheistigh	invest	infheistiú	infheistithe	58
infhill	enfold, entwine	infhilleadh	infhillte	77+47
inghreim	prey upon, persecute	inghreimeadh /inghreamadh	inghreimthe /inghreamtha	77 /57+93
ingnigh	tear, pick	ingniú	ingnithe	58
iniaigh	enclose, include	iniamh	iniata	26
inis	**tell**	**insint/inse**	**inste**	**60**
inísligh	humble, abase	inísliú	iníslithe	58
iniúch	scrutinize	iniúchadh	iniúchta	57
inleag	inlay	inleagadh	inleagtha	57
innéacsaigh	index	innéacsú	innéacsaithe	62
inneallfhuaigh	machine-sew	inneallfhuáil	inneallfhuaite	26
inneallghrean	engine-turn	inneallghreanadh	inneallghreanta	57
innill	arrange, plot	inleadh	innealta	59
inniúlaigh	capacitate	inniúlú	inniúlaithe	62
inphléasc	implode	inphléascadh	inphléasctha	57
inréimnigh	converge	inréimniú	inréimnithe	58
insamhail /insamhlaigh	liken, imitate	insamhladh /insamhlú	insamhalta /insamhlaithe	24+61 /62
inscríobh	inscribe	inscríobh	inscríofa	57+88
insealbhaigh	invest, install	insealbhú	insealbhaithe	62
inseamhnaigh	inseminate	inseamhnú	inseamhnaithe	62
insil	instil, infuse	insileadh	insilte	77
insíothlaigh	infiltrate	insíothlú	insíothlaithe	62
insligh	insulate	insliú	inslithe	58
insteall	inject	instealladh	insteallta	57
insuigh	plug in	insuí	insuite	97
íobair	sacrifice	íobairt	íobartha	61
íoc	pay	íoc	íoctha	57
íoc	heal, cure	íoc	íoctha	57
íocleasaigh	medicate, dress	íocleasú	íocleasaithe	62
iodálaigh	italicize	iodálú	iodálaithe	62
íograigh	sensitize	íogrú	íograithe	62
iolraigh	multiply	iolrú	iolraithe	62
iomadaigh	multiply	iomadú	iomadaithe	62

gas/fréamh stem/root	Béarla English	ainm briathartha verbal noun	aidiacht bhr. verbal adjective	briathar gaolta verb type
iomáin	drive, hurl	iomáint	iomáinte	77+107
iomair	row (boat)	iomramh	iomartha	61
iomalartaigh	commute	iomalartú	iomalartaithe	62
iomardaigh	reproach	iomardú	iomardaithe	62
iombháigh	submerse	iombhá	iombháite	7
iomdhaigh	increase	iomdhú	iomdhaithe	62
iomlaisc	roll about	iomlascadh	iomlasctha	93
iomlánaigh	complete	iomlánú	iomlánaithe	77
iomlaoidigh	fluctuate	iomlaoidiú	iomlaoidithe	58
iomluaigh	stir, discuss	iomlua	iomluaite	26
iompaigh	turn, avert	iompú	iompaithe	62
iompair	**carry, transport**	**iompar**	**iompartha**	**61**
iompórtáil	import	iompórtáil	iompórtáilte	81
iomráidh	report, mention	iomrá	iomráite	7
ion-análaigh	inhale	ion-análú	ion-análaithe	62
ionaclaigh	inoculate	ionaclú	ionaclaithe	62
ionadaigh	position	ionadú	ionadaithe	62
íonaigh	purify	íonú	íonaithe	62
ionannaigh	equate	ionannú	ionannaithe	62
ionchoirigh	incriminate	ionchoiriú	ionchoirithe	58
ionchollaigh	incarnate	ionchollú	ionchollaithe	62
ionchorpraigh	incorporate	ionchorprú	ionchorpraithe	62
ionchúisigh	prosecute	ionchúisiú	ionchúisithe	58
ionduchtaigh	induce	ionduchtú	ionduchtaithe	62
ionghabh	ingest	ionghabháil	ionghafa	57
ionghair	herd, watch	ionghaire	ionghairthe	77
íonghlan	purify	íonghlanadh	íonghlanta	57
ionnail	wash, bathe	ionladh	ionnalta	Ich 264/7
ionnarb	banish, exile	ionnarbadh	ionnarbtha	57
ionradaigh	irridate	ionradú	ionradaithe	62
ionramháil	handle, manage	ionramháil	ionramháilte	81
ionsáigh	insert, intrude	ionsá	ionsáite	7
ionsaigh	**attack**	**ionsaí**	**ionsaithe**	**62**
ionsoilsigh	illuminate	ionsoilsiú	ionsoilsithe	58
ionsorchaigh	brighten	ionsorchú	ionsorchaithe	62
ionstraimigh	instrument	ionstraimiú	ionstraimithe	58
ionsúigh	absorb	ionsú	ionsúite	16
ionsuigh	plug in	ionsuí	ionsuite	97
iontaisigh	fossilize	iontaisiú	iontaisithe	58
iontonaigh	intone	iontonú	iontonaithe	62
iontráil	enter	iontráil	iontráilte	81
íoschéimnigh	step-down	íoschéimniú	íoschéimnithe	58
íospair	ill-treat, ill-use	íospairt	íospartha	61
irisigh	gazette	irisiú	irisithe	58
is	**the copula**			**13**
ísligh	lower	ísliú	íslithe	58
ith	**eat**	**ithe**	**ite**	**63**
labáil	lob	labáil	labáilte	96
labhair	**speak**	**labhairt**	**labhartha**	**64**
ládáil	lade (ship)	ládáil	ládáilte	96
lagaigh	weaken	lagú	lagaithe	86
laghdaigh	reduce	laghdú	laghdaithe	86
láib	spatter	láibeadh	láibthe	67
Laidinigh	Latinize	Laidiniú	Laidinithe	94
láidrigh	strengthen	láidriú	láidrithe	94
láigh	dawn	láchan	láite	7
láimhseáil	handle, manage	láimhseáil	láimhseáilte	96
láimhsigh	handle, manage	láimhsiú	láimhsithe	94
lainseáil	launch	lainseáil	lainseáilte	96
láist	leach, wash away	láisteadh	láiste	108
láithrigh	appear, present	láithriú	láithrithe	94
láithrigh	demolish	láithriú	láithrithe	94
lámhach	shoot	lámhach(adh)	lámhachta	65
lamháil	allow, permit	lamháil	lamháilte	96
lámhscaoil	free, manumit	lámhscaoileadh	lámhscaoilte	67+87
lánaigh	fill out	lánú	lánaithe	86
lannaigh	laminate, scale	lannú	lannaithe	86
lansaigh	lance	lansú	lansaithe	86
lánscoir	dissolve	lánscor	lánscortha	67
laobh	bend, pervert	laobhadh	laofa	65
laoidh	narrate as a lay	laoidheadh	laoidhte	67
láraigh	centralize	lárú	láraithe	86
las	**light**	**lasadh**	**lasta**	**65**
lasc	lash, whip	lascadh	lasctha	65

gas/fréamh stem/root	Béarla English	ainm briathartha verbal noun	aidiacht bhr. verbal adjective	briathar gaolta verb type
lascainigh	discount	lascainiú	lascainithe	94
lastáil	lade, load	lastáil	lastáilte	96
leabaigh	(em)bed, set	leabú	leabaithe	86
leabhlaigh	libel	leabhlú	leabhlaithe	86
leabhraigh	stretch, extend	leabhrú	leabhraithe	86
leabhraigh	swear	leabhrú	leabhraithe	86
leacaigh	flatten, crush	leacú	leacaithe	86
leachtaigh	liquefy	leachtú	leachtaithe	86
leadair	smite, beat	leadradh	leadartha	24
leadhb	tear in strips	leadhbadh	leadhbtha	65
leadhbair	belabour, beat	leadhbairt	leadhbartha	24
leag	knock down	leagan	leagtha	65
leáigh	melt	leá	leáite	7
leamh	render impotent	leamhadh	leafa	65
leamhsháinnigh	stalemate	leamhsháinniú	leamhsháinnithe	94
lean	follow, pursue	leanúint /-nstan	leanta	65
leang	strike, slap	leangadh	leangtha	65
léarscáiligh	map	léarscáiliú	léarscáilithe	94
léas	welt, flog	léasadh	léasta	65
leasaigh	improve	leasú	leasaithe	86
léasaigh	lease, farm out	léasú	léasaithe	86
leaschraol	relay	leaschraoladh	leaschraolta	65
leath	spread, halve	leathadh	leata	69
leathnaigh	widen	leathnú	leathnaithe	86
leibhéal	level	leibhéaladh	leibhéalta	65
leictreachlóigh	electrotype	leictreachló	leictreachlóite	33
leictrealaigh	electrolyse	leictrealú	leictrealaithe	86
leictreaphlátáil	electroplate	leictreaphlátáil	leictreaphlátáilte	96
leictrigh	electrify	leictriú	leictrithe	94
léigh	**read**	**léamh**	**léite**	**66**
leigheas	cure	leigheas	leigheasta	65
léim	leap, jump	léim / léimneach	léimthe	67
léirbhreithnigh	review	léirbhreithniú	léirbhreithnithe	94
léirchruthaigh	demonstrate	léirchruthú	léirchruthaithe	86
léirghlan	clarify	léirghlanadh	léirghlanta	65 + 54
léirghoin	wound badly	léirghoin	léirghonta	67
léirigh	make clear	léiriú	léirithe	94
léirigh	beat down	léiriú	léirithe	94
léirmhínigh	explain fully	léirmhíniú	léirmhínithe	94 + 71
léirscríobh	engross	léirscríobh	léirscríofa	65 + 88
léirscrios	destroy	léirscriosadh	léirscriosta	65
léirsigh	demonstrate	léirsiú	léirsithe	94
léirsmaoinigh	consider	léirsmaoiniú	léirsmaoinithe	94
leitheadaigh	spread	leitheadú	leitheadaithe	86
leithghabh	appropriate	leithghabháil	leithghafa	65
leithlisigh	isolate	leithlisiú	leithlisithe	94
leithreasaigh	appropriate	leithreasú	leithreasaithe	86
leithroinn	allot	leithroinnt	leithroinnte	67 + 84
leithscar	segregate	leithscaradh	leithscartha	65
leoidh	cut off, hack	leodh	leoite	45
leomh	dare, presume	leomhadh	leofa	65
leon	sprain	leonadh	leonta	65
liath	(bceome) grey	liathadh	liata	69
lig	**let, permit**	**ligean/ligint**	**ligthe**	**67**
ligh	lick, fawn on	lí	lite	76
lignigh	lignify	ligniú	lignithe	94
líneáil	line	líneáil	líneáilte	96
ling	leap, spring	lingeadh	lingthe	67
línigh	line, delineate	líniú	línithe	94
linseáil	lynch	linseáil	linseáilte	96
liobair	tear, scold	liobairt	liobartha	24
líomh	grind, sharpen	líomhadh	líofa	65
líomhain	allege	líomhaint	líomhainte	24
líon	fill	líonadh	líonta	65
líontánaigh	reticulate	líontánú	líontánaithe	86
liostaigh	list, enumerate	liostú	liostaithe	86
liostáil	list	liostáil	liostáilte	96
lísigh	lyse	lísiú	lísithe	94
liteagraf	lithograph	liteagrafadh	liteagrafa	65
litrigh	spell	litriú	litrithe	94
liúdráil	beat, trounce	liúdráil	liúdráilte	96
liúigh	yell, shout	liú	liúite	16
liúr	beat, trounce	liúradh	liúrtha	65
lobh	rot, decay	lobhadh	lofa	65

gas/fréamh stem/root	Béarla English	ainm briathartha verbal noun	aidiacht bhr. verbal adjective	briathar gaolta verb type
loc	pen, enclose	locadh	loctha	65
loc	pluck	locadh	loctha	65
locáil	localize	locáil	locáilte	96
locair	plane, smooth	locrú	locraithe	24
lochair	tear, afflict	lochradh	lochartha	24
lochtaigh	fault, blame	lochtú	lochtaithe	86
lódáil	load	lódáil	lódáilte	96
lodair	cover with mud	lodairt	lodartha	24
lóg	wail, lament	lógadh	lógtha	65
logh	remit, forgive	loghadh	loghtha	65
loic	flinch, shirk	loiceadh	loicthe	67
loighcigh	logicize	loighciú	loighcithe	94
loingsigh	banish, exile	loingsiú	loingsithe	94
loisc	burn, scorch	loscadh	loiscthe	67
lóisteáil	lodge	lóisteáil	lóisteáilte	96
loit	hurt, injure	lot	loite	108
lom	lay bare, strip	lomadh	lomtha	65
lomair	shear, fleece	lomairt	lomartha	24
lomlíon	fill to brim	lomlíonadh	lomlíonta	65
lónaigh	supply, hoard	lónú	lónaithe	86
long	swallow, eat	longadh	longtha	65
lonnaigh	stay, settle	lonnú	lonnaithe	86
lonnaigh	become angry	lonnú	lonnaithe	86
lonraigh	shine	lonrú	lonraithe	86
lorg	search for	lorg	lorgtha	Ich 264/7
luacháil	value, evaluate	luacháil	luacháilte	96
luaidh	traverse	luadh	luaite	26
luaigh	mention	lua	luaite	26
luainigh	move quickly	luainiú	luainithe	94
luaithrigh	sprinkle ash	luaithriú	luaithrithe	94
luasc	swing, oscillate	luascadh	luasctha	65
luasghéaraigh	accelerate	luasghéarú	luasghéaraithe	86
luasmhoilligh	decelerate	luasmhoilliú	luasmhoillithe	94
luathaigh	quicken	luathú	luathaithe	86
luathbhruith	spatchcock	luathbhruith	luathbhruite	18
lúb	bend, loop	lúbadh	lúbtha	65
lúbáil	link	lúbáil	lúbáilte	96
lúcháirigh	rejoice	lúcháiriú	lúcháirithe	94
luchtaigh	charge, load	luchtú	luchtaithe	86
luigh	lie down	luí	luite	97
luigh	swear	luighe	luite	97
luisnigh	blush, glow	luisniú	luisnithe	94
lútáil	fawn, adore	lútáil	lútáilte	96
macadamaigh	macadamize	macadamú	macadamaithe	72
macasamhlaigh	reproduce, copy	macasamhlú	macasamhlaithe	72
máchailigh	harm, disfigure	máchailiú	máchailithe	71
machnaigh	marvel, reflect	machnamh	machnaithe	72
macht	kill, slaughter	machtadh	machta	111
maidhm	burst, defeat	madhmadh	madhmtha	93
maígh	state, claim	maíomh	maíte	22
maighnéadaigh	magnetize	maighnéadú	maighnéadaithe	72
mainnigh	default	mainniú	mainnithe	71
mair	live, last	maireachtáil /mairstean U	martha	70
maircigh	gall	mairciú	maircithe	71
máirseáil	march, parade	máirseáil	máirseáilte	81
maisigh	decorate, adorn	maisiú	maisithe	71
maistrigh	churn	maistriú	maistrithe	71
máistrigh	master	máistreacht	máistrithe	71
maith	forgive, pardon	maitheamh	maite	18
máithrigh	mother, bear	máithriú	máithrithe	71
malartaigh	exchange	malartú	malartaithe	72
malgamaigh	amalgamate	malgamú	malgamaithe	72
mallaigh	curse	mallú	mallaithe	72
mámáil	gather in handfuls	mámáil	mámáilte	81
mantaigh	bite into, indent	mantú	mantaithe	72
maoinigh	finance, endow	maoiniú	maoinithe	71
maolaigh	(make) bald	maolú	maolaithe	72
maolánaigh	buffer	maolánú	maolánaithe	72
maoscail	wade	maoscal	maoscailte	20
maothaigh	soften, moisture	maothú	maothaithe	72
maothlaigh	mellow	maothlú	maothlaithe	72
mapáil	map	mapáil	mapáilte	81
mapáil	mop	mapáil	mapáilte	81

gas/fréamh stem/root	Béarla English	ainm briathartha verbal noun	aidiacht bhr. verbal adjective	briathar gaolta verb type
maraigh; marbh U	*kill*	**marú**	**maraithe**	**68**
marbhsháinnigh	*checkmate*	marbhsháinniú	marbhsháinnithe	71
marcaigh	*ride*	marcaíocht	marcaithe	72
marcáil	*mark*	marcáil	marcáilte	81
margaigh	*market*	margú	margaithe	72
marlaigh	*fertilize, marl*	marlú	marlaithe	72
marmaraigh	*marble, mottle*	marmarú	marmaraithe	72
martraigh	*martyr, maim*	martrú	martraithe	72
masc	*mask*	mascadh	masctha	73
maslaigh	*insult, strain*	maslú	maslaithe	72
meabhlaigh	*shame, deceive*	meabhlú	meabhlaithe	72
meabhraigh	*recall, reflect*	meabhrú	meabhraithe	72
méadaigh	*increase*	méadú	méadaithe	72
méadraigh	*metricate*	méadrú	méadraithe	72
meáigh	*weigh, measure*	meá	meáite	7
meaisínigh	*machine*	meaisíniú	meaisínithe	71
meaitseáil	*match*	meaitseáil	meaitseáilte	81
méalaigh	*humble*	méalú	méalaithe	72
meall	*charm, entice*	mealladh	meallta	73
meallac	*saunter, stroll*	meallacadh	meallactha	73
meánaigh	*centre*	meánú	meánaithe	72
meánchoimrigh	*syncopate*	meánchoimriú	meánchoimrithe	71
meang	*lop, prune*	meangadh	meangtha	73
meanmnaigh	*cheer, plan*	meanmnú	meanmnaithe	72
mearaigh	*derange*	mearú	mearaithe	72
méaraigh	*finger, fiddle*	méarú	méaraithe	72
meas	*estimate*	meas	measta	73
measc	*mix, blend*	meascadh	measctha	73
measraigh	*feed with mast*	measrú	measraithe	72
measraigh	*moderate*	measrú	measraithe	72
measúnaigh	*asess, assay*	measúnú	measúnaithe	72
meath	*decay, fail*	**meath**	**meata/meaite**	**69**
méathaigh	*fatten*	méathú	méathaithe	72
meathlaigh	*decline, decay*	meathlú	meathlaithe	72
meicnigh	*mechanize*	meicniú	meicnithe	71
meidhrigh	*elate, enliven*	meidhriú	meidhrithe	71
meil	*grind, eat, talk*	meilt	meilte	70
meirbhligh	*weaken*	meirbhliú	meirbhlithe	71
meirdrigh	*prostitute*	meirdriú	meirdrithe	71
meirgigh	*rust*	meirgiú	meirgithe	71
meirsirigh	*mercerize*	meirsiriú	meirsirithe	71
meirtnigh	*weaken*	meirtniú	meirtnithe	71
meiteamorfaigh	*metamorphose*	meiteamorfú	meiteamorfaithe	72
meitibiligh	*metabolize*	meitibiliú	meitibilithe	71
meitiligh	*methylate*	meitiliú	meitilithe	71
mí-iompair	*misconduct*	mí-iompar	mí-iompartha	61
miadhaigh	*honour*	miadhú	miadhaithe	72
mianaigh	*desire*	mianú	mianaithe	72
mianraigh	*mineralize*	mianrú	mianraithe	72
mianrill	*jig*	mianrilleadh	mianrillte	70
míchóirigh	*disarrange*	míchóiriú	míchóirithe	71
míchomhairligh	*misadvise*	míchomhairliú	míchomhairlithe	71
míchumasaigh	*disable*	míchumasú	míchumasaithe	72
mídhílsigh	*misappropriate*	mídhílsiú	mídhílsithe	71
mífhuaimnigh	*mispronounce*	mífhuaimniú	mífhuaimnithe	71
mílitrigh	*mis-spell*	mílitriú	mílitrithe	71
mill	*destroy, ruin*	**milleadh**	**millte**	**70**
milleánaigh	*blame, censure*	milleánú	milleánaithe	72
milsigh	*sweeten*	milsiú	milsithe	71
mím	*mime*	mímeadh	mímthe	70
mímheas	*misjudge*	mímheas	mímheasta	73
mímhínigh	*misexplain*	mímhíniú	mímhínithe	71
mímhisnigh	*discourage*	mímhisniú	mímhisnithe	71
mímhol	*dispraise*	mímholadh	mímholta	73
mineastráil	*administer*	mineastráil	mineastráilte	81
mínghlan	*refine*	mínghlanadh	mínghlanta	73 + 53
minicigh	*frequent*	miniciú	minicithe	71
mínigh	*explain*	**míniú**	**mínithe**	**71**
mínmheil	*grind down*	mínmheilt	mínmheilte	70
míntírigh	*reclaim (land)*	míntíriú	míntírithe	71
míog	*cheep*	míogadh	míogtha	73
mionaigh	*pulverise, mince*	mionú	mionaithe	72
mionathraigh	*modify slightly*	mionathrú	mionathraithe	72 + 6
mionbhreac	*stipple*	mionbhreacadh	mionbhreactha	73

gas/fréamh stem/root	Béarla English	ainm briathartha verbal noun	aidiacht bhr. verbal adjective	briathar gaolta verb type
mionbhrúigh	crush, crumble	mionbhrú	mionbhrúite	16
miondealaigh	separate in detail	miondealú	miondealaithe	72
miondíol	retail	miondíol	miondíolta	73 + 31
mionghearr	cut fine, chop	mionghearradh	mionghearrtha	73
miongraigh	crumble, gnaw	miongrú	miongraithe	72
mionleasaigh	amend slightly	mionleasú	mionleasaithe	72
mionnaigh	*swear*	**mionnú**	**mionnaithe**	**72**
mionroinn	divide in lots	mionroinnt	mionroinnte	70 + 84
mionsaothraigh	work out in detail	mionsaothrú	mionsaothraithe	72
mionscag	fine-filter	mionscagadh	mionscagtha	72
mionscrúdaigh	scrutinize	mionscrúdú	mionscrúdaithe	72
mionteagasc	brief	mionteagasc	mionteagasctha	73
míostraigh	menstruate	míostrú	míostraithe	72
miotaigh	bite, pinch	miotú	miotaithe	72
miotalaigh	metallize	miotalú	miotalaithe	72
mírialaigh	misrule	mírialú	mírialaithe	72
míriar	mismanage	míriaradh	míriartha	73
mírigh	phrase	míriú	mírithe	71
míshásaigh	displease	míshásamh	míshásaithe	71
mísheol	misdirect	mísheoladh	mísheolta	72
misnigh	encourage	misniú	misnithe	73
mítéaraigh	mitre	mítéarú	mítéaraithe	71
míthreoraigh	misdirect	míthreorú	míthreoraithe	72
modhnaigh	modulate	modhnú	modhnaithe	72
modraigh	darken, muddy	modrú	modraithe	72
mogallaigh	mesh, enmesh	mogallú	mogallaithe	72
móidigh	vow	móidiú	móidithe	72
moilligh	delay	moilliú	moillithe	71
moirigh	water	moiriú	moirithe	71
moirtísigh	mortise	moirtísiú	moirtísithe	71
moirtnigh	mortify	moirtniú	moirtnithe	71
mol	*praise*	**moladh**	**molta**	**73**
monaplaigh	monopolize	monaplú	monaplaithe	73
monaraigh	manufacture	monarú	monaraithe	72
mór	magnify, exalt	móradh	mórtha	72
morg	corrupt	morgadh	morgtha	73
morgáistigh	mortgage	morgáistiú	morgáistithe	73
mótaraigh	motorize	mótarú	mótaraithe	71
mothaigh	feel, hear	mothú, -thachtáil	mothaithe	72
mothallaigh	tousle	mothallú	mothallaithe	72
múch	smother, put out	múchadh	múchta	72
múchghlan	fumigate	múchghlanadh	múchghlanta	73
mudh / mudhaigh	ruin, destroy	mudhadh / mudhú	mudhtha / mudhaithe	73 + 54
múin	teach, instruct	múineadh	múinte	73 / 72
muinigh	trust in, rely on	muiniú	muinithe	70
muinnigh	call, summon	muinniú	muinnithe	71
muirearaigh	charge (jur)	muirearú	muirearaithe	71
muirligh	munch	muirliú	muirlithe	72
muirnigh	fondle, cherish	muirniú	muirnithe	71
mumaigh	mummify	mumú	mumaithe	71
mún	urinate	mún	múnta	72
mungail	chew, munch	mungailt	mungailte	73
múnlaigh	mould, cast	múnlú	múnlaithe	74
múr	wall in, immure	múradh	múrtha	72
múr	raze, demolish	múradh	múrtha	73
múráil	moor (vessel)	múráil	múráilte	73
múscail, muscail U	*wake, awake*	**múscailt**	**múscailte**	**74, var 35**
náirigh	shame	náiriú	náirithe	81
náisiúnaigh	nationalize	náisiúnú	náisiúnaithe	94
naomhaigh	sanctify, hallow	naomhú	naomhaithe	75
naomhainmnigh	canonize	naomhainmniú	naomhainmnithe	75
nasc	tie, bind	nascadh	nasctha	94
neadaigh	nest	neadú	neadaithe	65
néalaigh	sublimate	néalú	néalaithe	75
neamhbhailigh	invalidate	neamhbhailiú	neamhbhailithe	75
neamhchothromaigh	unbalance	neamhchothromú	neamhchothromaithe	94
neamhnigh	nullify	neamhniú	neamhnithe	75
neartaigh	strengthen	neartú	neartaithe	94
neasaigh	approximate	neasú	neasaithe	75
neodraigh	neutralize	neodrú	neodraithe	75
niamh / niamhaigh	brighten	niamhadh / niamhú	niafa / niamhaithe	75
niamhghlan	burnish	niamhghlanadh	niamhghlanta	65 / 75
niciligh	nickel	niciliú	nicilithe	65 + 54
nicilphlátáil	nickel-plate	nicilphlátáil	nicilphlátáilte	94
				96

gas/fréamh stem/root	Béarla English	ainm briathartha verbal noun	aidiacht bhr. verbal adjective	briathar gaolta verb type
nigh	wash	ní	nite	76
nimhigh	poison	nimhiú	nimhithe	94
nocht	bare, uncover	nochtadh	nochta	111
nódaigh	graft, transplant	nódú	nódaithe	75
nog	nog	nogadh	nogtha	65
nótáil	note	nótáil	nótáilte	96
núicléataigh	nucleate	núicléatú	núicléataithe	75
ob	refuse, shun	obadh	obtha	78
ócáidigh	use	ócáidiú	ócáidithe	38
oclúidigh	occlude	oclúidiú	oclúidithe	38
ócraigh	ochre	ócrú	ócraithe	79
ocsaídigh	oxidize	ocsaídiú	ocsaídithe	38
ocsaiginigh	oxygenate	ocsaiginiú	ocsaiginithe	38
odhraigh	make dun	odhrú	odhraithe	79
ofráil	offer	ofráil	ofráilte	81
oibrigh	operate, work	oibriú	oibrithe	38
oidhrigh	bequeath	oidhriú	oidhrithe	38
oighrigh	ice, congeal	oighriú	oighrithe	38
oil	nourish, rear	oiliúint	oilte	77
oir	suit, fit	oiriúint	oirthe	77
oirircigh	exalt, dignify	oirirciú	oirircithe	38
oiris	stay, wait, delay	oiriseamh	oiriste	77
oiriúnaigh	fit, adapt	oiriúnú	oiriúnaithe	79
oirmhinnigh	honour, revere	oirmhinniú	oirmhinnithe	38
oirnéal	decorate	oirnéaladh	oirnéalta	78
oirnigh	ordain	oirniú	oirnithe	38
oirnigh	cut in bits	oirniú	oirnithe	38
ól	drink	ól	ólta	78
olaigh / oláil	oil, annoint	olú / oláil	olaithe / oláilte	79 / 81
ollaigh	enlarge	ollú	ollaithe	79
olltáirg	mass-produce	olltáirgeadh	olltáirgthe	77
onnmhairigh	export	onnmhairiú	onnmhairithe	38
onóraigh	honour	onórú	onóraithe	79
óraigh	gild	órú	óraithe	79
orchraigh	wither, decay	orchrú	orchraithe	79
ordaigh	order	ordú	ordaithe	79
orlaigh	sledge, hammer	orlú	orlaithe	79
ornáidigh	ornament	ornáidiú	ornáidithe	38
ornaigh	adorn, array	ornú	ornaithe	79
órphlátáil	gold-plate	órphlátáil	órphlátáilte	81
oscail /foscail U	open	oscailt	oscailte	80
osnaigh	sigh	osnaíl	osnaithe	79
othrasaigh	ulcerate	othrasú	othrasaithe	79
ózónaigh	ozonize	ózónú	ózónaithe	79
pábháil	pave	pábháil	pábháilte	81
pacáil	pack	pacáil	pacáilte	81
pailnigh	pollinate	pailniú	pailnithe	25
painéal	panel	painéaladh	painéalta	82
páirceáil	park	páirceáil	páirceáilte	81
páirtigh	share	páirtiú	páirtithe	25
páisigh	torment	páisiú	páisithe	25
paisteáil	patch	paisteáil	paisteáilte	81
paistéar	pasturize	paistéaradh	paistéartha	82
paitinnigh	patent	paitinniú	paitinnithe	25
palataigh	palatalize	palatú	palataithe	21
pánáil	pawn	pánáil	pánáilte	81
páráil	pare	páráil	páráilte	81
parsáil	parse	parsáil	parsáilte	81
pasáil	tread, trample	pasáil	pasáilte	81
pasáil	pass	pasáil	pasáilte	81
péac	sprout, shoot	péacadh	péactha	82
peacaigh	sin	peacú	peacaithe	21
pearsanaigh	(im)personate	pearsanú	pearsanaithe	21
pearsantaigh	personify	pearsantú	pearsantaithe	21
péinteáil	paint	péinteáil	péinteáilte	81
péireáil	pair	péireáil	péireáilte	81
péirseáil	flog	péirseáil	péirseáilte	81
pian	pain, punish	pianadh	pianta	82
piardáil	ransack	piardáil	piardáilte	81
pic	(coat with) pitch	piceadh	picthe	15
picéadaigh	picket	picéadú	picéadaithe	81
píceáil	pike, pitchfork	píceáil	píceáilte	81
píceáil	peek	píceáil	píceáilte	81
picil	pickle	picilt	picilte	15

gas/fréamh stem/root	Béarla English	ainm briathartha verbal noun	aidiacht bhr. verbal adjective	briathar gaolta verb type
pincigh	push, thrust	pinciú	pincithe	25
píob	hoarsen	píobadh	píobtha	82
pioc	pick	piocadh	pioctha	82
píolótaigh	pilot	píolótú	píolótaithe	21
pionnáil	pin	pionnáil	pionnáilte	81
pionósaigh	penalize, punish	pionósú	pionósaithe	21
píosáil	piece together	píosáil	píosáilte	81
pitseáil	pitch	pitseáil	pitseáilte	81
plab	plop, slam	plabadh	plabtha	82
plac	gobble, guzzle	placadh	plactha	82
pláigh	plague	plá	pláite	7
plánáil	plane	plánáil	plánáilte	81
planc	beat, pommel	plancadh	planctha	82
plancghaibhnigh	drop-forge	plancghaibhniú	plancghaibhnithe	25
plandaigh	plant (hort.)	plandú	plandaithe	21
plandáil	plant, colonize	plandáil	plandáilte	81
plástráil	plaster	plástráil	plástráilte	81
plátáil	plate	plátáil	plátáilte	81
platanaigh	platinize	platanú	platanaithe	21
pléadáil	plead, wrangle	pléadáil	pléadáilte	81
pleanáil	plan	pleanáil	pleanáilte	81
pléasc	explode, burst	pléascadh	pléasctha	82
pléatáil	pleat	pléatáil	pléatáilte	81
pléigh	discuss	plé	pléite	66
plódaigh	crowd, throng	plódú	plódaithe	21
pluc	puff out, bulge	plucadh	pluctha	82
plucáil	pluck, swindle	plucáil	plucáilte	81
plúch	smother	plúchadh	plúchta	82
plúraigh	effloresce	plúrú	plúraithe	21
pocáil	strike, puck	pocáil	pocáilte	81
pocléim	buck-jump	pocléimneach	pocléimthe	15
podsalaigh	podzolize	podsalú	podsalaithe	21
póg	kiss	pógadh	pógtha	82
poibligh	make public	poibliú	poiblithe	25
póilínigh	police	póilíniú	póilínithe	25
pointeáil	point	pointeáil	pointeáilte	81
pointeáil	fix, appoint	pointeáil	pointeáilte	81
poit	poke, nudge	poiteadh	poite	108
polaraigh	polarize	polarú	polaraithe	21
poll	puncture, pierce	polladh	pollta	82
poncaigh	punctuate, dot	poncú	poncaithe	21
poncloisc	cauterize	poncloscadh	poncloiscthe	15
póraigh	grow from seed	pórú	póraithe	21
portaigh	steep (flax)	portú	portaithe	21
pós	marry	pósadh	pósta	82
postaigh	(appoint to) post	postú	postaithe	21
postáil	post, mail	postáil	postáilte	81
postaláidigh	postulate	postaláidiú	postaláidithe	25
potbhiathaigh	spoon-feed	potbhiathú	potbhiathaithe	21
práib	daub	práibeadh	práibthe	15
pramsáil	prance, frolic	pramsáil	pramsáilte	81
pramsáil	crunch, gobble	pramsáil	pramsáilte	81
prapáil	prepare, titivate	prapáil	prapáilte	81
prásáil	braze, foist	prásáil	prásáilte	81
preab	start, bound	preabadh	preabtha	82
préach	perish (cold)	préachadh	préachta	82
preasáil	press, conscript	preasáil	preasáilte	81
preasáil	press	preasáil	preasáilte	81
prímeáil	prime	prímeáil	prímeáilte	81
prioc	prick, prod	priocadh	prioctha	82
priontáil	print	priontáil	priontáilte	81
príosúnaigh	imprison	príosúnú	príosúnaithe	21
profaigh	proof	profú	profaithe	21
próiseáil	process	próiseáil	próiseáilte	81
próisigh	process	próisiú	próisithe	25
prólaiféaraigh	proliferate	prólaiféarú	prólaiféaraithe	21
promh	prove, test	promhadh	profa	82
púdraigh	pulverize	púdrú	púdraithe	21
púdráil	(apply) powder	púdráil	púdráilte	81
puinseáil	punch	puinseáil	puinseáilte	81
púitseáil	rumage	púitseáil	púitseáilte	81
pulc	stuff, gorge	pulcadh	pulctha	82
pumpáil	pump	pumpáil	pumpáilte	81
pupaigh	pupate	pupú	pupaithe	21

gas/fréamh stem/root	Béarla English	ainm briathartha verbal noun	aidiacht bhr. verbal adjective	briathar gaolta verb type
purgaigh	purge	purgú	purgaithe	21
purparaigh	purple	purparú	purparaithe	21
racáil	rack, beat	racáil	racáilte	96
rácáil	rake	rácáil	rácáilte	96
rad	give, frolic	radadh	radta	65
radaigh	radiate	radú	radaithe	75
rádlaigh	lap-joint	rádlú	rádlaithe	75
raiceáil	wreck	raiceáil	raiceáilte	96
raifleáil	raffle	raifleáil	raifleáilte	96
rámhaigh	row (boat)	rámhaíocht	rámhaithe	75
ramhraigh	fatten	ramhrú	ramhraithe	75
rangaigh	classify, grade	rangú	rangaithe	75
rannpháirtigh	participate	rannpháirtiú	rannpháirtithe	94
ransaigh	ransack	ransú	ransaithe	75
raonáil	range	raonáil	raonáilte	96
rapáil	rap	rapáil	rapáilte	96
rásáil	race, groove	rásáil	rásáilte	96
raspáil	rasp	raspáil	raspáilte	96
rátáil	rate	rátáil	rátáilte	96
rathaigh	prosper, thrive	rathú	rathaithe	75
rathaigh	perceive	rathú	rathaithe	75
ráthaigh	guarantee	ráthú	ráthaithe	75
ráthaigh	shoal (fish)	ráthaíocht	ráthaithe	75
réab	tear, burst	réabadh	réabtha	65
reachtaigh	legislate	reachtú	reachtaithe	75
réadaigh	make real	réadú	réadaithe	75
réadtiomnaigh	devise	réadtiomnú	réadtiomnaithe	75
réal	manifest	réaladh	réalta	65
réamhaithris	predict, foretell	réamhaithris	réamhaithriste	104
réamhbheartaigh	premeditate	réamhbheartú	r.bheartaithe	75
réamhcheap	preconceive	réamhcheapadh	réamhcheaptha	65
réamhchinn	predestine	réamhchinneadh	réamhchinnte	84
réamhchinntigh	predetermine	réamhchinntiú	réamhchinntithe	94
réamhdhátaigh	antedate	réamhdhátú	réamhdhátaithe	75
réamhdhéan	prefabricate	réamhdhéanamh	réamhdhéanta	65
réamhfhíoraigh	prefigure	réamhfhíorú	réamhfhíoraithe	75
réamhghabh	anticipate	réamhghabháil	réamhghafa	65
réamhghiorraigh	foreshorten	réamhghiorrú	réamhghiorraithe	75
réamhinis	predict	réamhinsint	réamhinste	60
réamhíoc	prepay	réamhíoc	réamhíoctha	65
réamhleag	premise	réamhleagan	réamhleagtha	65
réamhordaigh	pre-ordinate	réamhordú	réamhordaithe	75 + 79
réamhshocraigh	pre-arrange	réamhshocrú	réamhshocraithe	75 + 95
réamhtheilg	precast	réamhtheilgean	réamhtheilgthe	84
réasúnaigh	reason	réasúnú	réasúnaithe	75
réchas	twist slowly	réchasadh	réchasta	65 + 19
reic	sell, trade	reic	reicthe	67
réimnigh	conjugate	réimniú	réimnithe	94
reith	rut, tup	reitheadh	reite	83
réitigh	smooth, settle	réiteach	réitithe	94
reoigh	freeze	reo	reoite	45
réscaip	diffuse (light)	réscaipeadh	réscaipthe	84
riagh	rack, torture	riaghadh	riaghtha	65
rialaigh	rule, govern	rialú	rialaithe	75
riall	rend, tear	rialladh	riallta	65
rianaigh	trace, gauge	rianú	rianaithe	75
riar	administer	riar	riartha	65
riastáil	flog, furrow	riastáil	riastáilte	96
rib	snare	ribeadh	ribthe	84 + 28
rigeáil	rig	rigeáil	rigeáilte	96
righ	stretch, tauten	ríochan	rite	76
rígh	enthrone	rí	ríthe	22
righnigh	toughen	righniú	righnithe	94
rill	riddle, sieve	rilleadh	rillte	84 + 28
rinc	dance	rince	rincthe	84 + 28
rindreáil	render	rindreáil	rindreáilte	96
rinseáil	rinse	rinseáil	rinseáilte	96
riochtaigh	adapt, condition	riochtú	riochtaithe	75
ríomh	count, reckon	ríomhadh	ríofa	65
ríonaigh	queen (chess)	ríonú	ríonaithe	75
rionn	carve, engrave	rionnadh	rionnta	65
rith	**run**	**rith**	**rite**	83
robáil	rob	robáil	robáilte	96
róbáil	robe	róbáil	róbáilte	96

298

gas/fréamh stem/root	Béarla English	ainm briathartha verbal noun	aidiacht bhr. verbal adjective	briathar gaolta verb type
roc	wrinkle, crease	rocadh	roctha	65
rod	rot	rodadh	rodta	65
ródáil	moor, anchor	ródáil	ródáilte	96
róghearr	over-cut	róghearradh	róghearrtha	65
roghnaigh	choose, select	roghnú	roghnaithe	94
roinn, rann U	**divide**	**roinnt**	**roinnte**	**84**
rois	unravel, tear	roiseadh	roiste	84 + 28
roisínigh	resin	roisíniú	roisínithe	94
roll	roll	rolladh	rollta	65
rollaigh	enrol, empanel	rollú	rollaithe	75
róluchtaigh	overload	róluchtú	róluchtaithe	75
rómhair	dig (ground)	rómhar	rómhartha	24
rop	thrust, stab	ropadh	roptha	65
róshealbhaigh	overhold	róshealbhú	róshealbhaithe	75
róst	roast	róstadh	rósta	111
rothaigh	cycle	rothaíocht	rothaithe	75
rothlaigh	rotate, whirl	rothlú	rothlaithe	75
ruadhóigh	scorch	ruadhó	ruadhóite	33
ruaig	chase	ruaigeadh	ruaigthe	84 + 28
ruaigh	redden	ruachan	ruaite	26
ruaimnigh	dye red	ruaimniú	ruaimnithe	94
rualoisc	scorch	rualoscadh	rualoiscthe	84 + 28
rubaraigh	rubberize	rubarú	rubaraithe	75
rúisc	bark, strip	rúscadh	rúiscthe	84 + 28
ruithnigh	illuminate	ruithniú	ruithnithe	94
rúnscríobh	cipher	rúnscríobh	rúnscríofa	88
rútáil	root	rútáil	rútáilte	96
sábh	saw	sábhadh	sáfa	90
sábháil	**save**	**sábháil**	**sábháilte**	**85**
sac	sack, bag, pack	sacadh	sactha	90
sacáil	sack, dismiss	sacáil	sacáilte	85
sadhlasaigh	ensilage	sadhlasú	sadhlasaithe	95
sádráil	solder	sádráil	sádráilte	85
saibhrigh	enrich	saibhriú	saibhrithe	92
saibhseáil	test depth	saibhseáil	saibhseáilte	85
saigh	go towards	saighe	saighte	91
sáigh	thrust, stab	sá / sáthadh	sáite	7
saighid	incite, provoke	saighdeadh	saighdte	lch 264/7
saighneáil	sign	saighneáil	saighneáilte	85
saighneáil	shine	saighneáil	saighneáilte	85
saill	salt, cure	sailleadh	saillte	91
sáimhrigh	quieten, smooth	sáimhriú	sáimhrithe	92
sainaithin	identify	sainaithint	sainaitheanta	2
sainigh	specify, define	sainiú	sainithe	92
sainmhínigh	define	sainmhíniú	sainmhínithe	92
sáinnigh	trap, check	sáinniú	sáinnithe	92
sainoidhrigh	entail	sainoidhriú	sainoidhrithe	92
sáirsingigh	press, force	sáirsingiú	sáirsingithe	92
sáithigh	sate, satiate	sáithiú	sáithithe	92
salaigh	dirty, defile	salú	salaithe	95
sámhaigh	clam, get sleepy	sámhú	sámhaithe	95
samhailchomharthaigh	symbolize, typify	samhailchomharthú	samhailchomharthaithe	95
samhlaigh	imagine	samhlú	samhlaithe	95
samhraigh	(pass) summer	samhrú	samhraithe	95
sampláil	sample	sampláil	sampláilte	85
sann	assign	sannadh	sannta	90
santaigh	covet, desire	santú	santaithe	95
saobh	slant, twist	saobhadh	saofa	90
saoirsigh	work stone etc.	saoirsiú	saoirsithe	92
saoirsigh	cheapen	saoirsiú	saoirsithe	92
saolaigh	be born	saolú	saolaithe	95
saor	free, save	saoradh	saortha	90
saorghlan	purge, purify	saorghlanadh	saorghlanta	90 + 54
saothraigh	earn, toil	saothrú	saothraithe	95
sáraigh	violate, thwart	sárú	sáraithe	95
sársháithigh	supersaturate	sársháithiú	sársháithithe	92
sárthadhaill	osculate	sárthadhall	sárthadhallta	89
sásaigh	satisfy	sásamh	sásta	95
satail	tramp	satailt	satailte	89
scab U = scaip	scatter	scabadh	scabtha	88
scag	strain, filter	scagadh	scagtha	88
scagdhealaigh	dialyse	scagdhealú	scagdhealaithe	86
scáin	crack, split	scáineadh	scáinte	87
scaip / scab U	scatter	scaipeadh / scabadh	scaipthe / scabtha	87/88

gas/fréamh stem/root	Béarla English	ainm briathartha verbal noun	aidiacht bhr. verbal adjective	briathar gaolta verb type
scaird	squirt, gush	scairdeadh	scairdte	87
scairt	call	scairteadh, ag scairtigh U	scairte	108
scal	burst out, flash	scaladh	scalta	88
scálaigh	scale	scálú	scálaithe	86
scall	scald, scold	scalladh	scallta	88
scamallaigh	cloud (over)	scamallú	scamallaithe	86
scamh	peel, scale	scamhadh	scafa	88
scan	scan	scanadh	scanta	88
scannalaigh	scandalize	scannalú	scannalaithe	86
scannánaigh	film	scannánú	scannánaithe	86
scanraigh	**scare, frighten**	**scanrú**	**scanraithe**	**86**
scaob	scoop	scaobadh	scaobtha	88
scaoil	**loose(n), shoot**	**scaoileadh**	**scaoilte**	**87**
scar	part, separate	scaradh, -rúint	scartha	88
scarbháil	crust, harden	scarbháil	scarbháilte	96
scarshiúntaigh	splice	scarshiúntú	scarshiúntaithe	86
scátáil	skate	scátáil	scátáilte	96
scáthaigh	shade, screen	scáthú	scáthaithe	86
scáthcheil	screen	scáthcheilt	scáthcheilte	87
scáthlínigh	shade	scáthlíniú	scáthlínithe	94
scead	cut patch in	sceadadh	sceadta	88
scéalaigh	relate	scéalú	scéalaithe	86
scealp	splinter, flake	scealpadh	scealptha	88
sceamh	yelp, squeal	sceamhadh	sceafa	88
scean	knife, stab	sceanadh	sceanta	88
sceathraigh	spew, spawn	sceathrú	sceathraithe	86
sceimhligh	terrorize	sceimhliú	sceimhlithe	94
sceith	vomit, spawn	sceitheadh	sceite	87 + 16
sceitseáil	sketch	sceitseáil	sceitseáilte	83
sceoigh	wither, wilt	sceo	sceoite	45
sciáil	ski	sciáil	sciáilte	96
sciamhaigh	beautify	sciamhú	sciamhaithe	86
sciath	screen	sciathadh	sciata	69
scil	shell, chatter	scileadh	scilte	87
scillig	shell, husk	scilligeadh	scilligthe	67
scimeáil	skim	scimeáil	scimeáilte	96
scimpeáil	skimp	scimpeáil	scimpeáilte	96
scinceáil	pour off, decant	scinceáil	scinceáilte	96
scinn	start, spring	scinneadh	scinnte	87
sciob	snatch	sciobadh	sciobtha	88
scioll	enucleate, scold	sciolladh	sciollta	88
sciomair	scour, scrub	sciomradh	sciomartha	89
sciorr	slip, slide	sciorradh	sciorrtha	88
sciortáil	skirt	sciortáil	sciortáilte	96
sciot	snip, clip, crop	sciotadh	sciota	88 + 5
scipeáil	skip	scipeáil	scipeáilte	96
scirmisigh	skirmish	scirmisiú	scirmisithe	94
/ scirmiseáil		/ scirmiseáil	/ scirmiseáilte	/96
scíthigh	become tired	scíthiú	scíthithe	94
sciúch / sciúchaigh	throttle	sciúchadh / sciúchú	sciúchta / sciúchaithe	88 / 86
sciúr	scour, lash	sciúradh	sciúrtha	88
sciurd	rush, dart	sciurdadh	sciurdta	88
sciúrsáil	scourge, flog	sciúrsáil	sciúrsáilte	96
sclamh	snap at, abuse	sclamhadh	sclafa	88
sclár	cut up, tear	scláradh	sclártha	88
sclog	gulp, gasp	sclogadh	sclogtha	88
scobail	scutch	scobladh	scobailte	89
scóig	throttle	scóigeadh	scóigthe	87
scoilt	split	scoilteadh	scoilte	108 + 87
scoir	unyoke	scor	scortha	87
scoith	cut off, wean	scoitheadh	scoite	18 + 87
scol	call, shout	scoladh	scolta	88
scól	scald	scóladh	scólta	88
scolbáil	scallop	scolbáil	scolbáilte	96
scon	strip, fleece	sconadh	sconta	88
scor	slash, slice	scoradh	scortha	88
scoráil	release	scoráil	scoráilte	96
scóráil	score	scóráil	scóráilte	96
scoth-thriomaigh	rough-dry clothes	scoth-thriomú	scoth-thriomaithe	86 + 112
scótráil	hack, mangle	scótráil	scótráilte	96
scrábáil	scrawl, scratch	scrábáil	scrábáilte	96
scrabh	scratch, scrape	scrabhadh	scrafa	88
scraith	strip sward	scrathadh	scraite	18 + 87
scréach	screech, shriek	scréachach	scréachta	88

gas/fréamh stem/root	Béarla English	ainm briathartha verbal noun	aidiacht bhr. verbal adjective	briathar gaolta verb type
scread	scream	screadach	screadta	88
screamhaigh	encrust, fur	screamhú	screamhaithe	86
screamhchruaigh	case-harden	s.chruachan	screamhchruaite	26
scríob	scrape	scríobadh	scríobtha	88
scríobh	**write**	**scríobh**	**scríofa**	**88**
scrios	destroy, ruin	scriosadh	scriosta	88
scriúáil	screw	scriúáil	scriúáilte	96
scrobh	scramble (egg)	scrobhadh	scrofa	88
scrúd	try, torment	scrúdadh	scrúdta	88
scrúdaigh	examine	scrúdú	scrúdaithe	86
scuab	brush	scuabadh	scuabtha	88
scuch	go, depart	scuchadh	scuchta	88
scuitseáil	scutch	scuitseáil	scuitseáilte	96
seachaid	deliver, pass	seachadadh	seachadta	93
seachain	**avoid, evade**	**seachaint**	**seachanta**	**89**
seachránaigh	go astray, err	seachránú	seachránaithe	95
seachródaigh	shunt	seachródú	seachródaithe	95
seachthreoraigh	by-pass	seachthreorú	seachthreoraithe	95
seachtraigh	exteriorize	seachtrú	seachtraithe	95
sead	blow, wheeze	seadadh	seadta	90
seadaigh	settle (down)	seadú	seadaithe	95
seadánaigh	parasitize	seadánú	seadánaithe	95
séalaigh	seal	séalú	séalaithe	95
sealbhaigh	possess, gain	sealbhú	sealbhaithe	95
seamaigh	rivet	seamú	seamaithe	95
séamáil	rabbet, groove	séamáil	séamáilte	85
seamhraigh	hurry, bustle	seamhrú	seamhraithe	95
séan	mark with sign	séanadh	séanta	90
séan	deny, refuse	séanadh	séanta	90
seangaigh	slim, grow thin	seangú	seangaithe	95
seansáil	chance, risk	seansáil	seansáilte	85
seapán	Japan(ize)	seapánadh	seapánta	90
searbhaigh	sour, embitter	searbhú	searbhaithe	95
searg	waste, wither	seargadh	seargtha	90
searn	order, array	searnadh	searntha	90
searr	stretch, extend	searradh	searrtha	90
seas	**stand, last, keep**	**seasamh**	**seasta**	**90**
seiceáil	check	seiceáil	seiceáilte	85
séid	blow	séideadh	séidte	91
seiftigh	devise, provide	seiftiú	seiftithe	92
seilg	hunt, chase	seilg	seilgthe	91
seiligh	spit	seiliú	seilithe	92
séimhigh	thin, aspirate	séimhiú	séimhithe	92
seinn	play (music)	seinm	seinnte	91
seirbheáil	serve	seirbheáil	seirbheáilte	85
seithigh	skin	seithiú	seithithe	92
seol	sail, send	seoladh	seolta	90
siabhair	bewitch	siabhradh	siabhartha	89
sil	drip, drop	sileadh	silte	91
síl	think, consider	síleadh, -lstean, U	sílte	91
sil-leag	deposit (geol.)	sil-leagan	sil-leagtha	90
silicigh	silicify	siliciú	silicithe	92
sill	look, glance	silleadh	sillte	91
simpligh	simplify	simpliú	simplithe	92
sín	**stretch**	**síneadh**	**sínte**	**91**
sincigh	zincify	sinciú	sincithe	92
sindeacáitigh	syndicate	sindeacáitiú	sindeacáitithe	92
sínigh	**sign**	**síniú**	**sínithe**	**92**
sintéisigh	synthesize	sintéisiú	sintéisithe	92
síob	drift, lift	síobadh	síobtha	90
sioc	freeze	sioc	sioctha	90
siofón	siphon	siofónadh	siofónta	90
síog	streak, cancel	síogadh	síogtha	90
síogaigh	fail, fade away	síogú	síogaithe	95
síolaigh	seed, sow	síolú	síolaithe	95
síolchuir	sow, propagate	síolchur	síolchurtha	28
siolp	suck, milk dry	siolpadh	siolptha	90
síolraigh	breed	síolrú	síolraithe	95
siombalaigh	symbolize	siombalú	siombalaithe	95
sioncóipigh	syncopate	sioncóipiú	sioncóipithe	92
sioncrónaigh	synchronize	sioncrónú	sioncrónaithe	95
sionsaigh	delay, linger	sionsú	sionsaithe	95
síoraigh	perpetuate	síorú	síoraithe	95
siorc	jerk	siorcadh	siorctha	90

gas/fréamh stem/root	Béarla English	ainm briathartha verbal noun	aidiacht bhr. verbal adjective	briathar gaolta verb type
siortaigh	ransack, search	siortú	siortaithe	95
siortáil	mistreat	siortáil	siortáilte	85
sios	hiss	siosadh	siosta	90
siosc	cut, clip	sioscadh	siosctha	90
siosc	sizzle, whisper	sioscadh	siosctha	90
siostalaigh	hackle	siostalú	siostalaithe	95
síothaigh	pacify	síothú	síothaithe	95
síothlaigh	strain, settle	síothlú	síothlaithe	95
sir	transverse, ask	sireadh	sirthe	91
siséal	chisel	siséaladh	siséalta	90
siúcraigh	saccharify, sugar	siúcrú	siúcraithe	95
siúil	**walk, travel**	**siúl**	**siúlta**	**93**
siúnt	shunt	siúntadh	siúnta	111
siúntaigh	joint	siúntú	siúntaithe	95
/siúntáil, siundáil		/siúntáil	/siúntáilte	/85
slac	bat	slacadh	slactha	90
slachtaigh	finish, tidy	slachtú	slachtaithe	95
slad	raid, plunder	slad	sladta	90
slaidh	smite, slay	slaidhe	slaidhte	91
slaiseáil	slash, lash	slaiseáil	slaiseáilte	85
slám	tease (wool)	slámadh	slámtha	90
slámáil	pluck, gather	slámáil	slámáilte	85
slánaigh	make whole	slánú	slánaithe	95
slaod	mow down	slaodadh	slaodta	90
slaon	tease (wool)	slaonadh	slaonta	90
slat	beat with rod	slatadh	slata	111
slatáil	beat with rod	slatáil	slatáilte	85
sleabhac	droop, fade	sleabhcadh	sleabhctha	lch 264/7
	become limp	shleabhcfadh	shleabhcadh	p. 264/7
sleacht	cut down, fell	sleachtadh	sleachta	111
sléacht	kneel, genuflect	sléachtadh	sléachta	111
sleáigh	spear	sleá	sleáite	7
sleamhnaigh	slip, slide	sleamhnú	sleamhnaithe	95
sliacht	sleek, stroke	sliachtadh	sliachta	111
sligh	cut down, fell	slí	slite	97
slíob	rub, smooth	slíobadh	slíobtha	90
slíoc	sleek, smooth	slíocadh	slíoctha	90
sliochtaigh	lick clean	sliochtú	sliochtaithe	95
slíom	smooth, polish	slíomadh	slíomtha	90
sliop	snatch	sliopadh	slioptha	90
slis	beetle, beat	sliseadh	sliste	91
slócht	hoarsen	slóchtadh	slóchta	111
slog	swallow	slogadh	slogtha	90
slóg	mobilize	slógadh	slógtha	90
sloinn	tell, state name	sloinneadh	sloinnte	91
sluaisteáil	shovel, scoop	sluaisteáil	sluaisteáilte	85
sluaistrigh	earth, mould	sluaistriú	sluaistrithe	92
smachtaigh	control, restrain	smachtú	smachtaithe	86
smailc	gobble, puff	smailceadh	smailcthe	87
smailc	smack	smailceadh	smailcthe	87
smálaigh	tarnish, stain	smálú	smálaithe	86
smaoinigh	**think**	**smaoineamh**	**smaoinithe**	**94**
smeach	flip, flick, gasp	smeachadh	smeachta	88
smeadráil	smear, daub	smeadráil	smeadráilte	96
smear	smear, smudge	smearadh	smeartha	88
sméid	wink, signal	sméideadh	sméidte	87
smid	dress, make-up	smideadh	smidte	87
smíocht	smite, wallop	smíochtadh	smíochta	111
smiog	pass out, die	smiogadh	smiogtha	88
smiot	hit, smite	smiotadh	smiota	111
smíst	pound, cudgel	smísteadh	smíste	108
smol	blight	smoladh	smolta	88
smúdáil	smooth, iron	smúdáil	smúdáilte	96
smuigleáil	smuggle	smuigleáil	smuigleáilte	96
smúitigh	becloud, darken	smúitiú	smúitithe	94
smúr	sniff	smúradh	smúrtha	88
smut	truncate	smutadh	smuta	111
snaidhm	knot, entwine	snaidhmeadh	snaidhmthe	91
snáith	sip	snáthadh	snáite	18
snáithigh	grain	snáithiú	snáithithe	92
snamh	peel	snamhadh	snafa	90
snámh	swim, crawl	snámh	snáfa	90
snap	snap, snatch	snapadh	snaptha	90
snasaigh	polish, gloss	snasú	snasaithe	95

gas/fréamh stem/root	Béarla English	ainm briathartha verbal noun	aidiacht bhr. verbal adjective	briathar gaolta verb type
snigeáil	snuff out, die	snigeáil	snigeáilte	85
snigh	pour down	sní	snite	97
sniog	milk dry, drain	sniogadh	sniogtha	90
sníomh	spin, twist	sníomh	sníofa	90
snoigh	cut, hew	snoí	snoite	97
socht	become silent	sochtadh	sochta	111
socraigh	**settle, arrange**	**socrú**	**socraithe**	**95**
soifnigh	snivel, whine	soifniú	soifnithe	92
sóigh	mutate	só	sóite	33
soiléirigh	clarify	soiléiriú	soiléirithe	92
soilsigh	shine	soilsiú	soilsithe	92
soinnigh	press, force	soinniú	soinnithe	92
sóinseáil	change	sóinseáil	sóinseáilte	85
soiprigh	nestle, snuggle	soipriú	soiprithe	92
soirbhigh	make easy	soirbhiú	soirbhithe	92
soiscéalaigh	preach gospel	soiscéalú	soiscéalaithe	95
sóisialaigh	socialize	sóisialú	sóisialaithe	95
soladaigh	solidify	soladú	soladaithe	95
sólásaigh	console, cheer	sólású	sólásaithe	95
soláthair	provide	soláthar	soláthartha	89
sollúnaigh	solemnize	sollúnú	sollúnaithe	95
soncáil	thrust, nudge	soncáil	soncáilte	85
sondáil	sound	sondáil	sondáilte	85
sonn	impale, press	sonnadh	sonnta	90
sonraigh	specify, notice	sonrú	sonraithe	95
sop	light with straw	sopadh	softha	90
sorchaigh	light, enlighten	sorchú	sorchaithe	95
sórtáil	sort	sórtáil	sórtáilte	85
spadhar	enrage	spadhradh	spadhartha	lch 264 / 7
spágáil	walk clumsily	spágáil	spágáilte	96
spaill	check, rebuke	spailleadh	spaillte	87
spairn	fight, spar	spairneadh	spairnthe	87
spall	scorch, shrivel	spalladh	spallta	88
spallaigh	gallet	spallú	spallaithe	86
spalp	burst forth	spalpadh	spalptha	88
spáráil	spare	spáráil	spáráilte	96
sparr	bar, bolt, secure	sparradh	sparrtha	88
spásáil	space	spásáil	spásáilte	96
speach	kick, recoil	speachadh	speachta	88
speal	mow, scythe	spealadh	spealta	88
spear	spear, pierce	spearadh	speartha	88
spéiceáil	knock stiff	spéiceáil	spéiceáilte	96
speir	hamstring	speireadh	speirthe	87
spíceáil	spike, nail	spíceáil	spíceáilte	96
spídigh	revile, slander	spídiú	spídithe	94
spíon	tease, comb	spíonadh	spíonta	88
spionn	animate, enliven	spionnadh	spionnta	88
spíosraigh	spice, flavour	spíosrú	spíosraithe	86
spladhsáil	splice	spladhsáil	spladhsáilte	96
splanc	flash, spark	splancadh	splanctha	88
spléach	glance	spléachadh	spléachta	88
spleantráil	splinter, chip	spleantráil	spleantráilte	96
spoch	castrate, geld	spochadh	spochta	88
spól	cut into joints	spóladh	spólta	88
spor	spur, incite	sporadh	sportha	88
spóraigh	sporulate	spórú	spóraithe	86
spotáil	spot, locate	spotáil	spotáilte	96
spraeáil	spray	spraeáil	spraeáilte	96
spréach	spark	spréachadh	spréachta	88
spreachallaigh	spatter, sprinkle	spreachallú	spreachallaithe	86
spreag	urge, inspire	spreagadh	spreagtha	88
spréigh	spread	spré / spréadh	spréite	66
sprioc	mark out, stake	spriocadh	sprioctha	88
spriúch	lash out, kick	spriúchadh	spriúchta	88
spruigeáil	sprig, embroider	spruigeáil	spruigeáilte	96
sprúill	crumble	sprúilleadh	sprúillte	87
spúinseáil	sponge	spúinseáil	spúinseáilte	96
srac	pull, tear	sracadh	sractha	90
sraithrannaigh	ordinate	sraithrannú	sraithrannaithe	95
sram	discharge, run	sramadh	sramtha	90
srann	snore, wheeze	srannadh	srannta	90
sraoill	flog, tear apart	sraoilleadh	sraoillte	91
sraon	pull, drag	sraonadh	sraonta	90
srathaigh	stratify	srathú	srathaithe	95

gas/fréamh stem/root	Béarla English	ainm briathartha verbal noun	aidiacht bhr. verbal adjective	briathar gaolta verb type
srathnaigh	spread	srathnú	srathnaithe	95
srathraigh	harness	srathrú	srathraithe	95
sreabh	stream, flow	sreabhadh	sreafa	90
sreang	drag, wrench	sreangadh	sreangtha	90
sreangaigh	wire	sreangú	sreangaithe	95
sreangtharraing	wire-draw	sreangtharraingt	s.tharraingthe	104
srian	bridle, curb	srianadh	srianta	90
sroich	reach	sroicheadh	sroichte	91
sroighill = sraoill	scourge	sroighleadh	sroigheallta	102
sruthaigh	stream, flow	sruthú	sruthaithe	95
sruthlaigh	rinse, flush	sruthlú	sruthlaithe	95
stad	stop, halt, stay	stad	stadta	88
stáirseáil	starch	stáirseáil	stáirseáilte	96
stáitsigh	stage	stáitsiú	stáitsithe	94
stálaigh	season, toughen	stálú	stálaithe	86
stalc	set, harden	stalcadh	stalctha	88
stampáil	stamp	**stampáil**	**stampáilte**	**96**
stán	stare	stánadh	stánta	88
stánaigh	tin, coat with t.	stánú	stánaithe	86
stánáil	beat, trounce	stánáil	stánáilte	96
stang	dowel	stangadh	stangtha	88
stang	bend, sag	stangadh	stangtha	88
stánphlátáil	tin-plate	stánphlátáil	stánphlátáilte	96
staon	abstain, desist	staonadh	staonta	88
stápláil	staple	stápláil	stápláilte	96
stéagaigh	season (wood)	stéagú	stéagaithe	86
steall	splash, pour	stealladh	steallta	88
steanc	squirt, splash	steancadh	steanctha	88
steiriligh	sterilize	steiriliú	steirilithe	94
stiall	strip, slice	stialladh	stiallta	88
stíleáil	style	stíleáil	stíleáilte	96
stíligh	stylize	stíliú	stílithe	94
stiúg	expire, perish	stiúgadh	stiúgtha	88
stiúir	direct, steer	stiúradh	stiúrtha	93 + 88
stobh	stew	stobhadh	stofa	88
stócáil	stoke	stócáil	stócáilte	96
stóinsigh	make staunch	stóinsiú	stóinsithe	94
stoith	pull, uproot	stoitheadh	stoite	18 + 87
stoithin	tousle (hair)	stoithneadh	stoithinte	102
stoll	tear, rend	stolladh	stollta	88
stolp	become stodgy	stolpadh	stolptha	88
stop	stop, halt, stay	stopadh	stoptha	88
stóráil	store	stóráil	stóráilte	96
straeáil	go astray	straeáil	straeáilte	96
straidhneáil	strain	straidhneáil	straidhneáilte	96
straidhpeáil	stripe	straidhpeáil	straidhpeáilte	96
strapáil	strap	strapáil	strapáilte	96
streachail	pull, struuggle	streachailt	streachailte	89
stríoc	strike, lower	stríocadh	stríoctha	88
stróic	stroke, tear	stróiceadh	stróicthe	87
stroighnigh	cement	stroighniú	stroighnithe	94
stromp	stiffen, harden	strompadh	stromptha	88
struipeáil	strip	struipeáil	struipeáilte	96
strustuirsigh	fatigue	strustuirsiú	strustuirsithe	94 + 114
stuáil	stow, pack	stuáil	stuáilte	87
stuamaigh	calm down	stuamú	stuamaithe	86
stuc	stook (corn)	stucadh	stuctha	88
stumpáil	stump	stumpáil	stumpáilte	96
suaimhnigh	quiet, pacify	suaimhniú	suaimhnithe	92
suaith	mix, knead	suaitheadh	suaite	18 + 90
suaithnigh	indicate	suaithniú	suaithnithe	92
suanbhruith	simmer	suanbhruith	suanbhruite	18 + 90
suaraigh	demean	suarú	suaraithe	95
subhaigh	rejoice	subhú	subhaithe	95
substain	subsist	substaineadh	substainte	91
súigh	absorb, suck	sú	súite	16
suigh	sit	**suí**	**suite**	**97**
suimeáil	integrate	suimeáil	suimeáilte	85
suimigh	add (figures)	suimiú	suimithe	92
suimintigh	cement	suimintiú	suimintithe	92
súisteáil	flail, thrash	súisteáil	súisteáilte	85
suiteáil	instal	suiteáil	suiteáilte	85
sulfáitigh	sulphate	sulfáitiú	sulfáitithe	92
suncáil	sink, invest	suncáil	suncáilte	85

gas/fréamh stem/root	Béarla English	ainm briathartha verbal noun	aidiacht bhr. verbal adjective	briathar gaolta verb type
súraic	suck (down)	súrac	súraicthe	104 p 264/7
tabhaigh	earn, desrve	tabhú	tabhaithe	112
tabhair	**give**	**tabhairt**	**tugtha**	**98**
táblaigh	tabulate, table	táblú	táblaithe	112
tacaigh	support, back	tacú	tacaithe	112
tacair	glean, gather	tacar	tacartha	99
tacht	choke, strangle	tachtadh	tachta	111
tácláil	tackle	tácláil	tácláilte	81
tacmhaing	reach, extend	tacmhang	tacmhaingthe	113
tadhaill	contact, touch	tadhall	tadhalta	99
tafainn	bark	tafann	tafannta	lch 264/7
tagair	**refer, allude**	**tagairt**	**tagartha**	**99**
taibhrigh	dream, show	taibhreamh	taibhrithe	114
taibhsigh	loom, appear	taibhsiú	taibhsithe	114
taifead	record	taifeadadh	taifeadta	105
taifigh see taithmhigh	analyse	taifiú	taifithe	114
taighd	poke, probe	taighde	taighdte	113
táinsigh	reproach	táinseamh	táinsithe	114
táir	demean	táireadh	táirthe	113
tairbhigh	benefit, profit	tairbhiú	tairbhigh	114
tairg	offer, attempt	tairiscint	táirgthe	113
táirg	produce	táirgeadh	táirgthe	113
tairis	stop, stay	tairiseamh	tairiste	15
tairisnigh	trust, rely on	tairisniú	tairisnithe	114
tairneáil	nail	tairneáil	tairneáilte	81
tairngir	foretell, promise	tairngreacht	tairngirthe	102
taisc	lay up, store	taisceadh	taiscthe	113
taiscéal	explore	taiscéaladh	taiscéalta	105
taisealbh	assign, ascribe	taisealbhadh	taisealfa	105
taisligh	deliquesce	taisliú	taislithe	114
taispeáin	**show**	**taispeáint**	**taispeánta**	**100**
taisrigh	damp, moisten	taisriú	taisrithe	114
taistil	**travel**	**taisteal**	**taistealta**	**101**
taithigh	frequent	taithiú	taithithe	114
taithmhigh	dissolve, annul	taithmheach	taithmhithe	114
taitin	**shine**	**taitneamh**	**taitnithe**	**102**
tál	yield milk	tál	tálta	105
tall	take away, lop	talladh	tallta	105
talmhaigh	dig (oneself) in	talmhú	talmhaithe	112
támáil	make sluggish	támáil	támáilte	81
tamhain	truncate	tamhnamh	tamhanta	99
tanaigh	thin, dilute	tanú	tanaithe	112
taobhaigh	approach, trust	taobhú	taobhaithe	112
taobhrian	offset	taobhrianadh	taobhrianta	105
taom	pour off, bail	taomadh	taomtha	105
taosaigh	paste	taosú	taosaithe	112
taosc	bail, pump out	taoscadh	taosctha	105
tapaigh	quicken, grasp	tapú	tapaithe	112
tapáil	tap	tapáil	tapáilte	81
tar	**come**	**teacht /theacht**	**tagtha**	**103**
tarathraigh	bore with auger	tarathrú	tarathraithe	112
tarcaisnigh	scorn, affront	tarcaisniú	tarcaisnithe	114
tarchéimnigh	transcend	tarchéimniú	tarchéimnithe	114
tarchuir	remit, refer	tarchur	tarchurtha	28
tarfhuaigh	overcast	tarfhuáil	tarfhuaite	fuaigh
tarlaigh	happen, occur	tarlú	tarlaithe	112
tarlaigh	haul, garner	tarlú	tarlaithe	112
tarráil	tar	tarráil	tarráilte	81
tarraing	**pull, draw**	**tarraingt**	**tarraingthe**	**104**
tarramhacadamaigh	tarmacadam	tarramhacadamú	tarramhacadamaithe	112
tarrtháil	rescue, deliver	tarrtháil	tarrtháilte	81
tarscaoil	waive	tarscaoileadh	tarscaoilte	87
tástáil	taste, sample	tástáil	tástáilte	81
táthaigh	weld, unite	táthú	táthaithe	112
tathantaigh	urge, incite	tathantú	tathantaithe	112
tathaoir	find fault with	tathaoir	tathaoirthe	113
tatuáil	tattoo	tatuáil	tatuáilte	81
teacht	hold, enjoy	teachtadh	teachta	111
téacht	freeze, congeal	téachtadh	téachta	111
teagasc	teach, instruct	teagasc	teagasctha	105
teaglamaigh	collect, combine	teaglamú	teaglamaithe	112
teagmhaigh	chance, meet	teagmháil	teagmhaithe	112
téaltaigh	creep, slink	téaltú	téaltaithe	112
teangaigh	tongue	teangú	teangaithe	112

gas/fréamh stem/root	Béarla English	ainm briathartha verbal noun	aidiacht bhr. verbal adjective	briathar gaolta verb type
teanglaigh	joggle	teanglú	teanglaithe	112
teann	**tighten**	**teannadh**	**teannta**	**105**
teanntaigh	hem in, corner	teanntú	teanntaithe	112
tearcaigh	decrease	tearcú	tearcaithe	112
tearmannaigh	harbour	tearmannú	tearmannaithe	112
téarnaigh	come out of	téarnamh	téarnaithe	112
teasairg	save, rescue	teasargan	teasargtha	93
teasc	cut off, lop	teascadh	teasctha	105
teasdíon	insulate	teasdíonadh	teasdíonta	105
teastaigh	want, need	teastáil	teastaithe	112
teibigh	abstract	teibiú	teibithe	114
téigh	**go**	**dul (dhul/ghoil)**	**dulta**	**106**
téigh	heat, warm	téamh	téite	66
Teilg	throw, cast	teilgean	teilgthe	113
teilifísigh	televise	teilifísiú	teilifísithe	114
teimhligh	darken, stain	teimhliú	teimhlithe	114
teinn	cut, break open	teinm	teinnte	113
teip	fail	teip	teipthe	113
teisteáil	test	teisteáil	teisteáilte	81
teistigh	depose	teistiú	teistithe	114
teith	run away, flee	teitheadh	teite	18
teorannaigh	delimit, limit	teorannú	teorannaithe	112
tíáil	tee (golf)	tíáil	tíáilte	81
tiarnaigh	rule, dominate	tiarnú	tiarnaithe	112
tibh	touch, laugh	tibheadh	tife	113
ticeáil	tick, tick off	ticeáil	ticeáilte	81
til	control, rule	tileadh	tilte	113
timpeallaigh	go round, belt	timpeallú	timpeallaithe	112
timpeallghearr	circumcise	t.ghearradh	t.ghearrtha	105
tinneasnaigh	hurry, urge on	tinneasnú	tinneasnaithe	112
tinnigh	make sore	tinniú	tinnithe	114
tíolaic	bestow, dedicate	tíolacadh	tíolactha	93
tiomáin	**drive**	**tiomáint**	**tiomáinte**	**107**
tiomain	swear	tiomaint	tiomanta	107
tiomairg	bring together	tiomargadh	tiomargtha	93
tiomnaigh	bequeath	tiomnú	tiomnaithe	112
tiompáil	thump, butt	tiompáil	tiompáilte	81
tiomsaigh	accumulate	tiomsú	tiomsaithe	112
tionlaic	accompany	tionlacan	tionlactha	93
tionnabhair	fall asleep	tionnabhradh	tionnabhartha	99
tionóil	collect, covene	tionól	tionólta	93
tionscain	begin, initiate	tionscnamh	tionscanta	99
tionsclaigh	industrialize	tionsclú	tionsclaithe	112
tiontaigh	turn, convert	tiontú	tiontaithe	112
tíopáil	(determine) type	tíopáil	tíopáilte	81
tíor	dry up, parch	tíoradh	tíortha	105
tirimghlan	dry-clean	tirimghlanadh	tirimghlanta	105 + 54
tit	**fall**	**titim**	**tite**	**108**
tiubhaigh	thicken	tiubhú	tiubhaithe	112
tiúin	tune	tiúnadh	tiúnta	93
tláthaigh	allay, appease	tláthú	tláthaithe	112
tlúáil	ripple (flax)	tlúáil	tlúáilte	81
tnáith	weary, exhaust	tnáitheadh	tnáite	18
tnúth	envy	tnúth	tnúite	111
tóch	dig, root	tóchadh	tóchta	105
tochail	dig, excavate	tochailt	tochailte	99
tochais	scratch	tochas	tochasta	93
tochrais	wind thread	tochras	tochrasta	93
tochsail	distrain	tochsal	tochsalta	99
tóg, tóig C	**lift, rear, take**	**tógáil**	**tógtha**	**109**
togair	desire, choose	togradh	togartha	99
togh	choose, select	toghadh	tofa	105
toghail	sack, destroy	toghail	toghailte	lch 264 / 7
toghair	summon	toghairm	toghairthe	113
toghluais	move, abort	toghluasacht	toghluaiste	113
toibhigh	levy, collect	tobhach	toibhithe	114
toiligh	agree, consent	toiliú	toilithe	114
toill	fit, find room	toilleadh	toillte	113
toimhdigh	think, presume	toimhdiú	toimhdithe	114
toirbhir	deliver, present	toirbhirt	toirbhearta	102
toirchigh	make pregnant	toirchiú	toirchithe	114
toirmisc	prohibit, forbid	toirmeasc	toirmiscthe	113
/ toirmeascaigh		/ toirmeascú	/ toirmeascaithe	/ 112
toitrigh	fumigate	toitriú	toitrithe	114

gas/fréamh stem/root	Béarla English	ainm briathartha verbal noun	aidiacht bhr. verbal adjective	briathar gaolta verb type
tolg	attack, thrust	tolgadh	tolgtha	105
toll	bore, pierce	tolladh	tollta	105
tomhaidhm	erupt	tomhadhmadh	tomhadhmtha	93
tomhail	eat, consume	tomhailt	tomhailte	99
tomhais	measure, guess	tomhas	tomhaiste	113
tonach	wash (the dead)	tonachadh	tonachta	105
tonaigh	tone	tonú	tonaithe	112
tonn	billow, gush	tonnadh	tonnta	105
tonnchrith	vibrate, quiver	tonnchrith	tonnchrite	18
tóraigh	pursue, track	tóraíocht	tóraithe	112
torchair	fall, lay low	torchradh	torchartha	lch 264/7
tornáil	tack, zig-zag	tornáil	tornáilte	81
tórraigh	wake (dead)	tórramh	tórraithe	112
torthaigh	fruit, fructify	torthú	torthaithe	112
tosaigh, toisigh U	**begin, start**	**tosú (toiseacht)**	**tosaithe**	**110**
tosáil	toss	tosáil	tosáilte	81
tost / tostaigh	become silent	tostadh / tostú	tosta / tostaithe	111/112
tóstáil	toast	tóstáil	tóstáilte	81
tothlaigh	desire, crave	tothlú	tothlaithe	112
trácht	**mention**	**trácht**	**tráchta**	**111**
trácht	journey, travel	trácht	tráchta	111
traenáil	train	traenáil	traenáilte	81
tráigh	ebb, subside	trá	tráite	7
trampáil	tramp	trampáil	trampáilte	81
traoch	subdue, exhaust	traochadh	traochta	105
traoith	abate, subside	traoitheadh	traoite	18
traost	lay low	traostadh	traosta	111
trasnaigh	cross, traverse	trasnú	trasnaithe	112
trasuigh	transpose	trasuí	trasuite	97
trátháil	exploit	trátháil	trátháilte	81
treabh	plough	treabhadh	treafa	105
treaghd	pierce, wound	treaghdadh	treaghdta	105
treáigh	penetrate	treá	treáite	7
trealmhaigh	fit out, equip	trealmhú	trealmhaithe	112
treamhnaigh	curdle	treamhnú	treamhnaithe	112
treapáin	trepan	treapánadh	treapánta	100
treascair	overthrow	treascairt	treascartha	99
tréaslaigh	congratulate	tréaslú	tréaslaithe	112
trébhliantaigh	perennate	trébhliantú	trébhliantaithe	112
tréghalaigh	transpire	tréghalú	tréghalaithe	112
tréig	abandon	tréigean, - tréigbheáil	tréigthe	113
treisigh	reinforce	treisiú	treisithe	114
tréithrigh	characterize	tréithriú	tréithrithe	114
treoraigh	guide, direct	treorú	treoraithe	112
treoráil	sight Artill.	treoráil	treoráilte	81
treoshuigh	orientate	treoshuí	treoshuite	97
tréthál	transude	tréthál	tréthálta	105
triail / triáil	try, test	triail / triáil	triailte / triáilte	113/81
triall	journey, travel	triall	triallta	105
triantánaigh	triangulate	triantánú	triantánaithe	112
trilsigh	braid, sparkle	trilsiú	trilsithe	114
trinseáil	trench, bury	trinseáil	trinseáilte	81
triomaigh	**dry**	**triomú**	**triomaithe**	**112**
triosc	interrupt	triosc	triosctha	105
tríroinn	trisect	tríroinnt	tríroinnte	113+84
trochlaigh/trochail	decay, profane	trochlú/trochailt	trochlaithe/trochailte	112/99
troid	fight, quarrel	troid	troidte	113
troisc	fast, abstain	troscadh	troiscthe	113
tromaigh	become heavier	tromú	tromaithe	112
truaigh	make lean	trua	truaite	26
truailligh	corrupt, pollute	truailliú	truaillithe	114
truaillmheasc	adulterate	truaillmheascadh	truaillmheasctha	105
truipeáil	trip, kick	truipeáil	truipeáilte	81
truncáil	pack, throng	truncáil	truncáilte	81
trusáil	truss, tuck	trusáil	trusáilte	81
trust	trust	trustadh	trusta	111
tuaigh	chop (with axe)	tua	tuaite	26
tuairimigh	conjecture	tuairimiú	tuairimithe	114
tuairiscigh	report	tuairisciú	tuairiscithe	114
tuairteáil	pound, thump	tuairteáil	tuairteáilte	81
tuar	augur, forbode	tuar	tuartha	105
tuar	bleach, whiten	tuar	tuartha	105
tuargain pres. tuairgníonn	pound, batter	tuargaint	tuargainte	10

gas/fréamh stem/root	Béarla English	ainm briathartha verbal noun	aidiacht bhr. verbal adjective	briathar gaolta verb type
tuaslaig	solve, dissolve	tuaslagadh	tuaslagtha	93
tuasláitigh	solvate	tuasláitiú	tuasláitithe	114
tuathaigh	laicize	tuathú	tuathaithe	112
tubh	touch, accuse	tubha, tubhadh	tufa	105
tuig	understand	tuiscint	**tuigthe**	**113**
		tuigbheáil U		
tuil	flood, flow	tuile, tuileadh	tuilte	113
tuil	fall asleep	tuileadh	tuilte	113
tuill	earn, deserve	tuilleamh	tuillte	113
tuilsoilsigh	floodlight	tuilsoilsiú	tuilsoilsithe	114
tuirling	descend, alight	tuirlingt	tuirlingthe	104
tuirsigh	tire, fatigue	**tuirsiú**	**tuirsithe**	**114**
túisigh	incense church	túisiú	túisithe	114
tuisligh	stumble, trip	tuisliú	tuislithe	114
tuismigh	beget, engender	tuismiú	tuismithe	114
tum	dive, immerse	tumadh	tumtha	105
túschan	intone	túschanadh	túschanta	105
uachtaigh	will, bequeath	uachtú	uachtaithe	115
uaim	join together	uamadh	uamtha	93 + 77
uaisligh	ennoble, exalt	uaisliú	uaislithe	38
ualaigh	load, burden	ualú	ualaithe	115
uamhnaigh	frighten	uamhnú	uamhnaithe	115
uaschéimnigh	step up	uaschéimniú	uaschéimnithe	38
uathaigh	lessen	uathú	uathaithe	115
uathfhuaimnigh	cipher organ	uathfhuaimniú	uathfhuaimnithe	38
ubhsceith	ovulate	ubhsceitheadh	ubhsceite	18 + 77
úc	full, tuck	úcadh	úctha	78
uchtaigh	adopt	uchtú	uchtaithe	115
údaraigh	authorize	údarú	údaraithe	115
úim	harness	úmadh	úmtha	93 + 77
uimhrigh	number	uimhriú	uimhrithe	38
uirísligh	humble, abase	uirísliú	uiríslithe	38
uiscigh	water, irrigate	uisciú	uiscithe	38
ullmhaigh	prepare	**ullmhú**	**ullmhaithe**	**115**
umhlaigh	humble, submit	umhlú	umhlaithe	115
ung	annoint	ungadh	ungtha	78
uraigh	eclipse	urú	uraithe	115
úraigh	freshen	úrú	úraithe	115
urbhac	estop	urbhac	urbhactha	78
urbhearnaigh /urbhearn	breach, impair	urbhearnú /urbhearnadh	urbhearnaithe /urbhearnta	115 /78
urbhruith	decot	urbhruith	urbhruite	18 + 77
urchoill	inhibit	urchoilleadh	urchoillte	77
urchoisc	bar jur.	urchosc	urchoiscthe	77
urghabh	seize	urghabháil	urghafa	78
urghair	prohibit	urghaire	urghairthe	77
urghairdigh	gladden, rejoice	urghairdiú	urghairdithe	38
urghráinigh	loathe, terrify	urghráiniú	urghráinithe	38
urlaic	vomit	urlacan	urlactha	93 + 77
urmhais /urmhaisigh	aim at, hit	urmhaise -sin /urmhaisiú	urmhaiste /urmhaisithe	77 /38
urraigh	go surety for	urrú	urraithe	115
urramaigh	revere, observe	urramú	urramaithe	115
urscaoil	discharge	urscaoileadh	urscaoilte	77 + 87
urscart	clean out, clear	urscartadh	urscarta	5
úsáid	use	úsáid	úsáidte	77
úsc	ooze, exude	úscadh	úsctha	78
vacsaínigh	vaccinate	vacsaíniú	vacsaínithe	94
válsáil	waltz	válsáil	válsáilte	81
vótáil	vote	vótáil	vótáilte	81
X-ghathaigh	X-ray	X-ghathú	X-ghathaithe	75

Achoimre ar an Briathar: Synopsis of the Verb
An Briathar Rialta: The Regular Verb

The regular verb has, in the main, two conjugations:
1st conjugation i.e. 1 syllable but not ending in -igh. If the last vowel is a, o, u then the stem is 'broad'. If the last vowel is i, then the stem is 'slender'.
2nd conjugation i.e. 2 syllables or more ending in -gh. The ending -aigh is broad and the ending -igh is slender.

An aimsir chaite: The past tense

1st conj. broad	1st conj. slender	2nd conj. broad	2nd conj. slender
thóg mé	chuir mé	cheannaigh mé	d'éirigh mé
thóg tú	chuir tú	cheannaigh tú	d'éirigh tú
thóg sé/sí	chuir sé/sí	cheannaigh sé/sí	d'éirigh sé/sí
thógamar*	chuireamar*	cheannaíomar*	d'éiríomar
thóg sibh	chuir sibh	cheannaigh sibh	d'éirigh sibh
thóg siad	chuir siad	cheannaigh siad	d'éirigh siad
tógadh	cuireadh	ceannaíodh	éiríodh, var héiríodh

*Var thóg muid, chuir/cheannaigh/d'éirigh muid C, U

An aimsir láithreach: The present tense

tógaim	cuirim	ceannaím	éirím
tógann tú	cuireann tú	ceannaíonn tú	éiríonn tú
tógann sé/sí	cuireann sé/sí	ceannaíonn sé/sí	éiríonn sé/sí
tógaimid*	cuirimid*	ceannaímid*	éirímid*
tógann sibh	cuireann sibh	ceannaíonn sibh	éiríonn sibh
tógann siad	cuireann siad	ceannaíonn siad	éiríonn siad
tógtar	cuirtear	ceannaítear	éirítear

*Var tógann muid, cuireann/ceannaíonn/éiríonn muid C, U

An aimsir fháistineach: The future tense

tógfaidh mé	cuirfidh mé	ceannóidh mé	éireoidh mé
tógfaidh tú	cuirfidh tú	ceannóidh tú	éireoidh tú
tógfaidh sé/sí	cuirfidh sé/sí	cceannóidh sé/sí	éireoidh sé/sí
tógfaimid*	cuirfimid*	ceannóimid*	éireoimid
tógfaidh sibh	cuirfidh sibh	ceannóidh sibh	éireoidh sibh
tógfaidh siad	cuirfidh siad	ceannóidh siad	éireoidh siad
tógfar	cuirfear	ceannófar	éireofar

*Var tógfaidh muid, cuirfidh/ceannóidh/éireoidh muid C, U
ceannóidh, éireoidh = ceannóchaidh, éireochaidh U

An Modh Coinníollach: The Conditional Mood

thógfainn	chuirfinn	cheannóinn	d'éireoinn
thógfá	chuirfeá	cheannófá	d'éireofá
thógfadh sé/sí	chuirfeadh sé/sí	cheannódh sé/sí	d'éireodh sé/sí
thógfaimis	chuirfimis	cheannóimis	d'éireoimis
thógfadh sibh	chuirfeadh sibh	cheannódh sibh	d'éireodh sibh
thógfaidís*	chuirfidís*	cheannóidís*	d'éireoidís*
thógfaí	chuirfí	cheannófaí	d'éireofaí

Var thógfadh/chuirfeadh/cheannódh/d'éireodh siad etc. U
cheannódh, d'éireodh = cheannóchadh, d'éireochadh U

An Aimsir Ghnáthchaite: The Imperfect Tense

thógainn	chuirinn	cheannaínn	d'éirínn
thógtá	chuirteá	cheannaíteá	d'éiríteá
thógadh sé/sí	chuireadh sé/sí	cheannaíodh sé/sí	d'éiríodh sé/sí
thógaimis	chuirimis	cheannaímis	d'éirímis
thógadh sibh	chuireadh sibh	cheannaíodh sibh	d'éiríodh sibh
thógaidís	chuiridís	cheannaídís	d'éirídís
thógtaí	chuirtí	cheannaítí	d'éirítí

The main preverbal particles for past tense regular

thóg	d'ól
níor thóg	níor ól
ar thóg?	ar ól?
gur thóg	gur ól
nár thóg	nár ól

The main preverbal particles for pres., fut., condit. and imperf. regular

tógann	ólfaidh
ní thógann	ní ólfaidh
an dtógann?	an ólfaidh?
go dtógann	go n-ólfaidh
nach dtógann	nach n-ólfaidh

Syncopated broad and slender: 2nd conj. endings:

ceangail 'tie', *cheangail, ceanglaíonn, ceanglóidh* etc.
inis 'tell', *d'inis, insíonn, inseoidh, d'inseodh* etc.

léigh, suigh, nigh etc., i.e. 1 syllable ending in *-igh*

léigh 'read', *léigh, léann, léifidh, léifeadh, léadh*
suigh 'sit', *shuigh, suíonn, suífidh, shuífeadh, shuíodh*

An Briathar Mírialta: The Irregular Verb

stem/vn		past	present	future
bí *vn* **bheith**	be	*bhí* *ní raibh*	*tá/bíonn* *níl/ní bhíonn*	*beidh* *ní bheidh*
déan *vn* **déanamh**	do, make	*rinne* *ní dhearna*	*déanann* *ní dhéanann*	*déanfaidh* *ní dhéanfaidh*
téigh *vn* **dul**	go	*chuaigh* *ní dheachaigh*	*téann* *ní théann*	*ní rachaidh* *rachaidh*
feic *vn* **feiceáil** U **feiscint** Std	see	*chonaic* *ní fhaca*	*feiceann* *ní fheiceann*	*feicfidh* *ní fheicfidh*
tar *vn* **teacht**	come	*tháinig* *níor tháinig*	*tagann* *ní thagann*	*tiocfaidh* *ní thiocfaidh*
faigh *vn* **fáil**	get	*fuair* *ní bhfuair*	*faigheann* *ní fhaigheann*	*gheobhaidh* *ní bhfaighidh*
tabhair *vn* **tabhairt**	give	*thug* *níor thug*	*tugann* *ní thugann*	*tabharfaidh* *ní thabharfaidh*
beir (ar) *vn* **breith**	bear, (catch)	*rug* *níor rug*	*beireann* *ní bheireann*	*béarfaidh* *ní bhéarfaidh*
abair *vn* **rá**	say	*dúirt* *ní dúirt**	*deir* *ní deir*	*déarfaidh* *ní déarfaidh*
cluin, *vn* **cluinstean, cloisteáil**	= **clois** hear	*chuala* *níor chuala*	*cluineann* *ní chluineann*	*cluinfidh* *ní cluinfidh*
ith *vn* **ithe**	eat	*d'ith* *níor ith*	*itheann* *ní itheann*	*íosfaidh* *ní íosfaidh*

* *níor úirt* C, U

Some variant Ulster irregular forms

past:
chuaigh/ní theachaigh, rinn'/ní thearn; tháinig/ní tháinig; thug/ní thug; chuala/ ní chuala; dúirt/níor úirt

present:
ghní 'does', *ní theán*; *tch'* 'sees', *ní fheiceann*; *tig* 'comes', *ní thig*; var. *gheibh* 'gets', *ní fhaigheann*; *bheir* 'gives', *ní thugann*

future (same for conditional but *-faidh* > *-fadh*):
gheánfaidh 'will do', *ní theánfaidh*; *tch'fidh* 'will see', *ní fheicfidh*; *bhéarfaidh* 'will give', *ní thabharfaidh*.

Roinnt Réamhfhocal Simplí: Some Simple Prepositions

ar	on	ag at	le with	de of	do for
orm	on me	agam	liom	díom	dom(h)
ort	on you *sg*	agat	leat	díot	duit
air	on him	aige	leis	de	dó
uirthi	on her	aici	léi	di	di
orainn	on us	againn	linn	dínn	dúinn
oraibh	on you *pl*	agaibh	libh	díbh	daoibh
orthu	on them	acu	leo	díobh	dóibh

i in	faoi under	ó from	as out	chuig towards	roimh before
ionam	fúm	uaim	asam	chugam	romham
ionat	fút	uait	asat	chugat	romhat
ann	faoi	uaidh	as	chuige	roimhe
inti	fúithi	uaithi	aisti	chuici	roimpi
ionainn	fúinn	uainn	asainn	chugainn	romhainn
ionaibh	fúibh	uaibh	asaibh	chugaibh	romhaibh
iontu	fúthu	uathu	astu	chucu	rompu

Ulster froms: *fríd* 'through' = *trí* Std; *fá* about (or *fá dtaobh do/de*) = *faoi*, *mar gheall ar* Std.

Réamhfhocail Chomhshuite: Compound Prepositions

i ndiaidh	os comhair	in éadan	os cionn
after	opposite	against	above
i mo dhiaidh	os mo chomhair	i m'éadan	os mo chionn
i do dhiaidh	os do chomhair	i d'éadan	os do chionn
ina dhiaidh	os a chomhair	ina éadan	os a chionn
ina diaidh	os a comhair	ina héadan	os a cionn
inár ndiaidh	os ár gcomhair	inár n-éadan	os ár gcionn
in bhur ndiaidh	os bhur gcomhair	in bhur n-éadan	os bhur gcionn
ina ndiaidh	os a gcomhair	ina n-éadan	os a gcionn

Others include: *fá choinne* 'for' *ar son* 'for', *ar lorg* 'after, looking for' *in aice* 'beside' *in ainneoin* 'in spite of', *imeasc* 'among', *i gcuideachta* 'in the company of'.

Simple prepositions take dative: *leis an fhear* with the man.

Compounds usually take genitive, *i ndiaidh an fhir* after the man, but if compound preposition ends in a simple preposition, then dative follows: *fá dtaobh den fhear* about the man, = *mar gheall ar an fhear*.

An tAinmfhocal: The Noun

The noun in Irish is either masculine or feminine and there are four main cases:
Nominative　　ordinary form of noun (subject & object)
Dative　　the form used after prepositions
Genitive　　possession (like English 's)
Vocative　　addressing someone/something directly

An tAlt: The Article

The article is used before the nominative, dative and genitive. All forms (masculine & feminine, singular & plural) are followed by some form of mutation.

(i) **t** before vowel.
Nom. masc. sg., e.g. **athair** 5m 'father', **Chonaic mé an t-athair.** 'I saw the father'. Consonants unchanged, e.g. **an balla** 4m 'the wall'; **an fear** 1m 'the man'; **an seomra** 4m 'the room'.

(ii) **asp.art**
The aspirating forms of the article place h after the letters b, c, f, g, m and p (as in ordinary aspiration) but d- and t- are unaffected, while t is placed before 'mutable' s- (i.e. all forms of s- except sc-, sm-, sp- and st-). Vowels are not affected.
Nom. fem. sg.
bróg 2f 'shoe', **an bhróg** 'the shoe'; **farraige** 4f 'sea', **an fharraige** 'the sea'; **sráid** 2f **an tsráid** 'the street'; **áit** 2f, **an áit** 'the place'.
Dat. sg. masc. & fem. – Ulster Irish
leis an athair 'with the father', **san áit** 'in the place'; **leis an bhalla** 'with the wall', **faoin bhróg** 'under the shoe' (older **faoin bhróig**), **ag an fhear** 'at the man', **as an fharraige** 'out of the sea', **sa tseomra** 'in the room', **ar an tsráid** 'on the street'. In other dialects eclipsis can occur, **ag an bhfear**, **leis an mbean** etc.
Gen. sg. masc. (NB gen. sg. given in the dictionary)
barr an bhalla 'the top of the wall', **teach an fhir** 'the man's house', **doras an tseomra** 'the door of the room', **carr an athar** 'the father's car'.

(iii) **h** before vowel
Gen. sg. fem.
muintir na háite 'the people of the place', **doras na hoifige** 'the office door' – consonants are unaffected, **barr na sráide** 'the top of the street'.
Nom. & dat. pl. (masc. & fem.)
(leis) na haithreacha '(with) the fathers', **(s)na hoifigí** '(in) the offices', **(do) na fir** '(for) the men', **(faoi) na sráideanna** '(under) the streets'.

(iv) **eclipsis**

Gen. pl. m. & f. (NB use *pl* or *gpl* for this form).

n- before vowels: **barúil na n-aithreacha** 'the fathers' opinion', **ag glanadh na n-oifigí** 'cleaning the offices'.

   mb, gc, nd, bhf, ng, bp, dt

'ballaí 'walls', **barr na mballaí** 'the top of the walls'; **bróga** 'shoes', **luach na mbróg** 'the price of the shoes'; **cosa** 'feet', **ag ní na gcos** 'washing the feet'; **fir** 'men', **teach na bhfear** 'the men's house'

The Vocative Particle (aasp**)** is placed before all nouns (*m., f., sg. & pl.*) when addressing them directly:

   a dhochtúir(í) 3*m* oh doctor(s) **a bhanaltra(í)** 4*f* oh nurse(s)

The only other change is that 1st declension m. nouns make the ending slender in voc. sg. **a fhir** 'oh man', **a mhic** 'oh son'. If noun is m. and gen. pl. = nom sg. then add **-a** for voc. pl., **a fheara** 'oh men', **a mhaca** 'oh sons'.

Roinnt ainmfhocal samplach: Some sample nouns

bádóir 3*m* boatman, *gs* **-óra**, *pl* **~í**

nom	an bádóir	na bádóirí
dat	leis an bhádóir*	leis na bádóirí
gen	carr an bhádóra	teach na mbádóirí
voc	a bhádóir	a bhádóirí

banaltra 4*f* nurse, *gs* **~**, *pl* **~í**

nom	an bhanaltra	na banaltraí
dat	don bhanaltra	do na banaltraí
gen	cóta na banaltra	teach na mbanaltraí
voc	a bhanaltra	a bhanaltraí

aire 4*m* (government) minister, *gs* **~**, *pl* **-rí**

nom	an t-aire	na hairí
dat	chuig an aire	chuig na hairí
gen	oifig an aire	oifigí na n-airí
voc	a aire	a airí

iníon 2*f* daughter, *gs* **iníne**, *pl* **~acha**   (NB níon U, *gs* níne, *pl* níonacha)

nom	an iníon	na hiníonacha
dat	ag an iníon	ag na hiníonacha
gen	carr na hiníne	carr na n-iníonacha
voc	a iníon	a iníonacha

sagart ı*m* priest, *gs/np* **-airt**, *gpl* **~**

nom	**sagart**	**na sagairt**	
dat	**ar an tsagart***	**ar na sagairt**	
gen	**hata an tsagairt**	**hataí na sagart**	
voc	**a shagairt**	**a shagarta**	

seanbhean *irreg.f* old woman *gs/np* **seanmhná**, *gpl* **seanbhan**

nom	**an tseanbhean**	**na seanmhná**	
dat	**ón tseanbhean**	**ó na seanmhná**	
gen	**teach na seanmhná**	**teach na seanbhan**	
voc	**a sheanbhean**	**a sheanmhná**	

* *Alt* **leis an mbádóir, ar an sagart.**

An Aidiacht: The Adjective

Most attributive adjectives follow the noun. Nominative fem sg. aspirates – masc. nom. sg. does not change:

> **cóta** *m* **mór** a big coat
> **léine** *f* **bhán** a white shirt
> **teach** *m* **fada** a long house

The nominative plural forms add **-a** or **-e (-úil > -úla)** and do not *normally* aspirate. **Fada** 'long' has same sg. and pl.

> **cótaí móra** big coats
> **léinte maithe** good shirts
> **tithe fada** long houses

Note: only masc. nouns whose nom. pl. end in slender consonant aspirate, e.g. **fir mhóra** 'big men', **cnoic ghlasa** 'green hills' – yet **doctúirí móra** 'big doctors', **mná suimiúla** 'interesting women', **páistí cainteacha** 'talkative children'.

The comparative/superlative form makes the adjective slender and adds **-e (or -ach > aí; -úil >úla)**, **deas** 'nice', **is deise** 'nicest', **níos deise (ná)** 'nicer (than)' – **is/níos óige** 'youngest/younger', **is/níos sine** 'oldest/older' etc.

nom. sg.	*nom. pl.*	*splve/ comp.*	
glan clean	**glana**	**is glaine**	cleanest
salach dirty	**salacha**	**níos salaí ná**	dirtier than
suimiúil interesting	**suimiúla**	**is suimiúla**	most interesting
ciallmhar sensible	**ciallmhara**	**níos ciallmhaire ná**	more sensible than

For the regular adjective, the superlative/comparative = fem. gen. sg.
Some irregular adjectives have distinct superlative/comparative forms from fem. gen. sg:

nom. sg.	nom. pl.	fem gen sg	splve/comp	
mór big	**móra**	**móire**	**(is) mó**	biggest
beag small	**beaga**	**bige**	**(is) lú**	smallest
maith good	**maithe**	**maithe**	**(is) fearr**	best
olc bad	**olca**	**oilce**	**(is) measa**	worst
furasta easy	**furasta**	**furasta**	**(is) fusa**	easiest

The equative is formed by placing **c(h)omh** in front of the adjective:
chomh mór le teach 'as big as a house'. Note that **chomh** (= **comh** U) places *h* before a vowel, e.g. **ard** 'high', **chomh hard le crann** 'as high as a tree'.

Some adjectives come before noun, e.g. **sean-** 'old', **droch-** 'bad'. These are same for sg. and pl.: **seanbhalla(í)** 'old walls', **drochsheomra(í)** 'bad rooms'.